★ ★ ★ ДАНИЛ ★ ★ ★

# КОРЕЦКИЙ

## Редакционно-издательская группа
## «ЖАНРОВАЯ ЛИТЕРАТУРА»

## Представляет книги Данила Корецкого в серии:
## «Шпионы и все остальные»

# КОРЕЦКИЙ

## ЛАБУТЕНЫ ДЛЯ ЗОЛУШКИ

Издательство АСТ
Москва

УДК 821.161.1-312.4
ББК 84(2Рос=Рус)6-44
К66

Компьютерный дизайн обложки
*Орловой Анастасии*

**Корецкий, Данил Аркадьевич.**

К66    Лабутены для Золушки / Данил Корецкий. — Москва : Издательство АСТ, 2019. — 384 с. — (Шпионы и все остальные).

ISBN 978-5-17-111780-1

Скучное существование провинциального бухгалтера Киры разнообразилось лишь страшными снами про джунгли, где пляшут людоеды вокруг идола с алмазами в глазницах. И вдруг жизнь заблистала яркими красками: выигрыш в лотерее, отпуск в Ницце, избрание Королевой на престижном бале Цветов, коварное похищение и эффектное освобождение... Она не перестает удивляться каскаду приятных неожиданностей в водовороте случайных совпадений. Но возможны ли случайности в деле об алмазных копях, за которые борются спецслужбы нескольких стран мира? И разберется ли новоявленная Золушка в хитросплетении происходящих вокруг нее событий?

УДК 821.161.1-312.4
ББК 84(2Рос=Рус)6-44

*Случайных совпадений нет:*
*в мире ничего не происходит просто так,*
*будьте внимательны к знакам.*

# Часть первая
# РОМАНТИЧНАЯ СКАЗКА

# Глава 1
## Отпуск в Ницце

*Тиходонск, наши дни*

*Бойся своих желаний — они могут исполниться.*

Французская поговорка

**В** бухгалтерии «Картонки» — бывшей картонажной фабрики, мутировавшей в новые времена во второсортный офисно-коммерческий центр, все выглядело, как десятки лет назад. Те же обшарпанные столы, те же расшатанные стулья, те же облупленные канцелярские шкафы, и один железный ящик, громко именуемый сейфом. Старые калькуляторы, допотопный компьютер с треснувшим корпусом монитора, а на подоконнике еще лежал музейный экспонат — счеты, которыми до недавнего времени пользовалась Нинванна.

Нельзя сказать, что работа кипела, наоборот, шла ни шатко, ни валко — в такт перманентному лаю бестолковой дворняжки Турбо во дворе. Все ждали прихода Наташки. Опаздывала она не больше обычного, но во взглядах бухгалтерш, время от времени бросаемых на обшарпанную входную дверь, читалось досадливое: «Да где же она шляется, эта Аренда?» Даже Алена, которая открыто Наташку недолюбливала и которая придумала ей обидное прозвище, намекающее на сдачу за вознаграждение во временное пользование собственного тела, даже она проявляла признаки нетерпения. Собственно, так было всегда. Но сегодня, по крайней мере, для томительного ожидания был вроде, как повод. Только Кире все это было безразлично — и похождения Наташки, и проверка графика отпусков. Она составляла отчет об оплате арендаторами левого крыла: автомастерская исполняла договор исправно, сосисочная тоже, хотя и нарушала сроки, а вот цветочный магазин, тир и парикмахерская уже имели задолженность, и это не шло ни в какие ворота, потому что могло сказаться на ее премии.

А для остальных формальным поводом нетерпеливого ожидания Наташки было то, что с утра пораньше, Нинванна, по привычке вечного профорга, затеялась сверять очередность отпусков.

— Давайте-ка, девочки, уточним кто когда. Во избежание. А то мало ли...

Что «мало ли», она не уточняла, по наипростейшей причине — сама не знала, что такого чрезвычайного может вдруг произойти в их тихом омуте. Но многозначительно постучала пальцем по лежащей на столе таблице.

— Так что давайте, выкладывайте — кто куда. Да и по срокам уточняйте, если что поменялось...

Нине Ивановне исполнилось пятьдесят семь. Грузная, седая, вечно растрепанная, в мешковатом растянутом платье, она выглядела старухой. Затеяла она свою сверку не только из досужего любопытства: кто и как собрался отгуливать законный отпуск. Ей нравилось имитировать собственную значимость: мол, того, кто не укатит на моря, и планирует париться в городе или на огороде, можно в случае необходимости и на работу, как репку из грядки, выдернуть. Так уж было заведено испокон веков — точнее, со времен советской власти, когда и сложился костяк здешнего коллектива. Нина Ивановна любила рассказывать, как в начале восьмидесятых, когда один за другим уходили из жизни Генеральные секретари — тогдашние цари СССР, вдруг понадобилось срочно изготовить корочки для каких-то партийных удостоверений. Немедленно объявили аврал, отозвали всех из отпусков, работали сверхурочно, без сна и отдыха, причем не в конторе, а в цеху, но ответственное задание выполнили! Потому и надо всегда быть начеку, в полной боевой готовности, если вдруг понадобится!

— Да кому мы, на фиг, понадобимся? — Алена усмехнулась. — Тогда одни времена были, а сейчас другие!

— Одни, другие... — пробурчала Нина Ивановна. — А расслабляться нельзя! Вдруг опять шиномонтажку сожгут?

— Да это девяносто восьмой год, чего ты вспоминаешь, как девкой была! — вмешалась главбух Татьяна Витальевна. Она была помоложе лет на пять, закрашивала седину, пользовалась косметикой и делала укладку, да и за модой следила по мере возможностей, а потому разительно отличалась от старшей товарки и выглядела, как еще вполне себе ничего деловая женщина, правда, склонная к полноте. Но это не мешало ей решать вопросы с налоговой, ОБЭП, пожарниками и прочими контролирующими инстанциями, а также с рекламщиками и журналистами. Несмотря на разительную разницу во внешности, по ментальности она мало отличалась от Нины Ивановны, ибо обе они вышли из советского кадрового инкубатора и являлись «костяком» коллектива, в отличие от «молодежи», которая пользовалась калькуляторами своих мобильников и не знала, что такое субботник.

— Ладно, Таня, не цепляйся, — ответила Нинванна. — Вдруг найдется арендатор на освободившиеся площади в правом крыле! Кому суетиться, документы составлять, согласовывать?

— Какой арендатор летом! Ты чего, Нина!

— Так что, не заниматься согласованием? — оскорбленно поджала губы профорганизатор.

— Почему? Занимайся. Но без фанатизма. А то Николай Всеволодович живо твой профсоюз прикроет...

Упоминание имени владельца «Картонки» подействовало, как ушат холодной воды.

— Итак, подаю пример, — снова окрепшим голосом продолжила Нинванна. — Я иду по графику и снова буду на даче. Спиногрызов-то мне опять на все лето приправят, больше некуда... Дочка с зятем, может быть, на пару недель куда-нибудь в Анапу или Крым вырвутся. Ну а мне морковку полоть, клубнику поливать, да за внуками присматривать. Одним словом, крутись бабка, до пенсии далеко! Мой-то Василий в этом не особенно помогает...

Спиногрызами она называла внуков шести и восьми лет, которые вертели ею, как хотели. Кире это слово не нравилось — в ее представлении бабушка должна называть любимых внуков более ласково. Если они, конечно, любимые. Да и дачи никакой у старшей товарки не было — обычный сад на шести сотках, с завалюхой без удобств. Можно считать, что и отпуска у нее нет, если понимать под отпуском красивую и яркую передышку от рутины и монотонности повседневного бытия...

— Я тоже никуда не поеду, — сообщила Татьяна Витальевна. — Дома дел накопилось выше крыши. Вот все и переделаю, отоспюсь, телевизор посмотрю вволю. Там все самое интересное поздно ночью показывают, а утром на работу не надо будет вскакивать! Может, со Степаном Михалычем в кино сходим...

«И у нее нет отпуска», — отметила Кира.

— А я к брату намылилась, во Владивосток, — вздохнула тощая Алена, которая своим внешним видом полностью подтверждала справедливость поговорки: «Худая корова еще не газель...» Вдобавок она всегда выглядела недовольной, потому что уголки губ были опущены книзу, даже если она улыбалась. Ей вот-вот стукнет сорок, но выглядела она постарше, может, потому, что замужем никогда не была и давно махнула на себя рукой.

— Брат там дом строит, надо помочь. За строителями последить, кашеварить, то да се...

«И у этой то же самое!»

— Значит, все идут по графику! — удовлетворенно подвела итог Нинванна. И бросила взгляд на пожелтевшую, в потеках краски и трещинах входную дверь. И другие женщины смотрели туда же. Планы Киры никого не интересовали: коллеги знали, что у нее тоже будет не отпуск, а привычная серость бытия. Все с надеждой ждали Наташку, которая должна разбавить низкобюджетное отпускное уныние.

«Вот ведь странно, — удивлялась Кира. Ей было двадцать пять, и она представляла новое поколение, но под влиянием окружения ничем не выделялась на неухоженной бухгалтерской клумбе. — За глаза костерят на чем свет, называют Арендой, а понимают же: скука смертная без нее. Ждут, как дети сказку...»

Наташкины сказки, правда, были не для детей: из серии «про любоффь», причем сплошь со знаком «18++». Но для конторских теток, бесповоротно запущенных, и по мужской части обделенных даже при наличии супругов, эта щекочущая откровенность играла роль витаминов для матросов средневековых галеонов и каравелл, которым угрожала цинга в многомесячном плавании. Надо признаться, что и Кира с интересом слушала Наташку, которая хотя и была младше ее на три года, но выделялась среди остальных, как яркая алая роза на пожухлой клумбе.

— Слышь, Кирка, ну что, за тобой еще мужики следят? — вдруг спросила Алена.

Кира не отвечала.

— Может, они все в тебя влюбились? Вот и ходят табунами следом. Сейчас начнут цветами забрасывать, подарки дарить...

— Отстань, — огрызнулась Кира.

В бухгалтерии воцарилась тишина, но все думали об одном, и предмет этих раздумий вдруг выдала Нинванна.

— Да, девчонки! — Она оторвалась от графика отпусков и хлопнула себя по лбу. — Совсем забыла! Я же в субботу Аренду встретила в аптеке!

— Небось, презервативы покупала? — с издевкой спросила Алена.

— Нет, как приличная, мазь какую-то. Анальная смазка называется. Видно приболела...

Алена взвизгнула и дико расхохоталась, сложившись, как перочинный ножик, и упав лицом на стол. Кира глянула удивленно, Нинванна и Тамара Витальевна недоуменно переглянулись.

— Что ты хохочешь? — подняла брови главбух. — Что смешного? Лекарство покупала, ну и что? Анальная — это какая?

Алена билась в истерике, одной рукой держась за живот, а второй колотя по столу.

— А-а-а-на... Ана-а-а-льная — эт-т-т-о для зад-ни-цы, — с трудом выговорила она и выскочила из комнаты. Теперь ее хохот раздавался в коридоре.

Старейшины бухгалтерии снова переглянулись.

— Может, у нее геморрой? — спросила Нинванна. — У меня тоже после родов...

«А вы ей туда загляните», — чуть не сказала Кира, но удержала мысль, не дав ей превратиться в слова. Все-таки, это было удивительно. Четыре разновозрастные работницы бухгалтерии обнищавшей картонажной фабрики вот уже четвертый год подряд, с момента появления Наташки, начинали день с того, что выслушивали очередной рассказ о ее похождениях — сосредоточенно и увлеченно. Симптомы напоминали маниакальную привязанность к любимому сериалу. Как-то раз во время ее рассказа включилась пожарная сирена — слушательницы не пошевелились. Татьяна Витальевна лишь пожала пышными плечами: «Учебная...»

Тревога действительно оказалась учебной, но после того случая Кира окончательно перестала удивляться обостренному интересу коллег к Наташкиным откровениям: они помогали заполнить пустоту собственных среднестатистических жизней, протекавших в стандартных квартирках, в решении стандартных проблем, со стандартными, как ни крути, перспективами. Предугадать, с какой историей заявится поутру Наташка, было невозможно. Однажды, вытянув руку с ухоженными ногтями, продемонстрировала сослуживицам оттопыренный мизинец с бриллиантовым кольцом:

— Козлик подарил. Сказал, что я — Мадонна... С размером вот не угадал. Только на мизинец и налезло. И не расширить, камень может выпасть...

Козликом прозывался низкорослый толстячок с выпученными глазами, который таскался за Наташкой на почтительном расстоянии добрую неделю, прежде чем решился подойти познакомиться. А познакомившись, дней десять фанатично обожествлял избранницу, подрывая семейный (да, да, Козлик оказался женатым) бюджет, — после чего, уличенный женой в адюльтере, печально канул в Лету, оставив прощальную записку в стихах, которые Наташка и зачитала в конторе, прыская со смеху и жеманно закатывая глаза: «Я буду вечно вспоминать жару полуночных объятий».

— Ну, это он того... поэтически приврал, — уверенно комментировала Наташка. — Обошлось без допуска к телу. Обняла его разочек на прощание, после кабака. Вот и вся жара!

— Ясное дело! — саркастически подыграла Алена. — Не на ту напал, охламон!

— Поэтическая натура! — понимающе кивала святая простота Татьяна Витальевна. — Мне на первом курсе, помню, тоже писал один. Соловьем заливался...

В другой раз зареванная, с дрожащим подбородком, Наташка выставила на обозрение охающим товаркам лиловый фингал, на время затмивший сияние левого глаза:

— Это Сеня. Сказал, что я шлюха! Не так на его друзей смотрела...

Тогдашний ее Сеня был обладателем налитых боксерской силой железных кулаков и настолько взрывного нрава, что Наташка вздохнула с большим облегчением, когда его посадили за пьяную драку с разгромом придорожного кафе. А когда объявили приговор, и оказалось, что Сеня ближайшие три года проведет за решеткой, Наташка угостила бухгалтерию шампанским с шоколадными конфетами.

— Эх, жаль, на лабутены не успела раскрутить, — без особой горечи посетовала она. — Зажал, бычара!

— Что за лабутены? — спросила Нинванна.

— Самые модные туфли. С красной подошвой. Крутые — от тысячи долларов... Сенька пропивал больше. Козлик, конечно, мог купить, но он быстро сдулся...

— Они у тебя все «сдуваются», — ядовито усмехнулась Алена.

— Ничего, мужики уходят, а сапожки остаются! Просто с Сенькой я не доработала...

— Да зачем они тебе так нужны, эти лабутены? — удивилась Нинванна. — У тебя же и туфли хорошие есть, и платья... Да и наверстаешь, какие твои годы!

— Вот именно, — поддакнула Татьяна Витальевна. — Еще успеешь — купишь... Ну, или подарят...

В ответном взгляде Наташки мелькнуло нечто такое, что смешалась и Нинванна, и остальные дамы почувствовали себя полными дурами.

— Да затем, что все в жизни снашивается, — снисходительно объяснила Наташка. — И туфли, и платья, и моя... краса неземная! Так что надо сейчас впрок запасаться, потом уже не получится!

Шампанское выпили, конфеты съели, за Наташку порадовались, стали расходиться. Размалинившись от выпивки,

Наташка подсела к Кире и сообщила ей голосом проникновенным и бархатистым, каким давние подруги говорят о сокровенном:

— Дура ты набитая, девушка!

От этого зачина — от удивления, что Наташка, которая говорит «ложить» и «хорошее кофе» — может называть ее дурой, Кира огорошено притихла, и последующие поучения слушала молча, не шелохнувшись. И слушая, все примеряла на себя сказанное: «Дура... дура».

— Ну, эти наши клуши понятно — сошли с круга: на двух мяса в два раза больше, чем надо, на одной — в два раза меньше. Да и старые уже... А ты молодая, с фигуркой, тебя приодеть, намарафетить — будешь классной телкой! — напористо говорила Наташка, для убедительности выразительно артикулируя пухлыми губами. — Что ж ты прозябаешь? Неужели парня найти трудно? Нормального. Чтобы и при деньгах, и не жмот, и по этому делу подходящий!

Она согнула руку в локте, сжала кулак, и выразительно подмигнула.

— А то я смотрю, что ты голодная ходишь — так быстро увянешь, состаришься, а жизни и не узнаешь!

— Почему голодная? Я нормально питаюсь! — робко возразила Кира, но Наташка так расхохоталась, что она тут же поняла свою ошибку и несколько смутилась. В этом советчица была права.

— Нормальный парень тебя быстро накормит досыта, — выговорила сквозь смех Наташка. — Не то, что этот твой, как его, ботан для выгула...

Под ботаном для выгула подразумевался Коляшка, друг детства. Собранные в хвост немытые волосы, растянутые майки с черепами, близоруко сощуренные глаза — носить очки Коляшка стеснялся. Математик. Теория вероятностей, похоже, заменяла ему и личную жизнь, и пятничные пьянки с друзьями. Они с Кирой иногда встречались, прогуливались по бульвару, беседовали на возвышенные темы — музыка, литература, театр. В кафе, конечно, не заходили, да и никуда не заходили — денег у Коляшки не водилось. Кира считала, что это в порядке вещей — и безденежье, и прогулки с беседами.

Но Наташка как-то встретила их, расспросила и, подкатив глаза, только покачала головой:

— Ну, и дурра! Нашла кавалера...

— Он, между прочим, талантливый математик, — пыталась возвысить Коляшку, и в определенной мере себя, Кира. — Недавно даже кандидатскую защитил!

— А что толку? — скривилась Наташка. — Тебе-то что с его талантов?

И вот сейчас вспомнила, даже смеяться перестала, и сморщилась брезгливо: наверно, представила Коляшку.

— Приведи себя в порядок и дуй в приличный клуб. Танцевать умеешь? Внутри мартини, в руках бикини, — напела она. — И не забывай: чтобы сесть мужику на шею, нужно раздвинуть ноги! Но с разбором: если каждому давать — поломается кровать... Вначале поводи его на леске, как мой папа-рыбак сазанов, да лещей по выходным вываживает, а потом, когда он к твоей сумочке привыкнет, крути им, как хочешь!

— У меня одна сумочка, чего к ней привыкать? — робко поинтересовалась Кира.

Наташка снова цинично захохотала.

— Вот к этой сумочке, — она так энергично ткнула пальцем Кире в лобок, что та отодвинулась. — Вот к этой! Привык — и ты его хозяйка!

— Прям-таки хозяйка? — усомнилась Кира. — А если он повернется и уйдет?

— Один уйдет — другой придет! — замахала руками Наташка. — Они вокруг толпами кружатся, как пчелы вокруг меда. Вот когда козлик сделал финт ушами, я стала думать, куда пойти половить... А не успела даже с работы выйти, как из мойки «Гелик» выезжает, остановился рядом: «Садитесь, девушка, подвезу!»

— Это кто — Гелик?

— «Гелендваген» — джип такой, мерседесовский, а сидел в нем Сенька... Вот и нашлась замена! Я подумать не успела, а он уже тут, как тут... Жалко, только, что такой дурболай оказался — все кулаками размахивал...

Кира только головой покачала. Она совершенно не представляла, как ее со всех сторон вдруг начнут атаковать мужчины, желающие, чтобы она ими «крутила, как хочет». Тем более что никогда такого не было. Да и вообще, Наташкину аллегорию она видела по-другому: не пчелы кружатся вокруг меда, а жирные зеленые мухи вокруг... Ну, ясно, вокруг чего. Интеллигентная девушка даже мысленно не станет уточнять... Но с другой стороны, Наташка-то знает, что говорит — опыт у нее богатый! Хотя, у каждого свой опыт...

Она тяжело вздохнула.

— Ну, что молчишь? Пошли сегодня в «Цепи» или «Панораму»? Познакомимся, то-се... Вместе оно и спокойней. Идем, угощаю, если что. Ну, чего? Нет? Эх, дура ты, Кирка, дура! Тогда я сама пошла — мне девчонки одно новое «рыбное» место подсказали...

Один раз Наташка повела ее в салон «Мир ногтей», где делала маникюр, педикюр, наращивание, — словом все! Но увидев прейскурант Кира оттуда быстро ретировалась: мол, как обходилась своими силами, так и дальше обойдусь! Но она была впечатлительной натурой, и ночью ей приснился страшный мир: ногти, повсюду ногти! Они хрустят под ногами, возвышаются тут и там трехметровыми валунами, скальной грядой перекрывают горизонт, облаками плывут по небу, даже дождь тут идет острыми разноцветными обрезками ногтей... Кира проснулась с колотящимся сердцем и не могла заснуть до утра. А Наташка хвасталась свежим маникюром и насмешливо улыбалась...

«Интересно, куда она рванет на этот раз? — гадала Кира, высматривая ее в окно. — И с кем? Вроде бы, сейчас у нее Сергуня. А там как знать»...

Зимой был Любшин, чрезвычайно солидный на вид, из мелких чиновников. И Париж.

В самые ненастные декабрьские деньки, когда улицы утонули в снегопадах и ноги разъезжались в грязной каше из раскисшего снега и противогололедных смесей, Наташка ворвалась в бухгалтерию с новостью:

— Еду в Париж! На рождественские каникулы! Любшин сюрприз устроил! Говорит: увидеть Париж и умереть!

Сказала артистично, с выражением, и картинно сбросила на спинку стула неправдоподобно дорогую шубу, подаренную кем-то из бывших.

Любшин был, пожалуй, самым интеллигентным из Наташкиных воздыхателей. Зато и продержался возле нее совсем недолго, не больше месяца. Может быть, именно поэтому.

— Ничего! — философски сказала Наташка. — Сказки длинными не бывают!

Ей недели, проведенной «в реальном Париже», хватило на целый водопад воспоминаний:

— На Монмартре пили абсент... На Рю де ла Пэ смотрели канкан... Столица мира! Ой, девочки, а какие там шмотки! А телки, особенно в «Мулен Руж»!

Кира смотрела на Наташку, устремившую подернутый поволокой взгляд куда-то в «прекрасное далеко», как будто видела сквозь разваливающиеся от старости канцелярские шкафы и источенные грибком стены сияющую огнями Эйфелеву башню. Смотрела, и в который раз пыталась презирать смазливую двоечницу. И в который раз не получалось.

Тогда-то, под хвастливую болтовню Наташки, путавшей названия универмагов и кабаре, прохладную иронию в ее сердце окончательно вытеснила позорная зависть. Париж! Монмартр и Сена! Секре Ке и Нотр-Дам! В ушах пели скрипки и аккордеоны маленьких баров, отрытых кафе, сияла огнями Эйфелева башня, кипела пузырьками в высоких бокалах «Вдова Клико» и звали, манили на неспешную прогулку узкие улочки старого Парижа...

Как же она хотела в Париж!

Полгода Наташка гремела цветными стекляшками банальных своих воспоминаний, вызывая в Кире приступы мрачного протеста: это она, ценительница французской литературы, знаток французского кино, — она должна была рассказывать им о Париже, своем Париже, по которому ходили герои Франсуазы Саган и Жоржа Сименона, который вдохновлял Мане и Родена. А вместо этого она вместе со всеми слушала про обалденные устрицы и огромную круглую кровать в гостинице с видом на какую-то площадь.

И вот очередное обострение — настала пора летних отпусков. Сейчас она придет и расскажет о своих умопомрачительных планах, которые затмят все ранее здесь сказанное, как «Вдова Клико» затмевает привычную пепси-колу...

Но вначале вернулась Алена. Она уже успокоилась, хотя, судя по влажному лицу, для этого ей пришлось умыться. Не глядя на товарок, села на свое место, начала перебирать накладные и отчеты. Все молчали, раздавался только шелест документов, да щелканье клавиш допотопного компьютера.

— Кир, а ты куда? — вдруг спросила Алена, очевидно просто для того, чтобы нарушить молчание. Она просунула пачку бумаг в здоровенный дырокол и приготовилась ударить по нему как следует: компостер был старый и тугой.

— Я? — очнулась Кира.

— Да. Собралась куда или дома отгуляешь? — подключилась Нинванна.

Так уж было угодно судьбе: именно в этот момент дверь привычно скрипнула и на пороге появилась Наташка. Ничего не скажешь, зверской красоты девчонка. Блондинка с голубыми глазами. Высокая, длинноногая, пухлые, как у Анджелины Джоли, губы, небольшой римский нос, затейливый разноцветный маникюр. Легкое просторное платье наводило на мысль о Бегущей по волнам, или Летающей царевне, а может, просто намекало, на ее способность творить чудеса.

А что извилины в мозгах у Наташки такие же прямые, как ее ноги, так кого это интересует? Мужики любого возраста, семейного положения, цвета и сорта, прилеплялись к ней, будто она клеем намазана, стоило Наташке появиться без сопровождения в местах их естественного обитания. И до ее мозгов не было им никакого дела — тем более что собственные в девяти из десяти случаев они утрачивали при первом же визуальном контакте. А может, не имели их от рождения.

— Что уставились, как на привидение? — хищно усмехнулась Наташка. Эта усмешка и придавала ей сходство со зверем. Или, по крайней мере, с небольшим плотоядным зверьком, может, куницей. Ощутив болезненный укол зависти, Кира не глядя взяла со стола заколку, автоматическим жестом подобрала свисающую со лба прядь — утром снова поленилась возиться с прической — и то ли с кокетством, то ли с отчаянием тряхнула головой.

— В Ниццу собираюсь. На Лазурный Берег!

От неожиданности Алена грохнула дыроколом так, что из соседнего кабинета застучали в стену. Три женщины замерли за своими столами. Стопы картонных папок с ботиночными тесемками, казалось, встали по стойке «смирно». Наташка у двери озадаченно оттопырила губу.

«Вот только ради этого момента стоило соврать», — подумала Кира, смакуя пьянящее мстительное удовлетворение.

Но тут же ее настигло жестокое похмелье. «Соврала! Вслух, принародно!» Обводя взглядом обалдевших коллег, Кира казнилась, как мученик Инквизиции. Разоблачительные насмешки она приняла бы с благодарностью. Извинения и оправдания уже готовы были сорваться с языка: «Простите, сама не знаю, вырвалось».

— На Лазурку?! — взвизгнула Наташка и помрачнела.

— Ки-ирка! — протянула Алена, с шумом выпустив воздух. — Ки-ирка! Ну, надо же! И молча-ала!

— Молодец, девка! — кивнула Татьяна Витальевна. Массивное тело начальницы заколыхалось, как бы одобряя и официально утверждая Кирины планы. — По Европам будет разъезжать. А чего ж, молодым везде у нас дорога — вон, Наталья тропинку уже проложила. Мы с моим Степаном, пока дочка не родилась, тоже каждый год в Ессентуки ездили. Сколько ж, интересно, твоя Ницца потянет-то? Копила, небось, не один год?

— Ну, Татьяна Витальевна! — скривилась Наташка. — Ну, разве уважающая себя телка... в смысле, женщина, поедет во Францию сама? В смысле, за свой счет?! Все ж понятно — Кирка подцепила на крючок икряного осетра! Ну, колись, тихоня!

Наташка пронзила Киру таким взглядом, что та даже поежилась.

— Лямур-тужур? Да? Солидный мужик?

Только Наташка была способна одним махом так правдоподобно развить ее опрометчивое вранье, и только Наташка могла так шаблонно при этом ошибаться. «Мужик»! Последний — впрочем, он же и первый — Кирин любовник скрылся с горизонта четыре года назад, оставив после себя горький вкус ночных слез и дрожь при воспоминании о больнице, где ее, казалось, резали на куски, выдирая руками в резиновых перчатках маленькое, нежное, так и не родившееся...

— Ясное дело, мужик! — поддержала версию Алена. — Разве кто из нас может самостоятельно купить тур в Ниццу? На двенадцать тысяч в месяц!

— Это без премий! — строго поправила Татьяна Витальевна. — И прогрессивки!

— И с премиями можно ноги протянуть, — огрызнулась Алена.

— Ты лучше их не протягивай, а расставляй! — хихикнула Наташка.

— Это не всем доступно, — отмахнулась Алена.

— Точно, для этого надо ноги иметь, а не кожерыжки, — еще раз хихикнула Аренда.

— Брось свои бл...кие штучки! Ты бы на зарплату так пошиковала?

Рассуждала она как всегда трезво. Зарплаты у работниц картонажной фабрики имени Клары Цеткин определенно были рассчитаны на тех, кто питается манной небесной. Кира — так же автоматически, как заколола челку при появлении Натахи — произвела мысленный расчет: даже если тратиться только на проезд и квартплату, копить на неделю в Ницце ей пришлось бы не меньше года. А то и больше.

Ситуация тем временем стремительно развивалась — причем без малейшего участия Киры, охваченной странным, непреодолимым оцепенением.

— И очень хорошо, так и надо, Кирочка, — качнула тяжелым подбородком главбух. — Мужик нынче пошел пуганый, мелкий, только о себе думает. Если сумела из него шикарный отдых выжать — считай, повезло. Может, такое раз в жизни и выпадет!

— Давай, давай, колись, скромница наша! — наседала Наташка. — Богатый? Или на последние везет? Красивый? Влюбленный?

Эх, врать, так врать! Отвечать придется позже. А сейчас хотелось насладиться моментом по максимуму, упиться удивлением и любопытством конторских дам, как комар упивается кровушкой дачника, кряхтящего над огородными грядками.

— Дааа, — скромно потупилась Кира, краешком сознания все-таки пытаясь сообразить, как же она будет выпутываться, когда в их тихий кабинет нагрянет час истины. — Богатый. Вроде бы. Красивый. Влюблен, цветами задарил.

— И умный, — добавила она, подумав. — Кандидат химических наук.

Мол, в конце концов, я вам не Наташка! И действительно, невзрачный одноклассник Коляшка уже несколько лет имел кандидатскую степень. Небось, даже у Наташки не было таких ухажеров! Хотя, ей и не нужны такие!

— Здо-о-о-рово, — протянула Алена.

Наташка молчала. И только хлопала длиннющими своими ресницами.

«Ну и пусть. Выкручусь как-нибудь», — повторяла себе Кира, расправляя плечи и красиво, как героиня французского фильма, закидывая ногу на ногу.

Двадцать семь лет. Двадцать семь. Может быть, и не возраст для того, чтобы ставить крест на личной жизни, но уж совершенно точно не повод предаваться глупейшим романтическим мечтам! Какой к чертям Лазурный Берег?! Какая Ницца? Ляпнула сдуру — и, можно сказать, осталась без новых сапог к зиме. Потому что выхода нет, придется где-то брать этот бронзовый загар, будь он неладен!

— Слушай, Наташа, а что такое ты тогда в аптеке покупала? — вдруг вспомнила Нинванна. — Ну, эту... Анальную смазку? От чего она?

— Да ни от чего! — махнула рукой Наташка. — Обыкновенный лубрикант!

— А-а-а-а, — кивнула Нинванна и вопросительно посмотрела на Татьяну Витальевну. Но та только недоуменно пожала плечами. Обе перевели взгляды на Алену, которая уткнулась головой в стол, закрылась пыльной папкой и захрюкала.

— Хватит болтать на посторонние темы! — строго призвала к порядку главный бухгалтер. — У нас проблемы с сосисочной, и с цветами, да и еще много арендаторов, нарушающих договоры. Займитесь делом!

Вечером после работы Кира напрочь забыла о своем хитроумном плане: перед тем как выйти из проходной, постоять за витринным стеклом, проверить, дожидается ли ее кто-нибудь из тех, с кем она подозрительно часто пересекается в последнее время на улице, в автобусах и магазинах. Вышла, как обычно, и пошла, погруженная в свои невеселые раздумья о бронзовом загаре.

Это был ее особый талант — ни к какому делу, впрочем, никак не приспособленный — Кира запоминала лица случайных людей, хотя бы мельком попавших в поле зрения. Достаточно было выхватить кого-нибудь из толпы, зацепившись за какую-нибудь деталь, или несколько раз обратить внимание на какого-нибудь ничем не приметного персонажа и — щелк, память автоматически наводила резкость, фотографировала и убирала в архив. Чтобы потом, так же автоматически, подсказывать без каких бы то ни было специальных усилий: «С этой девчушкой в наушниках вчера входили в метро через соседние турникеты. Этот здоровяк уже попадался возле этого магазина, живет где-то поблизости». Запоминались и лица, и обстоятельства. Непонятно было только, зачем Кире такие способности.

«Похоже на слежку», — с удивлением подумала она, обнаружив, что двое малопримечательных мужчин снова и снова, в разной последовательности, но с завидным постоянством, попадаются ей на глаза по дороге из дома на работу, и с работы домой. Когда один из них мелькнул в супермаркете возле дома субботним утром, Кира укрепилась в своих подозрениях и поделилась ими в бухгалтерии. Коллеги, конечно же, подняли ее на смех.

— Ты какой сериал сейчас смотришь? — поинтересовалась Татьяна Витальевна. — Шпионский, что ли?

— Да она же у нас не по сериалам, — напомнила Алена. — Она же по книжкам. Небось, взяла в библиотеке какой-нибудь роман, а там на полях швейцарский шифр записан — от сейфа, где золото партии. Ну, и охотятся за ней теперь.

— А бывает еще, от недостатка мужской ласки мерещится, что тебя хотят изнасиловать, — у Наташки на все были свои объяснения. — Ну, типа, подсознание начинает фантазировать на любимую тему...

Что и говорить, Кира пожалела, что рассказала в бухгалтерии о своих наблюдениях. Она-то знала, что насмешки коллег ничего не объясняют. Мало того что мужчины попадались ей с подозрительным постоянством, они наверняка были знакомы друг с другом. Их выдавали взгляды, которыми они обменивались — еле уловимые, но заметные наблюдателю, перемены в мимике и жестах.

Кира выбирала из двух сценариев: начать, как в шпионском кино, петлять по городу, чтобы посмотреть, как поведут себя подозрительные субчики — или подойти к одному из них с каким-нибудь надуманным вопросом и понаблюдать за реакцией. Но на такие вещи решаются только бойкие героини детективных фильмов, а не серые мышки из реальной действительности. Тем более сегодня необдуманное вранье про отпуск так выбило ее из колеи, что она шла, ничего вокруг не замечая.

Под перестук колес поезда воспоминаний, память ее отправилась прямиком туда, куда Кира предпочитала не соваться без крайней необходимости. Видимо, совесть в наказание за беспардонную ложь, подсовывала ей самое болезненное, запретное — воспоминания об отце. Со слов матери Кира знала, что он всю жизнь болтался по своим экспедициям, и дома от него толку не было. Дочь действительно родилась в отсутствие родителя, и познакомилась с ним, когда уже научилась разговаривать. Загорелый и молчаливый, отец вернулся из своей последней африканской командировки, где искал то ли нефть, то ли редкоземельные металлы. Привез удивительные подарки: страшную статуэтку из черного дерева с дырками вместо глаз, костяные бусы, браслет из буйволиной кожи, и даже настоящий шаманский амулет из зуба крокодила. Это не надоевшие куклы и плюшевые мишки! Африканские сокровища окружили Киру плотным облаком зависти дворовых подружек. Чудесное время, не повторившееся больше никогда. Впрочем, оказалось оно слишком мимолетным. Каким бы волшебным ни было содержимое тощего папиного рюкзака, скрыть от чуткой девочки семейный разлад оно не могло.

Уже в шесть лет Кира начала замечать, что папа с мамой почти не разговаривают. Компенсируя внутрисемейную изоляцию, отец много времени проводил с ней, рассказывал какие-то страшные истории про свои африканские приключения, водил в зоопарк, где показывал крокодилов, ягуара и обезьян, с которыми встречался в условиях их естественного обитания. Уже много лет спустя Кира поняла, что маленькая дочка заменяла для него весь круг общения, без которого человек не может существовать. Но она быстро уставала от взрослых разговоров и при первом удобном случае убегала к подружкам...

Дома отец старался не бывать, купил ружье и несколько раз ходил на охоту, но для охоты нужна компания, а он тяжело сходился с людьми, поэтому отвлечься новым занятием удалось ненадолго. Кира поначалу думала, что это пройдет, что родителям нужно заново друг к другу привыкнуть — все-таки папа пробыл в Африке долго, больше трех лет. Но она росла, а положение не менялось, наоборот — чем дальше, тем глубже становилась пропасть, скандалы вспыхивали почти каждый день.

Ссориться отец не умел. Скандалы сводились к монологам Софьи Андреевны, которые он зачем-то выслушивал от начала до конца, до оглушительной точки в виде хлопнувшей двери или сброшенной на пол посуды. Софья Андреевна, бывшая активистка-общественница, пламенный строитель коммунизма, была по-ленински темпераментна, и в бою тверда. На попытки Киры расспросить о происходящем, заговорить об отце отвечала сухо, будто подписывала приговор: «Этот человек оказался предателем».

Объяснять, в чем конкретно состояло его преступление, Софья Андреевна не утруждалась. Все, что было в распоряжении Киры — финальные фразы страстной обвинительной речи, которые мама обрушивала на отца. Кира нарвалась на эту сцену, вернувшись из школы. Отец молча сидел на табурете в кухне, вяло помешивая ложечкой в стальной металлической кружке. Всегда пил чай из любимой походной кружки, которая прошла с ним несколько экспедиций, тонула в Енисее, была отбита у злобной африканской макаки. Каждый раз, когда отец чаевничал, Кире казалось, что он сбегает к своим, в геологическую партию — а других партий он никогда и не признавал. Шквал обвинений Дмитрий Евгеньевич принимал с видом стоическим, будто, сидя в брезентовой палатке под проливным дождем, слушал степенного диктора «Маяка».

— Штрейкбрехер! Капитулировал перед капиталистами! Из-за таких, как ты, развалилась великая страна! — кричала мать. — Не за такого буржуйского прихвостня я выходила замуж! Вместо того чтобы сопротивляться!

Она металась по кухне и полы халата распахивались, как полы шинели, а свернутая газета «За власть Советов», в которой мать работала корректором, словно шашка, рубила воздух. Предательство Дмитрия Евгеньевича состояло, собственно, в том, что он устроился геодезистом в частную строительную компанию — а эта компания снесла под новую застройку дом, в котором до Октябрьской революции работала подпольная типография ВКП(б). Вот, оказывается, что он сотворил! «Даже памятная доска не остановила!» Вместо того чтобы вслед за Софьей Андреевной ходить на митинги и пикеты под красными зюгановскими флагами, он стал на сторону врага...

Как ни силилась, Кира не смогла понять упрямую логику матери. На деньги, привезенные из командировки, на презренные капиталистические доллары, семья жила несколько лет. И это в те времена, когда известные артисты и ученые мыли подъезды, торговали на базарах, или ездили «челноками» в Турцию и Китай. Отцовской зарплатой геодезиста, которую тот регулярно в начале месяца оставлял на серванте, распоряжалась подрастающая Кира. Мать хоть и отказалась притрагиваться к штрейкбрехерским деньгам, от купленных на них продуктов не отказывалась.

«И слава богу, — думала Кира, регулярно наведываясь в гастроном по пути из школы. — Только голодовки мне не хватало!»

Отчуждение между родителями нарастало, в конце концов, отец сбежал на дачу, если так можно было назвать дощатый сборный домик на шести сотках заросшей бурьяном земли.

— Прости, дочка, — сказал он. — Больше не могу. В джунглях — со змеями, крокодилами, людоедами мне спокойней было. А сейчас все, допекло!

Девочка Кира, отличница школы с углубленным изучением французского языка, которая перешла в девятый класс, не пыталась его отговорить, понимала: переживать острую классовую борьбу в панельной двушке действительно невозможно. Просто, впервые призналась себе: у нее больше нет семьи!

После отступления отца все чаще стало доставаться и самой Кире. «Ты превращаешься в пустышку, в жуткую мещанку, без идей, без будущего!» Кира — папина дочка — молча принимала удар, предназначавшийся то ли отцу, то ли всему вероломному миру, не оправдавшему надежд Софьи Андреевны и всего прогрессивного человечества. Советская терминология прекрасно описывала ее жизнь.

— Как там ваша «холодная война»? — спрашивал отец, когда они встречались.

Кира только отмахивалась: сам знаешь. Изредка, впрочем, случались и длительные периоды разрядки, когда мать и дочь старательно обходили все, что могло спровоцировать столкновения, выбирая для бесед за завтраком и ужином самые безобидные темы вроде изменчивой тиходонской погоды или перебоев с горячей водой.

Она до последнего ждала, что мать перерастет свой слепой бессмысленный фанатизм. Но Софья Андреевна, оставшись не у дел после того как спонсор закрыл газету «За власть Советов», чтобы вложиться в новый издательский проект под названием «Мужской стиль», неожиданно для всех начала пить. Пристрастие к алкоголю развивалось стремительно. За несколько месяцев пылающая большевичка с жестко поджатыми губами превратилась в красноносую шумливую бабищу. За деньгами, которыми снабжал семью Дмитрий Евгеньевич, она теперь охотилась. Так что Кире пришлось сказать отцу, чтобы он оставлял зарплату при себе. Сама ездила к нему на дачу каждые выходные, брала понемногу, не больше, чем на неделю.

За мать Кира переживала страшно. Но все, что могла — получше прятать от нее «штрейкбрехерские сребреники» и отбивать предпринимаемые время от времени попытки завладеть ими в лобовой атаке или в результате хитроумной операции с прорывами по флангам и отвлекающими маневрами. Софья Андреевна сохраняла боевитость, даже круглосуточно пребывая подшофе. Говорить с Кирой об отце отказывалась напрочь, зато откровенничала с классово близкой дворничихой Зойкой, задушевной своей собутыльницей.

— Связался со швалью. Помогать страну дербанить. Советская власть дала ему профессию, а он пошел в услужение к тем, кто ее погубил. Может, его капитализм развратил... Хотя какой в Африке капитализм? Нет, он и раньше такой был! Без идейного стержня...

Мать жила в несуществующем мире — и, судя по всему, так было всегда. Наверняка понимал это и отец. Не потому ли так надолго сбежал в Африку? Хотя там ему пришлось несладко: над глазом шрам, на теле несколько заживших дырок... Да и замкнулся наглухо — ни друзей, ни увлечений. Хотя дачу привел в порядок: дом обложил кирпичом, проложил водопровод, даже теплый туалет сделал. И участок обустроил: теперь вместо бурьяна там растет картофель, огурцы, помидоры, яблони и груши...

Но вызволить Софью Андреевну из ее мрачных иллюзий ни дочь, ни муж были не в силах. Любая попытка устроить семейный вечер или просто поговорить по душам проваливалась, заканчиваясь марксистской анафемой отступникам, продавшим великий СССР.

Она сгорела быстро. К тому времени, как Кира оканчивала первый курс в Финансовой академии — бывшем институте народного хозяйства, пила уже ежедневно, распродавая из дома все, что попадалось под руку — книги, мебель, посуду, даже африканские сувениры. Аккурат на совершеннолетие дочери, в ее день рождения, возвращалась средь бела дня домой от магазина и угодила под «Мерседес» классового врага. Смерть была мгновенной. Зоя потом любила удивляться, что бутылка, которую несла из магазина Софья Андреевна, осталась цела и невредима.

— Сама, значит, насмерть, а бутылка целехонька, вот чудеса!

Зойкино представление о чуде ввергало Киру в отчаяние. Что и говорить, не таких чудес ждала от жизни чуткая начитанная девушка.

Как многие до нее, Кира была уверена, что никогда не привыкнет к равнодушному холоду пустой квартиры, бьющему в лицо, едва только она открывала дверь. Но так же, как многие, привыкла.

Вот и сейчас девушка, отперев дверь, немного постояла в коридорчике, не включая свет и прислушиваясь к мерному тиканью будильника в бывшей маминой комнате. Вздохнула. Скинула старенькие босоножки на танкетке. Прошла в комнату, подхватила лежащий на журнальном столике пульт от телевизора, перемотанный изолентой. Потыкала в кнопки.

— *...итак, вам выпал сектор «Приз»! Что вы выбираете?*

— *Я выбираю приз.*

— *Отлично! Приз — в студию!*

Звук решила не выключать, как делала обычно. Звуки шоу наполняли ее жилище атмосферой, прекрасно подходившей для того, чтобы чувствовать себя дурой. «Тренируйся, — велела себе Кира. — Вживайся в роль».

Под вопли идиотического восторга, которыми немолодой, но обаятельный шоумен заводил гостей, отправилась мыть руки. Крутанула кран — ручка сделала холостой оборот и прокрутилась на сорванной резьбе.

«Вот еще этого не хватало... Надо вызывать сантехника... Только не сегодня!»

Вытерла руки вафельным полотенцем. Посмотрела на себя в зеркало. Мутноватое, с облупившимися краями стекло, отразило бледное лицо, небрежно подколотые волосы, бог весть откуда взявшееся пятно помады на шее, дешевую турецкую кофточку, под которой угадывалась небольшая для ее роста грудь... Не красавица. Хотя кожа гладкая, черты лица правильные, без изъяна, но все какое-то «чуть-чуть не то». Чуть больше необходимого приподняты к вискам края глаза, нос — длинноват, рот крупноват, лоб высоковат...

«По отдельности все хорошо, а в результате — серая мышка, без всяких перспектив...», — подумала Кира и грустно усмехнулась, закрывая за собой дверь совмещенного санузла.

В телевизоре продолжал бесноваться ведущий:

— *Я даю вам десять тысяч рублей!*

— *Приз.*

— *Пятьдесят! Пятьдесят тысяч рублей и мы не открываем этот ящик!!!*

— *Приз!*

— Бери деньги! — вслух сказала Кира из кухни, явно изображая любительницу поболтать с телевизором, и с силой дернула ручку холодильника. Холодильник времен маминой молодости гудел тяжело, с перерывами, словно запыхавшийся толстячок. Внутри наросли ледяные торосы.

«Надо бы разморозить. Но не сейчас. Завтра».

Пошарила взглядом по полкам. Черт, совсем забыла, что последняя сосиска была сварена на завтрак. Запаянный в прозрачный контейнер салат с пожухлыми капустными листьями — вот все, что можно еще назвать съедобным. Куплен дня три назад в супермаркете по неведомой причине — скорей всего прельстила дешевизна, и дожил до сегодняшнего дня лишь потому, что уж очень неаппетитно выглядел.

Вздохнула. Прихватила вилку, вернулась в комнату.

— *Я давал вам сто тысяч рублей, но вы выбрали приз?*

— *Да...*

— *Что ж, выбор сделан! Итак...*

Черный ящик перевернули, и еще потрясли — на размеченный секторами барабан перед игроком выпал серпик банана. Зал разочарованно загудел. Поникший игрок, криво улыбаясь, изо всех сил старался держать лицо.

Но чувствовалось, что как только камера отъедет от него, хлипкий мужичонка даст волю слезам.

— Говорила я тебе, дурак, деньги бери! — поспешила прокомментировать Кира, вживаясь в роль. — Взрослый человек, а веришь в сюрпризы из черного ящика!

\* \* \*

Месяц бухгалтерия жила предвкушением Кириного отпуска — даже Наташкины проблемы с Сергуней, уволенным с хорошей работы за мелкое воровство и от расстройства чувств запившим по-черному, были отодвинуты на задний план, на что она заметно обижалась. Женщины пичкали Киру советами, каждая в своем роде, и нечего было надеяться на то, что ко времени отпуска про ее фантазию о Лазурном Береге они забудут.

— Если у тебя есть какие-то сбережения, не трогай, и мужику своему о них не говори, — наставляла Татьяна Витальевна, громко щелкая клавишами допотопного калькулятора. — Мало ли у девушки может быть желаний, в Ницце в этой. Не все же у своего-то просить. Переведи деньги в доллары... или что у них там... и положи на карточку, чтоб в дороге не украли. Карточку легко в лифчик запрятать, а можно к трусикам карман изнутри пришить, как мы в свое время делали...

— Курорт курортом, а свитерок какой-нибудь захвати, — говорила Алена. — Я в Википедии прочитала: климат там хоть и субтропический, но случаются сильные ветры. Французы эти — они ж натуры поэтические, даже названия своим ветрам дали. Красивые: «мистраль», «сирокко», «леванте»...

— Задолбала ты своим умствованием! — перебила Наташка. — Нет там никаких твоих дурацких ветров!

Но Алена не обратила на нее внимания.

— Кстати, Кирка, у тебя какой размер?

— Сорок четыре — сорок шесть. А что?

— А обувь?

— Тридцать восемь. А в чем дело?

— В универмаг возле меня халаты пляжные привезли, немецкие. И туфли на низком каблуке, в путешествии очень понадобятся...

— Да не слушай ты ее! — активно подключилась к разговору Наташка. — Это индийское барахло, нитки наружу торчат. Вот в Тихвертоле действительно кайфовые купальники появились! Я вчера пощупала — настоящий германский эластик, не Китай какой-нибудь! Трусики сзади вот так, — она продемонстрировала на своем модельном бедре. — Один шнурок, а по верху стразики, миленькие такие... Нагни своего, пусть прикупит!

Кира всех выслушивала, отвечала что-нибудь вежливо-неопределенное, и думала о своем.

«Теперь, если через две недели не вернусь в эту трижды проклятую контору с морским загаром и пропахшими морской солью волосами, не предъявлю им фотографии со всем этим гламурным ассортиментом: яхта, море, пальмы, песок, и главное — ох — главное, мускулистый мачо, как его там? — богатый, красивый, влюбленный... буду опозорена на всю оставшуюся жизнь», — думала Кира и ее одолевала тоска.

И вот наконец этот день настал. День отпуска — никогда еще не встречала его Кира в такой растерянности и мрачном расположении духа.

Утром она оформила самой себе ведомость на получение отпускных: за все про все, с премиями и прогрессивкой ей полагалось тридцать тысяч полновесных российских рублей. В обед сбегала в магазин и в сосисочную, благо они располагались под боком, выставила на стол королевское угощение — хот-доги, шоколадные конфеты в красивой коробке, две бутылки «Цимлянского игристого»... Не «Вдова Клико», конечно, но тоже вкусно, а главное — шикарно и празднично: девчонки-то в бухгалтерии не избалованы... Кроме, пожалуй, Наташки. Да и Алена тоже не такая простая, как кажется, судя по ее специфическим познаниям — надо же, лубриканты знает... Кира посмотрела в инете что это такое...

Посидели хорошо, а вечером, сопровождаемая пожеланиями хорошего отдыха и последними напутствиями, Кира спустилась по выщербленной лестнице, и отправилась домой, в Южный микрорайон, погружаясь в состояние, близкое к анабиозу.

Вариант остаться дома и загорать на донских пляжах был не без колебаний отброшен: Тиходонск, конечно, большой, но и закон подлости никто не отменял. А ну как попадется на глаза кому-нибудь из коллег или знакомых?! А приобрести загар вне города с минимальными потерями для своего бюджета Кира могла только одним способом: побросать в старую дорожную сумку вещички, доехать электричкой до Степнянска, потом долго трястись на попутке, вздымающей колесами клубы сухой июльской пыли. До тех пор пока впереди не появятся покосившиеся крыши Изобильной, бывшей Голодаевки — нищей деревеньки, где никогда не было ни канализации, ни газа, ни водопровода, а для летних купаний местные жители использовали мутные воды мелкой речки.

Тетя Шура, младшая мамина сестра, по-своему, возможно, будет рада племяннице. Во всяком случае, примет. Но большого гостеприимства — а уж тем более комфорта — ждать не приходится. У тети Шуры трое сыновей-переростков, хулиганистых и хамоватых, вечно пьяный муж Ленька и двенадцать соток огорода. В доме, как всегда, будет пахнуть кислым и затхлым, Ленька с утра затеет похмельный скандал, тетя Шура упрет руки в бока, сыновья-хулиганы, вытащив паклю из просторных щелей насквозь прогнивших простенков старого дома, станут подглядывать за Кирой день и ночь.

«Соврала — вот за это и мучайся, — корила она себя. — Будешь теперь на огороде пластаться. Поясница на третий день отвалится, грязь из-под ногтей придется выковыривать неделю. Загар вам, девушка, конечно, обеспечен. Но что делать со следами от комариных укусов? Да и загар поддельный: не золотистый морской, а грубый, коричневый — речной. И фоток не будет. Разве с огорода, на фоне дощатого сортира...»

Автобус остановился на конечной. Кира выбралась в вечернюю духоту родного микрорайона. Домой. Хорошо, что у нее есть хотя бы это — дом.

Никогда прежде она не позволяла себе идти от остановки до дома так неспешно, едва переставляя ноги. Всегда спешила, почти бежала, обходя стайки вызывающе-шумных подростков или качающихся пьяных. У шеренги гаражей-ракушек, за которыми любила пировать местная гопота, привычно поднимала взгляд и высматривала под самой крышей, на пятом этаже блочной пятиэтажки, светящееся окно. Когда-то мать ждала ее с первого курса Академии, стоя у этого окна в своем домашнем виде: маленькая головка с седым облачком волос, изможденно опущенные плечи под неизменным потертым халатиком с полуоторванными рюшами.

Впереди завиднелись гаражи, сейчас завернет за угол универмага и войдет в свой двор. Кира замедлила шаг. Хотелось оттянуть тот момент, когда снова войдет в пустую темную квартиру, включит машинально телевизор — мелькающие на экране страсти создавали хоть какую-то видимость жизни.

\* \* \*

Тяжелый, мрачный, отвратительно скрежещущий товарняк, с такими же тяжелыми и мрачными воспоминаниями, выныривал из темного тоннеля памяти неожиданно и бессистемно. Отец внешне не проявлял горя по поводу смерти матери. Он вообще вернулся из Африки замкнутым, и держал свои чувства внутри. Хотя отдал супруге последние почести: два месяца возился на кладбище — самолично залил фундамент и сделал основание для памятника, облагородил мраморной крошкой, заказал и установил мраморную плиту с фотографией, на которой Софья Андреевна имела бодрый вид бойца революции, победившего всех классовых врагов и идеологических противников.

Домой он не вернулся — так и остался жить на даче. Объяснял довольно туманно:

— Да что я буду тебе мешать? Мусорю, плохо сплю, табаком воняю, храплю, как медведь. Вдвоем там не развернуться, а тебе личную жизнь надо устраивать. Да и привык я на природе, да на просторе. Опять же, за дачей постоянный присмотр нужен по нынешним временам...

И перестал приходить, даже на Новый год. И ее от визитов в поселок «Фруктовый» отговорил:

— Не лень тебе таскаться с пересадками, в автобусе давиться? Чего ты там не видела, в моем скворечнике?

Что-то подсказывало Кире: это отговорки, существует какая-то веская причина. Она предположила наличие женщины в жизни отца и оставила его в покое. Встречались в кафе — каждый раз почему-то в новом, иногда в кино ходили.

А потом отца убили. Его ужасная смерть прояснила: не было никакой женщины. А что было, не сумели разузнать ни оперативники, ни следователи, ни кто-то там еще. Темная история!

Грабители заявились на дачу ночью, около половины четвертого. Не меньше трех человек. Вскрыли дверь. Сон у Дмитрия Евгеньевича действительно оказался чуткий — успел схватить карабин («Спал он с ним, что ли?» — удивлялся следователь Лапкин) и даже дважды выстрелил, но почему-то ни в кого не попал. Ему же выпущенная в упор пуля угодила в висок. Нападающие перевернули дачный домик вверх дном. Вспороли обивку старого дивана, вытряхнули из банок запасы круп и кофе, вскрыли полы, перевернули все в сарае.

Тот, кто застрелил отца — широкоскулый громила со сломанным носом и стрижкой «бобрик», остался лежать с ТТ в руке на пороге, с близкого расстояния убитый в висок из другого пистолета, на месте преступления не обнаруженного. Он оказался известным полиции уголовником по кличке Еж и находился во всероссийском розыске. Фото Ежа Лапкин показал Кире, но она его, естественно, не опознала, так как никогда не видела.

За всем оружием тянулся криминальный след: ТТ, зажатый в руке убитого грабителя, был похищен во время недавнего нападения на инкассаторов в Курске, а ПМ, из которого был застрелен сам Еж, прибыл на место преступления из Сочи и принадлежал некогда пропавшему без вести армейскому майору.

Сухая информация протоколов и экспертиз впечаталась в Киру со всеми мучительными для нее подробностями. И хотела бы — не смогла от них укрыться. Допросили ее раз десять, так цепко и въедливо, будто она была главным подозреваемым. Молодой, немногим старше Киры, Лапкин, носивший очки с толстенными стеклами, изо всех сил старался выглядеть строгим и солидным. Хмурил брови, басил и с таким усердием расправлял плечи, что погоны старшего лейтенанта Следственного Комитета упирались уголками в спинку массивного офисного кресла.

— В интересах следствия, Кира Дмитриевна, необходимо еще раз уточнить ваши показания, — говорил он, прижимая к переносице массивную, норовящую сползти оправу.

И задавал снова и снова одни и те же вопросы — с кем отец встречался, о ком рассказывал, не имел ли врагов, не состоял ли в конфликте с кем-нибудь из соседей...

— Что, по-вашему, могли искать нападавшие? — Этот вопрос старший лейтенант Лапкин задавал с особенным напором, и каждый раз так внимательно всматривался в лицо Киры, что глаза его, казалось, заполняли линзы очков целиком и полностью.

Вопросы эти, по мнению потерявшей отца дочери, были совершенно формальны и проистекали от полной беспомощности возглавляемого Лапкиным следствия. Допрашивал он и соседей. Но что могли они рассказать о бывшем геологе, который был равнодушен к дворовым посиделкам за домино и пивом, к тому же значительную часть жизни провел вне дома.

Впрочем, Лапкин хоть и ходил по кругу, и строгость на себя нагонял без меры, острого протеста у Киры не вызывал.

Работал, как умел. Безрезультатно — но работал. Да и то сказать, что он мог? Никаких зацепок ни на даче, ни в квартире не обнаружилось. Мотивы преступления — если было оно умышленным, и нападавшие пришли затем, чтобы убить — так и остались невыясненными.

— В конце концов, — сказал Лапкин на последнем допросе, смущенно глядя мимо Киры и забыв поправить очки. — Могло быть случайное стечение обстоятельств. Когда шли, думали, что дача пустая. В перестрелке своего застрелили. Потом решили поискать что-нибудь ценное. Ну, или это кто-то после них случайно туда попал. Труболет какой-нибудь, обычный дачный вор. Отсиделся, пока нападавшие ушли, потом пытался поживиться и перевернул все в доме...

И Кира готова была согласиться с лейтенантом, списать все на трагическую случайность — если бы не случилось в ее квартире того странного обыска. Собственно, тогда она еще никакой странности не заметила, ибо к обыскам не привыкла, и по каким признакам они подразделяются на «странные» и «нормальные» не знала. Примерно через месяц после убийства пришли ранним утром люди в строгих костюмах, показали бумажку на плохой бумаге, с размашистой подписью, с печатью. Старший — очень вежливый майор Буров в полицейской форме — сказал, деликатно заведя руки за спину:

— У нас, Кира Дмитриевна, появились первые проблески в расследовании. Есть сведения, что в квартире спрятаны предметы, которые помогут нам выйти на след преступников. Вы уж потерпите.

Нежданные визитеры перетрусили квартиру метр за метром, будто через сито просеяли. Каждую книжку, оставшуюся после распродаж Софьи Андреевны, пролистали. Каждую кастрюлю вынули из кухонных шкафов. Заглянули в бачок унитаза и дочиста выпотрошили антресоль.

Майор действия своих подчиненных сопровождал сочувственными вздохами и успокоительными фразами:

— В интересах следствия часто приходится мириться с некоторыми неудобствами...

В магазин за хлебом не выпустил — отправил одного из своих.

Они ушли ближе к вечеру, разобрав квартиру на молекулы. Кира возвращала ей жилой вид все выходные. Невольно замирала над вещицами, которые помнила с детства, над фотоальбомами. Плакала, всматривалась в лица молодых улыбчивых родителей. И не могла понять: откуда у визитеров появились сведения, если источниками этих сведений могли быть, только покойный отец или она сама?

А через два дня снова явился Лапкин. Пожалел Киру, не стал вызывать в Комитет, решил лично произвести финальные формальности.

— А этот тип вам известен? — Он выложил на стол фотографию небритого мужчины в клетчатой шведке, раскинувшегося между кустами на примятой траве.

— Нет, откуда? — она прижала руки к груди. — Кто это?!

— Опасный бандит — Худой, — пояснил следователь. — Застрелен из того же пистолета, что и Еж. И из той же компании. Нашли за городом после убийства Дмитрия Евгеньевича.

— А кто же его...

Лапкин вздохнул.

— Похоже, вот этот — рецидивист Волчара, — он добавил фотографию еще одного трупа, лежащего на асфальтовой дорожке возле скамейки. — Он в Москве последнее время африканских студентов крышевал, которые наркотиками торгуют. И умер там же, в парке...

— А его кто?!

— Неизвестно. Может, и сам помер. Причина смерти не установлена. Подозревали отравление, но если и так, то каким-то неизвестным ядом... Короче, не нашли доказательств...

— Не может всего этого быть! — убежденно сказала Кира. — Такое только в кино показывают... «Принцип домино» видели?

— Нет, — покачал головой следователь, складывая фотографии в папку.

— Там свидетелей убирали, одного за другим... Но за этим стояло политическое убийство и мафия... А при чем здесь отец?!

Лапкин кивнул.

— Вполне может быть — это водоворот трагических случайностей. Все уголовники друг друга знают, у них свои дела, свои разборки... Сегодня вместе дело сделали, завтра разбежались, послезавтра с другими пересеклись, заспорили, постреляли-порезались... И получается, что причина всего этого не одна, а три, или четыре... Как тут разберешься?

— Так это же и есть ваше дело! — перебила Кира. — Вы же и должны разбираться! А вы меня десять раз расспрашиваете, с обысками приходите...

— С какими обысками? — следователь насторожился и отложил папку. — Кто приходил?

— Майор полиции Буров, и с ним еще трое... — Кира рассказала о происшедшем в подробностях.

— Странно! — Лапкин озаботился. — Я об этом ничего не знаю...

Кира изрядно удивилась, пожала плечами.

— А я тем более! Какая-то неразбериха у вас там, в вашем следствии. Кто там у вас ордера на обыск выписывает? Вот у того и поинтересуйтесь!

— Постановления, — задумчиво поправил Лапкин. — Раз я веду расследование, то и все документы выписываю я. А суд дает санкцию! Ну, ладно, я все выясню...

На следующий день Лапкин позвонил ей на работу и сказал, что ни в прокуратуре, ни в суде об обыске в ее квартире ничего не знают. А никакого Бурова в тиходонской системе уголовной юстиции вообще нет!

У Киры захолодело под ложечкой. Недоумение сменил нешуточный страх.

— Получается... — сказала она в трубку полувопросительно. — Получается, что это преступники приходили?

Она надеялась, что Лапкин скажет что-то успокаивающее, но напрасно.

— Получается, — глухо согласился следователь, и в голосе его больше не звучало нарочитой солидности. — Не думаю, что вам угрожает опасность... Но все же некоторое время соблюдайте осторожность.

Кира отпросилась с работы, в соседнем хозяйственном купила самый дорогой замок и бутылку для дяди Коли с третьего этажа, промышлявшего мелким ремонтом за незначительный магарыч, тот без лишних вопросов врезал замок и укрепил дверь. А еще через несколько дней возле подъезда ее дождался по-настоящему солидный, крепко сбитый мужчина в штатском костюме с легкой сединой на висках и в аккуратно подстриженных усах. В предъявленном им удостоверении значилось, что подполковник Ванеев В.К. — начальник отделения краевого уголовного розыска. Но, наученная горьким опытом Кира, теперь не спешила доверять полицейским документам.

— Тут у меня самозванцы недавно обыск делали, так они тоже официальные бумаги показывали!

— Знаю эту историю и понимаю ваши сомнения, — кивнул Ванеев. — Если вам будет спокойней, мы можем присесть вон там. — Он указал на дворовую беседку, обычно оккупированную любителями домино и пива, но сейчас, к удивлению Киры, пустовавшую.

На обшарпанном, с въевшейся рыбьей чешуей столе, подполковник разложил с десяток фотографий.

— Посмотрите внимательно. Здесь мошенники, устраивающие «разгоны» — самочинные обыски. Обычно они приходят к заведомо богатым и нечистым на руку людям. Но, может быть, вы кого-то узнаете...

— А я что, богата? Или нечиста на руку?!

— Нет, конечно! Просто, есть определенный порядок...

Среди множества угрюмых лиц Кира распознала вежливого «майора Бурова». Правда, на фотографиях он был совсем другой — серьезный и явно не склонный к доброжелательным разговорам. Да и черты лица не вполне совпадали — может он, а может, и не он.

— Вот... Кажется, он... Только у того нос был шире, и подбородок другой. Да и вообще, эти люди не были похожи на квартирных мошенников. Они держались так строго, официально и говорили правильным языком, без уголовных словечек...

Ванеев пожал плечами.

— Впечатления бывают обманчивыми. Как раз такие дела — его амплуа. У него своя «бригада», специализирующаяся на «разгонах». И держатся они соответственно, иначе бы ничего у них не выходило.

И, помолчав, повторил слова следователя Лапкина:

— Вряд ли вам угрожает опасность. Но на всякий случай, некоторое время избегайте безлюдных мест. Мало ли что...

И без того напуганная Кира после этого впала в глубокую депрессию. Похудела, заработала бессонницу. Невропатолог в районной поликлинике выписал успокоительное лекарство, после которого Кира ходила с тяжелой и гулкой, будто с похмелья, головой. Но сон вернулся, а со временем прошла и паранойя, заставлявшая ее озираться на каждом шагу и переживать приступы удушья, когда возле нее останавливалась машина или незнакомец входил с нею в лифт.

Среди соседей в ту пору ходили, обрастая экзотическими деталями, сплетни — дескать, семейка перешла дорогу госструктурам. Отец Киры стал американским шпионом, за что его ликвидировали спецслужбы, инсценировав ограбление. Мать, согласно версии коллективного соседского разума, убили ему в острастку, но он не внял, не покаялся, а потому отправился следом за ней. Хотели и Кирку убить, но времена нынче гуманные, пожалели...

Кира заказала поминальный молебен и сходила на кладбище. Родители лежали рядом. Софья Андреевна и с могильной плиты смотрела холодно, отвернувшись от Дмитрия Евгеньевича — как бы говоря: «С предателями дела не имею».

# Глава 2
## Неожиданное знакомство

*Тиходонск, наши дни*

> *Случайная встреча — самая неслучайная вещь на свете*

Она, всего-навсего, вышла за молоком. Отрешенная, казалось, в своей тяжелой задумчивости от реального мира напрочь, Кира вдруг поймала себя на том, что рассматривает незнакомку, медленно удаляющуюся от нее по разбитому тротуару. Взгляд зацепился за нее непроизвольно — было в ней резкое, бросающееся в глаза несоответствие окружающему ландшафту. Так, наверное, овладевают вниманием окружающих принцессы крови, которые в силу каких-нибудь передряг перенеслись из своего дворца в слякотное предместье. Элегантное светлое платье, дорогие вишневые «шпильки», аккуратная сумочка в цвет, прическа, являвшая ту простоту и точность линий, в которых угадывалось отточенное мастерство парикмахерского искусства, — все это было не отсюда, попало сюда случайно и наверняка ненадолго. Неуверенный сбивчивый шаг мог говорить о том, что принцесса заблудилась и пытается вернуться в свой мир. Кира собралась было догнать ее, предложить помощь. Но тут аккуратная вишневая сумочка в цвет туфель неудачно качнулась, чуть не выпав из рук. Но не выпала. Зато змейка оказалась расстегнутой, и на щербатый асфальт вывалилось такое же вишневое, в цвет сумке, портмоне. Кире показалось, что в ту же секунду в узком проходе между гаражами обозначилось хищное движение. Незнакомка тем временем модельной походкой шла дальше, к какой-то своей неведомой цели.

— Погодите! — позвала Кира. — Вы уронили!

Ноги уже несли ее вдогонку. Она подбежала как раз вовремя: поднимая пухлый увесистый портмоне, краем глаза ухватила злобный взгляд, прилетевший от ржавых железных коробок.

— Тупая овца! — послышалось за спиной.

— Женщина, подождите! — не обращая внимания, крикнула Кира.

Незнакомка повернулась, встречая ее приветливой улыбкой. Ей было лет тридцать, может, чуть больше.

— Вот, у вас выпало, — сказала Кира, протягивая портмоне.

— Ой, — улыбка сделалась смущенной. — Вечно я сумки забываю закрывать, прям беда!

В серебристом голоске чувствовался легкий приятный акцент. Может, она из Прибалтики? Или вообще с другой планеты? Кире стало стыдно — она так вульгарно кричала: «Женщина!» А ведь это никакая не «женщина», не «баба», не «телка» и не «гражданка» — это дама, которой подходит лишь соответствующее обращение: сударыня, синьора, мадам...

Незнакомка бережно приняла потерю.

— Спасибо огромное. Вы моя спасительница.

Застежка портмоне как будто сама собой расстегнулась, перед Кирой мелькнула толстенькая пачка купюр. «Евро!» — отметила Кира и улыбнулась в ответ:

— Не за что.

Портмоне вернулось в сумку, молния энергично вжикнула.

— Я Диана, — представилась дама, чуть склонив голову.

— Кира, — она непроизвольно повторила этот жест.

— Не знаю, как вас благодарить, — вздохнула Диана, и с милой непосредственностью пустилась в объяснения:

— Приезжала к родственнице, тут недалеко. Вышла, машина не открывается, батарейки в брелке сели. Вот, — она качнула округлым пультом автомобильной сигнализации, — хожу, ищу магазин, не нахожу. И тут вот еще это. Спасибо вам! — принялась она благодарить с еще большим воодушевлением. — Спасли мою будущую обстановку в новой гостиной! Это все дурацкое пристрастие к наличности!

Она тепло посмотрела Кире в глаза. Кира давно бы ушла, обронив обычное: «Не за что». Но от женщины в светлом платье исходило столько обаяния, столько было изящества в ее мимике и собранных, но темпераментных жестах, что хотелось продлить этот миг случайного приобщения к другому миру, в котором главный труд женщины — быть красивой, где не приходится выбирать между покупкой туфель и убогим отпуском в Изобильной.

— Позвольте мне в ресторан вас пригласить, — сказала Диана. — Я все равно собиралась, составьте мне компанию. Поужинаем.

Предложение испугало Киру — она представила, как будет смотреться возле этой шикарной дамы в своей одежде с Темерницкого рынка.

— Не стоит благодарности, — кивнула она, вдохнув напоследок запах ее духов, и развернулась было уходить.

— Ой, — Диана деликатно дотронулась до ее локтя. — А вы не покажете, где тут все-таки батарейки купить? Я ж без них не уеду...

Кира не спешила возвращаться в пустую квартиру, к телевизору и разогретой гречке. Наоборот, с новой знакомой никак не хотелось расставаться.

— Идемте в торговый центр, — кивнула она. — Продуктовый тут рядом, но батареек там не бывает.

Они обогнули длинную девятиэтажку, вышли через арку на главную улицу Южного микрорайона, прошли два квартала и, сквозь вертящуюся дверь вошли в новое двадцатиэтажное здание из синеватого тонированного стекла. Это был недавно построенный бизнес-центр «Звезда Тиходонска»: крупнейший торговый зал, гостиница, офисы... Кира здесь еще не была и с интересом осматривалась в огромном, высоком, холле: пальмы в огромных кадках, люди на движущихся вверх эскалаторах, небольшая толпа у лифтов с узорчатыми, блестящими хромом дверцами, кондиционированная прохлада... Весь первый этаж, занимали ряды павильонов: салоны мобильной связи, сотовые операторы, фастфуд, страхование автомобилей, кофе-экспресс... Множество секций еще были свободны — на них висели до боли знакомые таблички «аренда».

— Как у нас, на «Картонке», — вырвалось у Киры. — Только здесь пристойней. И тоже ищут арендаторов...

— Что? — спросила Диана. — На какой картонке?

— Да нет, ничего, — Кира смутилась. — Так, ерунда.

Между фастфудом и кофе-экспрессом павильон еще был не оформлен, но на нем уже висел плакат «Выгодная лотерея», а за прилавком сидела бойкая молодая продавщица.

— *Все без обмана! Лотерея государственная, все равно, что от царя-батюшки дарственная!* — весело тараторила она, вплетая в свою речь рифмованные кричалки. — В пользу диких животных лотерея. Выигрыш проверяем на месте, она моментальная. Внимание, на кону миллион рублей! *Не упустите своего счастья, скорей скажите ему «здрасте»!*

У молодухи был красивый бархатистый голос, даже лубочные агитки в ее исполнении радовали слух. Диана остановилась и, слегка загораживая Кире дорогу, сказала:

— Если вы отказываетесь от ужина, позвольте вам купить лотерейный билет. Всего-то!

«...итак, вам выпал сектор «Приз»! Что вы выбираете?», — мысленно сыронизировала Кира. И, неожиданно для самой себя, пожала плечами:

— Ну, давайте. Дикие животные — моя давняя страсть! — а про себя подумала: «Раз уж так важно человеку... так принципиально... Пусть — деньги-то небольшие...»

— Вот и прекрасно! — обрадовалась Диана. — Давайте, берите своей рукой. Эта же ваша удача, как-никак!

— Да-да, — ответила Кира, и шагнула к прилавку, чтобы поскорее покончить с этой неловкостью. Из разложенных веером конвертов, вытащила первый попавшийся. Чувствуя себя полной дурой, проверять билет на месте она не стала: хватит и того, что согласилась вступить в клуб покупателей лотерей — это все равно, что получить сертификат на звание простофили.

— Смелей, девушка, вскрывайте! — подмигнула продавщица. Похоже, они с Кирой были ровесницами. — Выигрыш можно получить сразу, на пятом этаже, офис пятьсот двадцать пятый.

— Спасибо, — буркнула Кира. — Дома проверю.

Сунула пестрый, переливающийся серебристыми бликами прямоугольник в сумку и направилась к эскалаторам. Диана поспешила следом. В огромном торговом зале на втором этаже было все, что только может душа пожелать. Даже больше. Они бродили по залу около часа. Кира рассматривала купальники по тридцать тысяч за штуку, туфли по пятьдесят тысяч, маечки и джинсовые шорты по тридцатнику... Рита особого интереса ни к чему не проявляла — походила, посмотрела, купила батарейки. Кира тоже спустилась с небес на землю: взяла молока, яиц, зубную пасту, спички. Потом душевно распрощались:

— Приятно было познакомиться. Еще раз спасибо.

— Взаимно. И вам спасибо за лотерейку.

Как только Кира переступила порог своей квартиры, ощутила давящую, удушающую усталость. Повесила сумку на вешалку, прибрала лоток с яйцами в холодильник, поплелась в ванную. Глянула в зеркало — нахмурилась и отвернулась. Кран снова дал осечку.

«А... Сантехник! Забыла опять. Завтра». Ее разобрала зевота.

Зайдя на кухню, стояла какое-то время возле плиты, глядя на нее бессмысленным взглядом.

«Ну да, спички закончились. Спички в сумке».

Вышла в прихожую, вынула упакованные в брикет спичечные коробки. Пальцы машинально прихватили конверт с лотерейкой. По дороге на кухню разглядела серебристый прямоугольник. «Купив билет, вы внесли вклад в дело сохранения уссурийских тигров!» — сообщала надпись у верхнего края.

— Чудесно! Хоть уссурийским тиграм от меня польза-а-а-а-а, — челюсть вывернул очередной зевок.

Конверт упал на засыпанный крошками стол. Зевая, поставила чайник. Шлепнулась на кухонный табурет. Обвела взглядом обшарпанную кухню. Определенно надо делать ремонт, хотя бы косметический, невозможно дальше так.

«Сразу же, как только вернусь от тети Шуры, — пообещала она себе. — Что-нибудь придумаю».

Помотала головой. Похлопала глазами. Вскрыла конверт, извлекла прямоугольник из плотной бумаги. Лениво взяла чайную ложку, принялась счищать серебристую полоску, под которой, если верить набранному ниже шрифту, мог скрываться один из «35 000 призов — майки, банданы, футболки, фотоаппарат». Но ни майки, ни фотоаппарата она не выиграла.

Сначала Кира просто не поверила тому, что прочиталось под соскобленным защитным слоем. Перечитала. И еще раз — теперь по слогам. Встала. Не выпуская билета из рук, подошла к окну, повернулась против света.

Ошибка? Нет. Если это только не чья-то дурная шутка.

«ВАШ ВЫИГРЫШ — 1 000 000 РУБЛЕЙ. ПОЗДРАВЛЯЕМ! ВАМ ДОСТАЛСЯ ГЛАВНЫЙ ПРИЗ!» — кричала оттиснутая на желто-синей бумажке удача...

Кира пересчитала нули и схватилась за подоконник, чтобы не упасть.

Миллион! Она выиграла миллион!

Так не бывает. Или бывает? «Бывает!» — утверждал лотерейный билет. Он лежал на столе, придавленный сахарницей — как будто из опасения, что решит улететь от Киры в приоткрытую форточку к более достойной кандидатуре. Например, к Наташке...

Миллион! За все время работы ведущим специалистом в бухгалтерии она видела такие суммы только на своем стареньком калькуляторе и в отчетах! Даже в руках подержать такую сумму никогда не случалось.

Миллион!!!

Ощущение реальности возвращалось медленно, по частям.

«Очень вовремя, — сказала себе Кира и тут же поправила. — То есть, конечно, деньги никогда не бывают *не* вовремя. Но именно тебе они нужны как никому. Одним разом можно закрыть все дыры. Сделать ремонт. Купить новый телевизор. И холодильник! Смеситель в ванную, самый дорогой, чтобы не ломался уже никогда. И обновить гардероб. Туфли! Много туфель. И зимнее пальто. Шубу!».

Ночью Кира почти не спала. Ворочалась, вздыхала, тратила мысленно свой миллионный выигрыш. Под утро провалилась ненадолго в тревожный сон, в котором ей нужно было протащить неподъемный ворох набитых покупками пакетов через засыпанную осколками витрин улицу, простреливаемую пулеметным огнем невидимого, но беспощадного врага. Подскочила с первыми звуками утра — хлопнувшей дверью подъезда и заливистым лаем соседской болонки.

Пять минут — и она готова к выходу.

Срочно, не теряя ни единой секунды, бежать за миллионом! Впрочем, за каким миллионом? Скорей всего это просто шутка, розыгрыш! И ее ждут скрытые камеры, которые покажут всему миру ее глупое лицо, ее беспредельное разочарование, в общем, сделают из нее полную дуру! Так что, не подставляться, не ходить за выигрышем? Но вдруг никакого розыгрыша тут нет, а она добровольно откажется от такой удачи?! Вот это будет уж настоящая дура! Нет, надо пойти, но сделать умное и безразличное лицо — мол, шутки я понимаю, сама шутить люблю!

В общем, через час она отправилась в «Звезду Тиходонска». На всякий случай билет спрятала в бюстгалтер, а в сумочку положила хлебный нож и дорогу выбрала безопасную — в обход гаражей.

Завидев ее, молоденькая продавщица заулыбалась.

— Выиграли? А не верили! Поднимайтесь в пятьсот двадцать пятый!

«Откуда вы знаете, что не верила?» — хотела спросить Кира, но не спросила.

Никаких камер — ни скрытых, ни открытых, нигде не было. Да и ничего, похожего на подвох, тоже не наблюдалось. В пятьсот двадцать пятом офисе приветливая кассирша быстро проверила билет на каком-то приборе и добродушно кивнула:

— Поздравляю! Предпочитаете все деньги сразу наличкой, или перевести на счет?

— Нали... — Кира поперхнулась и выдала петушиную ноту. Пришлось откашляться. — Наличкой!

Кассирша открыла сейф с кодовым замком, вынула две пачки пятитысячных купюр, положила на стол.

— Пожалуйста. Только распишитесь.

* * *

Из офисного центра Кира вышла с поющей, как соловей, душой.

«Итак, с чего начнем? Ой, мамочки, да на такие деньги я сделаю... сама не знаю, что. Я все могу себе позволить, все, понятно?! — мысленно кричала она, с вызовом поглядывая на прохожих. — Все!»

Главные задачи она помнила: ремонт в квартире, покупка нескольких позарез необходимых вещей — нового холодильника, современного плоского телевизора, и еще — да! — не помешает пылесос и микроволновка... О, она будет очень экономно тратить, она постарается растянуть нежданную радость как можно дольше!

Кира так увлеклась сладостным планированием грядущих покупок, что начала прямо в автобусе, на виду у пассажиров, загибать пальцы. И сама не заметила, как вышла у крупнейшего торгового центра — Тихвертола, расположенного на бывшей территории вертолетного завода, рядом с аквапарком. Как такое могло получиться, ведь направлялась-то она в другой конец города, на рынок Темерник, где всегда одевалась, и где совсем недавно присмотрела недорогие, но крепкие и практичные кожаные туфли на осень, немаркого черного цвета.

Солнце, набравшее полную силу летнего жара, пускало по стеклянным, до блеска отмытым витринам солнечные зайчики. Но внутри было прохладно. Народу немного — здешние цены «кусались». И чего ее сюда занесло? Кира зажмурилась, остановилась возле одного из витражей, глубоко вздохнула. Выдыхала медленно, словно боясь выпустить из себя огромное, распиравшее ее изнутри счастье. И взгляд ее нащупал собственное отражение. Нахмурившись, она всмотрелась, беспощадно отмечая любой, даже не видимый постороннему глазу изъян, и чувствовала, как портится настроение. Рядом со своими нечеткими контурами она увидела выставленные в витрине портреты удивительных красавиц. Изогнув лебединые шеи, приоткрыв влажные губы, фотодивы с рекламных плакатов смотрели на Киру со снисхождением, которое ранило больней открытого презрения. И каждая из них что-то рекламировала: часы, духи, жемчуга, бриллианты, на худой конец просто прическу и самое себя.

Ничего этого у Киры не было.

— А будет, — упрямо заявила она рекламным красоткам. — Вот увидите. И лабутены ваши — три пары!

Но те только оскорбительно улыбались в ответ. Не верили. Да Кира и сама себе не верила. Зато вспомнила фильм «Красотка» — как героиню отказались обслуживать надменные продавщицы дорогого магазина. Как бы и с ней не обошлись так же... На пересечении широких коридоров увидела вывеску «Версаче» и, отгоняя невеселые мысли, двинулась к ней. Решительно толкнула звякнувшую серебряным колокольчиком дверь.

Продавщицы встретили ее с холодным безразличием. Молоденькая симпатичная брюнетка просканировала вошедшую профессиональным взглядом и, вместо того чтобы предупредительно броситься навстречу, продолжила разговор со своей товаркой, похожей на нее, как сестра-близнец. Наверное, не внушали уважения ее простецкие босоножки, безликая беспородная юбка, и такая же майка с дурацким Микки Маусом на груди. Такие обычно заходят, желая устроить себе *шопинг впригядку* — хотя бы поприменять то, что никогда не смогут купить. Начальство предписывало от таких посетителей аккуратно и максимально уважительно избавляться. Вежливо показать коллекционные вещи, деликатно обозначить их цены и этим убедить нежелательную посетительницу, что она ошиблась дверью. Но ни в коем случае не грубить: неприятные сцены портят настроение реальным покупателям.

Кира подошла к элегантной бежевой сумочке и принялась рассматривать ее со всех сторон.

— Простите, сколько она стоит?

Брюнетка нехотя прервала беседу и подошла, с дежурной улыбкой, надетой явно для проформы.

— Пять тысяч...

«Не очень дорого», — подумала разбогатевшая Кира, рассматривая бейджик «Ирина» и ощущая мощную покупательную способность двух увесистых денежных пачек.

— ...евро, — закончила брюнетка, и Кира сразу утратив интерес к сумке, осмотрелась по сторонам.

— Что-нибудь конкретное присматриваете? — поинтересовалась Ирина.

— Н-нет, я... — сбивчиво начала Кира, неожиданно смутившись. — Так... вообще...

— Что ж, у нас широкий выбор для людей со вкусом и возможностями. Современная одежда по большей части сковывает движения, неслучайно есть даже такой термин — «застегнутый на все пуговицы», — заученно тараторила брюнетка. — Модельный ряд «Версаче» даст вам ощутить красоту и блаженство настоящей свободы. Минимум пуговиц и застежек, дышащие ткани, гибкие линии, подчеркивающие преимущества вашей фигуры, но оставляющие задел для интриги, полета фантазии. Пик этого сезона — египетские, греческие и римские мотивы. Женщине предлагается не столько одеваться, сколько «облачать свое тело в одежды»...

Одна роскошная вещь за другой проплывала перед Кирой, правда, на достаточном расстоянии, чтобы она не потянулась к ним руками. Ослепшая от многообразия красок и форм Кира любовалась, как любовалась бы картинами в музее, легкими свитерами с глубокими вырезами и свободными линиями рукавов, узкими полупрозрачными платьями с ремнями на бедрах, черными кардиганами с крупным ярким рисунком, шароварами и шарфами...

— Коллекцию, как вы видите, отличает богатая палитра цветов — оранжевый, медный, пурпурный — а также своеобразная текстура: крупная ручная вязка, кисти на шарфах и юбках. Такая одежда смотрится дорого и стоит соответственно, — Ирина выделила главную мысль своего вдохновенного спича. — Это те самые вещи, которые созданы для состоятельных женщин, не привыкших экономить на себе...

В этот момент Кира как раз представляла, в какое оцепенение впали бы Татьяна Витальевна, Аленка — а главное, Наташка, — заявись она на работу в этих потрясающих обновках. Кстати, мелькнула в голове предательская мысль, а ведь можно будет соврать, что все это — подарки того самого ухажера, который красивый и богатый одновременно!

Эта мысль потянула за собой другую, гораздо менее приятную. А ведь загар, и красочные фото, которых от нее ждут, не купишь даже в солярии! Образ тети-Шуриного огорода навис над ней, как смертный приговор.

— А вот... Что это? — спросила она вдруг. И указала на манекен, стоящий на значительном отдалении от штанги с вещами «на каждый день». Манекен утопал в чем-то волшебном, манящем, жемчужно-сером — в голове у Киры зазвучали венские вальсы, пахнуло дуновением морского ветерка...

— Это? — удивилась брюнетка, заметно убавив приветливости в голосе. — Но это же вечернее платье, туалет для светских раутов и приемов. Натуральный шелк, настоящие прованские кружева, лиф отделан камнями от Сваровски... Очень дорого, — она выдержала паузу. — Интересуетесь?

«Да что б ее... Ничего не захочешь, когда вопросы задаются таким тоном. Может, ей деньги показать? Но это же глупо...» — подумала Кира. Фильм «Красотка» повторялся в реальной жизни. Незадачливой покупательнице из кино тоже удалось приобрести одежду только с чужой помощью...

— Интересуемся, — услышала Кира у себя за спиной голос, который тут же узнала и, радостно вздрогнув, обернулась. Да, это была Диана. Элегантная, уверенная, она чувствовала себя в этой обстановке дорогой роскоши как рыба в воде.

— Надеюсь, мировая скидка для сети «Версаче» у вас действует? — Она повертела между тонкими пальцами пластиковую карту золотого цвета.

— Да, конечно! — Продавщица поспешно кивнула, быстро сменив выражение отстраненности на абсолютную готовность выполнить любой каприз платежеспособного клиента, от которого исходит всегда безошибочно распознаваемое сияние ВИП-статуса и неподдельного лакшери.

От нахлынувшей радости Кира заулыбалась широко и лучезарно. Будто Золушка при встрече с Феей. Какое удачное стечение обстоятельств! Похоже, в ее жизни наступает светлая полоса. Вот кто поможет ей открыть дверь в этот мир дорогущей красоты и подлинного шика. А Кира уже твердо была уверена, что ей непременно нужно туда — хотя бы ненадолго... Хотя бы просто пройтись по краешку в сказочных лабутенах!

— Рада тебя видеть, — первой заговорила Диана, так естественно, что Кира, которая непросто сходилась с новыми людьми, ответила сходу:

— И я тебя рада видеть!

— Потрясное платье, — сказала Диана. — Сама на него посматривала, но у меня есть похожее.

Они уже были подружками — богатыми, прекрасно устроившимися в жизни, привычно зашедшими в дорогой бутик обновить гардероб к новому сезону.

— Будете мерить? — поинтересовалась продавщица.

«Эй! Куда ты его надевать собираешься? Оно же стоит тыщ сто, не меньше!», — окликнул внутренний голос. Но Кира уже шла вслед за Дианой к примерочной, а Ирина делала знак напарнице: мол, помоги снять с манекена, быстренько!

— Уверена, тебе подойдет, — шепнула Диана. И слышать ее было куда приятней, чем внутренний голос.

Что и говорить, в платье от Версаче Кира преобразилась. Исчезла как не бывало некоторая угловатость, выразительней стала грудь — в плавно скатывающемся от ключиц декольте таилась власть приковывать взгляды мужчин, сбивать их с мысли, навевать пикантные фантазии...

— Отлично, — констатировала Диана. — То, что надо.

Кира зачарованно смотрела в зеркало, не в силах оторваться. Но вот взгляд скользнул выше, и очарование мгновенно пропало. Растрепанная, ненакрашенная, с каким-то вороньим гнездом на голове и обветренными губами — она показалась себе старухой, примеряющей одежду внучки. Платье явно не подходило к ее лицу. Или лицо к платью.

— Нет, не хочу! — Она принялась остервенело стаскивать с себя чуждый ей наряд для светских раутов.

— Не нужно оно мне! — хмуро бросила она в ответ на недоуменный взгляд Дианы. — Куда в нем ходить? В кино? Или на городской пляж?!

— Может, ты и права, — охотно согласилась Диана. — Давай сейчас купим более практичные вещи, которые тебе понадобятся на каждый день. А потом съездим в салон красоты и подработаем внешность. А вечернее платье ты всегда успеешь купить, если понадобится!

Кира улыбнулась. Новая знакомая — очень чуткая женщина и хороший психолог, она поняла и приняла все ее сомнения. Знакомство с ней — просто подарок судьбы!

Через полчаса они вышли из кондиционированной стерильной прохлады на жаркую пыльную улицу. Кира несла несколько фирменных пакетов, в которых находились новые босоножки, джинсы, легкая толстовка и несколько разноцветных маечек. Благодаря золотой карточке Дианы, все это великолепие обошлось в девяносто тысяч. По меркам бутика «Версаче» — вполне приемлемая сумма, хотя раньше она и подумать не могла о таких тратах. Но, как ни странно, ей все понравилось. И бутик с заоблачными ценами, и возможность тратить запредельные, по ее обычным меркам, деньги, и именные вещи, и почтение продавщиц, проводивших их до выхода... И все это благодаря Диане. Как тут не поверить, что добрые поступки возмещаются сторицей?!

— Сейчас поедем в «Афродиту», — сказала Диана, увлеченно рассказывая про шугаринг, шоколадные обертывания и массаж головы, после которого «хоть отдавайся ему на месте»...

Вокруг торгового центра сновало много народу — куда-то спешащего, озабоченного, недовольного. Было весело идти, покачивая волнующе шуршащими пакетами, заботливо отстраняя их от чересчур торопливых прохожих, впитывая каждое слово из лекции о технологиях той самой dolce vita, которую видела разве что в кино.

На парковке женщины сели в белый «Лексус», Диана резко взяла с места и уверенно выехала на проспект, умело вписавшись в плотный автомобильный поток. За полчаса они приехали в центр, остановились возле вывески Салон красоты «Афродита», вошли в просторный уютный холл с кожаными креслами и диванами, вазами с цветами, полукруглой стеклянной стойкой, за которой стояла симпатичная девушка в отглаженном белом халате и приветливо улыбалась им навстречу.

— Здравствуйте, Диана! Рада вас видеть!

— Взаимно, Мариночка! — кивнула в ответ Диана. — Я подружку привела! Нам нужно все, — добавила она, оглядывая Киру новым, на этот раз оценивающим взглядом. — Все, что успеем. А что не успеем, завтра доделаем!

Она успокаивающе погладила Киру по плечу.

— Исполним в лучшем виде, — кивнула Мариночка, которая вблизи оказалась старше, чем на первый взгляд. Вылизанным до блеска гладким личиком она напоминала фарфоровую куклу.

— Можешь довериться Марине во всем, она волшебница, — шутливо шепнула Диана, наклонившись к уху Киры. — А я пока отлучусь по делам...

К вечеру, с перерывом на кофе и крохотные пирожные, Кира успела многое — столько всего с ее внешностью не проделывали, пожалуй, за всю ее предыдущую жизнь.

Во-первых, похожий на Пьера Ришара парикмахер покрасил ей волосы в цвет вороньего крыла, подровнял кончики, а также проделал тот самый массаж головы, во время которого Кира с трудом сдерживалась, чтобы не постанывать. Да, Рита не преувеличила. Никогда прежде, даже в постели с мужчинами, точнее, с тем самым приснопамятным первым и последним мужчиной, Кира не переживала такого удовольствия. Во-вторых, маникюрша-педикюрша, с которой они увлекательно поболтали про французское кино и Францию — девушка, как и Кира, оказалась поклонницей фильмов Жан-Пьера Жёне и Франсуа Озона, а в Париже побывала аж трижды — сотворила чудо с ее руками и ногами, причем не только с пальцами и ногтями, но и с пятками, ступнями, щиколотками. В-третьих, под расслабляющую музыку, разглядывая картины подводного мира на огромных экранах, она прошла через процедуру удаления волос всюду, где их следовало удалить молодой аппетитной красавице, покорительнице сердец. Потом ей сделали правильные брови, а завершили процедуры чистка лица и лазерная маска...

Подойдя к зеркалу, Кира поразилась, как поражаются участницы телепередачи «Модный приговор», которых визажисты и стилисты превращают из запущенных домохозяек в изощренных светских львиц. Из гладкого волшебного стекла на нее смотрела красавица брюнетка с распущенными по плечам блестящими волосами. Небольшая челка нейтрализовала излишнюю высоту лба, и нос уже не казался длинным, да и вообще — она превратилась в женщину, недостатки которой автоматически становятся ее достоинствами... Вдохновленная новым обликом, она здесь же переоделась: натянула новые джинсы, надела новые босоножки, прибавившие одиннадцать сантиметров роста, влезла в новую ярко-красную маечку, совпадающую по цвету с маникюром и педикюром.

В это время вернулась Диана, оглядела ее и, одобрительно покачав головой, сказала:

— Я думала, будет блондинка. Но так даже лучше. А вещички от Версаче тебе к лицу!

Реакция Риты окончательно утвердила Киру в пробуждавшейся и приятно щекотавшей сознание мысли: «А ведь я красива! Неужели, это они меня изменили? Или я и была такой? Впрочем, какая разница!» Впервые она разглядывала свое отражение с удовольствием...

— Ну что, пойдем? — улыбаясь, спросила Диана.

— Конечно!

Из салона «Афродита» вышла Кира, которой утром еще не было на свете. Она спешила отыскать свое отражение в каждой витрине, мимо которой проходила. Оттуда на нее смотрела высокая тонкая девушка, вполне заслуживающая места в ряду рекламных фотомоделей. Вместо неряшливо подколотых прядей неопределенного мышиного оттенка — густой водопад жгуче-черных волос, вместо прямых широких бровей — кокетливо приподнятые и плавно изогнутые крылья парящей чайки, вместо бледного теста щек — кукольный фарфор, как у менеджера Мариночки. Новое, вызывающее выражение во всегда спокойных, часто полусонных глазах. Чуть тронутые бриллиантовым блеском губы сами собой расползаются в торжествующей улыбке красивой женщины.

Да, красивой! Никакое «чуть» теперь не мешало. Прежние «глаза с косинкой» преобразились в «глаза прекрасной миндалевидной формы», вчера еще просто пухлые губы сегодня стали «чувственными», а длинноватый нос сменился породистым греческим, классической лепки. Может быть, это ей только кажется?

— У тебя прекрасная фигура, — сказала молча наблюдающая за ней Диана. — Стройные ноги, высокий подъем — тебе будут хороши любые туфли!

Значит, не кажется!

— То-то, — сказала Кира воображаемым плакатным красавицам. И, гордо отвернувшись, отправилась к перекрестку, где их дожидался белоснежный комфортабельный «Лексус».

— Может, поужинаем? — предложила Диана. — Неподалеку есть хороший ресторанчик.

На этот раз Кире предложение понравилось. Но она слишком устала — очень много переживаний для одного дня.

— Я с удовольствием, но уже сил нет. Давай завтра пообедаем?

— Давай, — охотно согласилась Диана. У нее был замечательный характер, и с ней хотелось дружить. Очень хотелось.

* * *

Утром, кое-как вымывшись холодной водой, и даже не обращая внимания на неисправный кран, Кира первым делом потянулась к своим прекрасным обновкам. Надела джинсы, босоножки, по очереди перемерила майки, яркий шелк которых нежно ласкал кожу, долго крутилась перед единственным зеркалом в коридоре, где могла разглядеть себя в полный рост. Но высокая стройная красавица совершенно не напоминала обычную Киру. Может, это волшебное зеркало так ее приукрашивает? Или все дело в деньгах? В презренных бумажках, которые ничего не значат по сравнению с честностью, порядочностью, образованностью и другими личностными качествами, которые и являются единственными и неоспоримыми мерилами человеческой ценности? Ведь именно так ее учили всю жизнь — и в школе, и в институте, именно об этом с утра до вечера страстно талдычила Софья Андреевна... А выходит — это совсем не так! Больше того, похоже, что дело обстоит ровно наоборот! Значит, привычные взгляды и оценки надо менять в соответствие с реальностью!

В обшарпанном коридоре старенькой панельки красивая модная девушка под звучащую в душе музыку крутилась в вальсе восторга, и ошибочные иллюзии облетали с нее, и шурша сыпались на пол, как никчемная шелуха. Сейчас она позвонит Диане, они договорятся о встрече и перевернут еще одну красочную страницу открытой вчера судьбой книги прекрасных сказок... Надо только отработать походку — Диана сказала, что модели ставят ступни на одной линии, будто идут по канату. Она протянула по полу нитку и попробовала ровно идти по ней. Левая нога, правая, снова левая, снова правая. В общем-то, ничего сложного, просто надо выработать навык, чтобы это получалось само собой...

Звонок мобильника грубо оторвал Киру от приятных и полезных занятий. Наверное, Диана — надежный проводник в открывающемся перед ней непривычном, но таком притягательном, блистающем мире... Цокая высокими «шпильками», она прошла в комнату и схватила со стола трубку.

— Алло! — Голос прозвучал радостно и упруго, как рвущийся в облака яркий шарик.

Но это была не Диана.

— Кира! Ты еще в России?

— Что? А где еще... А-а-а... Ну да, в России... Пока...

— Ну, хорошо. А то Татьяна Витальевна приходные ордера не может найти. Ты не заешь случайно, где они могут быть?

— В шкафу, на третьей полке. В красной папке, где раньше счета за целлюлозу лежали. Татьяна Витальевна их сама туда убрала, — сказала Кира и почувствовала, как сердце катится в ледяную пустоту. Проза жизни с ее безнадежной нищетой, нелюбимой работой, выжигающим душу одиночеством обрушилась на нее с первым звуком Аленкиного голоса. Вот ее настоящий мир, от которого она никуда не денется. И зря минуту назад, стоя у зеркала, она почти поверила в сказку... Деньги быстро закончатся, их пути с Дианой разойдутся, и она вернется в свою конуру на «Картонке». И будет сидеть на продавленном стуле, изнашивая новые шмотки, от которых нет никакого толку. И будет ждать Наташку с ее увлекательными рассказами, потому что у той хотя и не сказочная, но насыщенная жизнь, а героями вместо рыцарей и принцев являются невзрачные «козлики», «сергуньки», «васильки», которые тем не менее со своей задачей справляются, скрашивая и разнообразя Наташкины дни, месяцы и годы.

— Да?! А то мы тут прямо обыскались все. У Татьян Витальны сам Николай Всеволодович требует... Через директора, конечно!

Николай Всеволодович был хозяином всего комплекса. Надменный, жирный, сильно расширяющийся к середине туловища, с маленькой бритой головкой, он был всевластным властелином серых мышей, обитавших на «Картонке». Он мог уволить любую, без всякого трудового кодекса и профсоюза, мог вообще закрыть торгово-офисный центр и выгнать всех на улицу. Кира, как и ее товарки, видела его только издалека, всеми делами занимался директор — Игнат Филиппович, который для всех них тоже был недосягаемо-далекой и могущественной фигурой.

Аленка помолчала, и Кира услышала в трубке ее частое дыхание.

— Ну, ты как там? Собираешься?

— Куда? — спросила машинально.

— Ну, как «куда»? На Ривьеру!

«На какую Ривьеру?» — чуть не вырвалось у нее. Прикосновение шелка к коже стало вдруг казаться чужим и неласковым.

— А... на Лазурный Берег... Собираюсь... чемоданы пакую...

Яркий шарик лопнул и бесформенной тряпкой упал на пыльную мостовую.

— Счастливая ты, Кирка, — вздохнула Алена. — Я в последнее время часто про тебя думаю. Вот бывает же так: ждала-ждала, и дождалась... А я, наверное, так в старых девах и останусь. Невезучая потому что...

— Пока, — сказала Кира и положила трубку. Она не была настроена слушать нытье другой неудачницы. Вернулась в прихожую, снова посмотрелась в зеркало. Вздохнула.

Переодевшись в старые юбку, майку и шлепанцы, бережно повесила обновки в шкаф, туда же спрятала сложенные фирменные пакеты — можно будет подарить коллегам, те будут рады. Провела рукой по волосам. И в прежней одежде волосы остались новыми: пышными и пружинящими под пальцами. Но маникюр, педикюр, маски, прическа, окраска — все это требует денег! Чтобы поддерживать себя в форме, зарплаты на «Картонке» не хватит...

Прошла на кухню, поставила чайник, раскалила сковородку, аккуратно разбила три яйца — чтобы не растеклись, и получилась настоящая глазунья. Представила, как утром, собираясь на работу, стоит у плиты, жарит себе в шмотках от Версаче всегдашнюю яичницу — и чуть не разревелась навзрыд. Хотя несколько слезинок все же прокатились по гладким, после вчерашних процедур, щекам.

После завтрака Кира нашла сантехника Толяна и, показав ему пятисотку, завлекла к себе в ванную. Тот провозился добрый час, наконец, починил кран, неопределенно ответил на вопрос когда наконец будет нормально идти горячая вода и, схватив купюру, поспешно бросился вниз по лестнице. Очевидно, в отличие от Киры, он точно знал, как потратить деньги с максимальной пользой, и никаких колебаний и отклонений от цели, у него не было.

«Вот хозяйством мне и надо заниматься, а не шоппингом! — печально думала Кира, то открывая, то закрывая кран, и радуясь исправно появляющейся и исчезающей струе. — Это моя жизнь. Такая убогая и беспросветная... Как у Золушки — убирать, мыть посуду и выгребать из печей золу... Балы были не для нее, и она бы никогда не попала в королевский дворец, если бы не фея... Но феи бывают только в сказках. А Диана... Она полностью со мной рассчиталась и, наверное, уже все забыла...»

Снова зазвонил мобильник. Опять что-то потеряли? Она неспешно подошла, взяла трубку, с плохо скрываемым раздражением бросила:

— Алло!

— Ты спишь, что ли? — раздался веселый голос Дианы. — А про обед забыла?

Две фразы, как вновь надувшийся, и даже превращенный в аэростат воздушный шарик, вмиг вознесли Киру со дна ущелья Разочарований на вершину пика Успеха. Снова захотелось жить, причем жить красиво!

— Нет... В смысле не сплю... А про обед помню...

— Ты какую кухню любишь?

Такого вопроса Кире еще никто не задавал. Бывает, что еда есть в наличии и это хорошо, а бывает, что еды нет — и это плохо. Но когда еда имеется, то «кавардовать», как говорила мать, нечего, надо есть что дают!

— Что молчишь? Выбираешь? — засмеялась Диана.

— Да нет. Просто... Я всеядная. Сама выбирай!

— Тогда приезжай в «Пьеро». Там шеф-повар настоящий итальянец, и он еще никогда не обманывал ожиданий!

— Хорошо, сейчас выеду.

— Только возьми такси, я уже проголодалась!

— Хорошо...

Она быстро надела свои обновки, подхватила брошенную на стол старую сумочку («Надо новую купить», — мелькнула быстрая мысль), бросилась к дверям, но остановилась. В сумочке — целое состояние — почти миллион, нельзя носить с собой такие деньги... Но и оставлять их в квартире опасно. Куда же лучше спрятать? Она металась из комнаты в кухню, оттуда в прихожую, оттуда в другую комнату. Прятать большую сумму было совершенно некуда!

Стала вспоминать — в каких местах искали «важные улики» самозваные следователи. Пожалуй, везде... Но под ванну просто заглянули, не стали перебирать тазики и моющие средства... Значит, это место наименее уязвимо для обнаружения спрятанного! Положив деньги в полиэтиленовый пакет, она засунула их поглубже, за пачку с моющим порошком, осмотрела ванну со стороны и решила, что устроила удачный тайник. После чего, заперев дверь на все замки, стремительно выбежала из квартиры и побежала к остановке такси.

* * *

Ей понравилось ездить на машине — хоть на богатом «Лексусе» Дианы, хоть на бюджетной «Приоре» с гребешком на крыше. Уже через пятнадцать минут она оказалась на месте — без автобусной давки, без духоты, толчеи и запахов пота. В «Пьеро» она никогда не была, как, впрочем, и в других ресторанах. От Наташки, правда, слышала, что место престижное, но дорогое — даже ей нечасто удавалось попасть туда. И действительно, выполненный в нарочито простом стиле швейцарского шале, из дерева и стекла, «Пьеро» производил на неискушенного человека большое впечатление. Кира даже опасалась, что ее не пустят — кто их знает, какие тут правила, кому можно сюда входить, а кому — нет. Правда, решила, что если сослаться на Диану, то препятствий не возникнет.

Но все оказалось еще проще — улыбчивый официант встретил ее у входа и проводил прямо к столику Дианы, которая скучающе рассматривала меню. Как он распознал, что именно сюда ей и нужно, Кира так и не поняла. Они расцеловались — казалось, что Диана так же рада встрече, как и она сама. По ее просьбе, Диана сделала заказ на обеих: карпаччо из говядины, салат из морепродуктов и шампанское «Моэт Шандон». На вопросительный взгляд пояснила:

— Машину оставила на работе, если будет надо, вызову водителя.

— А где ты работаешь? — поинтересовалась Кира.

— Во французском консульстве, — буднично ответила Диана.

— В консульстве?! Так ты... вы француженка?

— Ну, да... — Диана пожала плечами. — Что тут такого?

— Да нет, ничего... Просто, я училась во французской школе. А отец работал во французских колониях и хорошо знал ваш язык.

Диана улыбнулась.

— Donc nous pouvons dire ma langue maternelle?[1]

---

[1] Значит, мы можем говорить на моем родном языке?

— Je ne suis pas assurée que cela me réussira bien. Mais on peut essayer.[1]

Они немного поговорили на языке Бодлера, потом официант принес закуски, разлил шампанское, и Диана перешла на русский.

— Вполне прилично! Чувствуется наличие разговорной практики.

Кира кивнула.

— Когда училась в Академии, то пять лет работала волонтером с французскими делегациями. Да и отец меня часто натаскивал на устную речь...

— В языковой среде ты освоишься очень быстро. А сейчас не будем отвлекаться от еды, — Диана подняла узкий высокий бокал, в котором пузырился благородный, с легкой розовинкой, напиток.

— За твои способности! И за ту помощь, что ты мне оказала!

Они чокнулись и выпили. Пузырьки газа щекотали Кире язык, вкус оказался незнакомым.

— До сих пор я пробовала только сладкое... Еще удивлялась книгам и фильмам, в которых шампанское пьют с черной икрой и устрицами. Как можно сладкое с соленым?

— Это брют, — пояснила Диана. — Настоящее шампанское действительно хорошо с икрой, омарами, устрицами. Приезжай к нам — попробуешь...

— Ты знаешь, в молодости я об этом мечтала, — Кира допила бокал, чувствуя, как хмелеет. Официант тут же наполнил его снова. — А в этом году наврала на работе, что отпуск проведу во Франции!

— В Ницце? — спросила Диана, и попала в точку.

— Откуда ты знаешь?

Француженка усмехнулась.

— А куда еще ехать летом? Ницца, Канны, Марсель... Но большинство виз мы выдаем в Ниццу. А почему ты говоришь, что наврала?

— Да потому. Деньги-то откуда?

---

[1] Я не уверена, что у меня это хорошо получится. Но попробовать можно.

— Но сейчас деньги появились!

— Да... Но...

— Что «но»?

— Я не привыкла много на себя тратить. И вообще, для меня это так непривычно...

— Привычка появляется в результате повторения, — резонно возразила Диана. — И в результате настойчивости. Вот за настойчивость давай и выпьем!

Они снова чокнулись, на этот раз Кира залпом опустошила бокал. Ей нравилось шампанское, и та легкость, которая появилась во всем теле. Да и настроение заметно улучшилось. А Лазурный Берег перестал пугать, напротив, стал сейчас гораздо ближе, чем опостылевшая «Картонка». И конечно, гораздо желаннее...

— Деньги есть, визу я тебе сделаю быстро, и с отелем помогу, — продолжала Диана, собирая вилкой тончайшие ломтики говяжьей вырезки и, ухитряясь не размазать помаду, отправила горку нежнейшего сырого мяса в накрашенный рот. — Между прочим, сейчас высокий сезон, и все отели забиты! Ну, что ты молчишь?

— А что, давай! — отчаянно махнула рукой Кира. — Лучше прокутить шальные деньги и всю жизнь об этом помнить, чем тратить по копейке на будничные надобности, которые никогда не кончаются!

— Вот за это и выпьем! — снова со звоном соприкоснулись бокалы. — Заграничный паспорт есть?

Кира кивнула.

— Есть. Собиралась в прошлом году в Турцию, да не вышло...

— Привезешь мне завтра в офис. Знаешь, куда?

— Да. Красивое здание из бежевого кирпича, недалеко от «Интуриста».

— Вот и отлично! А в прикормленном турбюро я договорюсь о туре со скидкой. Какой отель хочешь? Подешевле?

— Нет! — Кира упрямо выпятила губу и покрутила головой. — Что-нибудь знаменитое. И крутое! Я читала про этот, как его... «Негреско»!

Диана поморщилась.

— Да, «Негреско» — громкое имя... Но сейчас это всего лишь обветшалый символ напыщенности и претенциозности прошлого века. Покойная хозяйка мадам Ожье давно выжила из ума и пятьдесят лет не желала делать ремонт и менять протершиеся ковры... Сейчас его начали приводить в порядок, но это растянется на долгие годы. Причем цены там и так зашкаливают, а летом увеличиваются еще вдвое...

— А что ты посоветуешь? — Кира несколько растерялась: она ступила на совершенно не известную ей территорию.

Диана отодвинула пустую тарелку.

— Сеть «Маджестик», одна из лучших на Ривьере. Отель находится в самом центре Старой Ниццы. Рядом старинные улочки, церкви, цветочный рынок. Оттуда можно быстро доехать до Монако. Оч-ч-чень солидная публика, отличный менеджмент. Роскошные номера. Одна ночь с учетом скидок обойдется тебе в пятьсот евро... Это в два раза меньше, чем он сейчас стоит.

— Сколько?! — протрезвев, вскинулась Кира. И тут же вновь расслабилась. — А почему «ночь»? За день отдельно платить надо?

— Конечно, нет! — засмеялась Диана. — Это просто так называется. По-вашему, ночь — это сутки.

— А-а-а-а! Тогда я согласна! — беспечно махнула рукой Кира. — На десять ночей!

— Договорились. Я закажу билеты. С билетами тоже трудно, но на «Эйр Франс» одно место я обеспечу. Тем более там и обслуживание лучше...

— Отлично! — кивнула Кира и потянулась к бокалу. Но шампанское было уже выпито.

— Закажем еще бутылочку? — спросила Диана.

— Нет, — Кира покачала головой. — Я и так пьяная. А ведь надо знать меру!

— Не всегда, — усмехнулась Диана.

\* \* \*

За два дня до вылета, Кира позвонила Коляшке, и пригласила встретиться, поболтать и поесть мороженого. Во-первых, они давно не виделись, а во-вторых, ее распирали новые впечатления и ожидания, которыми катастрофически не с кем было поделиться. Они встретились в кафе «Морозко», на площадке перед офисным центром «Звезда Тиходонска».

Знакомую фигуру она увидела издали. Кандидат математических наук, как всегда, был в одной из своих ужасных маек, со схваченной аптечной резинкой косичкой, без очков и потому брел по мутному миру опасливо озираясь по сторонам. Недаром его часто останавливала полиция, и потому он всегда носил с собой паспорт, но это не помогало — как правило, его все равно доставляли в отдел и задерживали на три часа для выяснения личности. Правда, после защиты диссертации положение несколько улучшилось: теперь вкладывал в паспорт нотариально заверенную копию диплома кандидата наук и, патрульные ограничивались проверкой документов.

Они сели на открытой площадке в тени высоченного здания. Было жарко, но на свежем воздухе, под приятно освежающим ветерком, находиться гораздо приятней, чем в кондиционированном помещении. Коляшка жадно ел огромную порцию шоколадного мороженого и с таким же аппетитом рассказывал, как по приглашению следователя, выступил экспертом в уголовном деле железнодорожных картежников.

— Они в ... работали, с отпускниками. У тех же ... на отдых приготовлены, а они их вовлекали в карты ..., — азартно говорил Коляшка, глотая мороженое и отдельные слова. — И обыгрывали ... дочиста. Там огромные деньги ....! А потом... схватили. Ну, а ... говорят: мы по-честному выигрывали, какие... претензии? И вправду — .... за руку ... не поймали...

— Ну а ты тут причем? — спросила Кира. Она пила кофе со сливками и ела заварное пирожное. — Ты видел, как они мошенничали?

Коляшка даже есть перестал, и выпучил глаза.

— Математическая экспертиза, теория вероятности! Какова возможность десяти выигрышей подряд? Вот я и рассчитал! И знаешь, что оказалось?

— Что?

— Вероятность — одна на двести тысяч! А они подряд выигрывали! Следствию все стало ясно!

— Да, здорово, — думая о своем, рассеянно сказала Кира.

— А ты, на какие деньги шикуешь? — поинтересовался Коляшка, лениво ковыряя ложечкой последний шоколадный шарик. Было видно, что он больше не хочет.

— В лотерею выиграла, — похвасталась Кира. — Вот здесь билет купила!

Она указала на стеклянный небоскреб за спиной.

— И сколько выиграла?

— Миллион!

— Ого! Это крупный выигрыш, такие редко выпадают. Вот если бы ты взяла три билета и выиграла три раза по миллиону, это был бы уже показатель мошенничества...

Кира прыснула.

— Где ты видел мошенников, которые такие выигрыши подкладывают?

Математический гений смутился.

— Ну, да... Это я с математической точки зрения. Вот если бы ты взяла сто билетов, и ни разу не выиграла — тогда мошенничество налицо...

Кира засмеялась еще веселей.

— Разве? Но такое сплошь и рядом! Значит, всех устроителей лотерей надо в тюрьму сажать?

— Тьфу! Что-то я запутался, — Коляшка, щурясь, принялся пристально рассматривать Киру. — Ты как-то изменилась. И шмотки, вроде, новые...

— Ну, да, прикупила обновки. Я же в отпуск лечу. Привезу тебе хорошую оправу, чтобы в очках ходил, как человек.

— Куда собралась? В Турцию? Или в Египет?

— Во Францию. В Ниццу.

— Во как?! Необычно! Как же ты туда вдруг навострилась?

— Случайно, Коленька! Тут недалеко одна женщина кошелек потеряла, а я нашла и вернула. Кстати, потом она мне и купила лотерейку, в знак благодарности. А на другой день я ее в Тихвертоле встретила, она помогла вещи выбрать, в салон сводила, в ресторан пригласила. А самое интересное — она оказалась француженкой, сотрудницей консульства! Она мне и визу сделала, и с билетами помогла, и отель посоветовала... Что с тобой?

Коляшка сидел, будто палку проглотил, и напряженно смотрел на Киру.

— Там есть туалет? — Он указал пальцем на офисный центр.

— Да, в конце холла, между эскалаторами.

Он встал.

— А где твои счастливые билеты продаются?

— По правой стороне, посередине, между фастфудом и кофе-экспрессом. А касса на пятом этаже — комната пятьсот двадцать пятая.

Коляшка поспешно направился к зданию, а Кира заказала еще один кофе. Она уже жила предвкушением путешествия на Лазурный Берег. Представляла себя в новом купальнике, ныряющей в прозрачную голубую волну, гуляющей по набережной, пьющей кофе с круассаном в одном из многочисленных кафе у моря...

От мечтаний ее оторвал вернувшийся Коляшка.

— Все в порядке? — из вежливости спросила Кира.

— Смотря, что считать порядком, — философски ответил он. — Кстати, никакой продажи лотерейных билетов там нет. Павильон пуст, висит табличка «Сдается». И больше ничего, никаких счастливых выигрышей! А в пятьсот двадцать пятой комнате ремонт — полный разор!

— Значит, переехали, — пожала плечами Кира. — Обычное дело. Арендаторы все время меняются. Уж я-то знаю.

— Странно как-то, — сказал Коляшка. — Неделю назад открылись, и сразу закрылись! Непонятно...

Кира только отмахнулась.

— Это меня уже не интересует. Второй раз все равно не выиграю — твоя теория вероятностей запрещает! Вернусь из отпуска, поговорим.

— Ну, хорошего отдыха, — как-то напряженно сказал Коляшка. — Надеюсь, твои деньги не пропали...

— Куда они пропадут? — удивилась Кира. — Авиабилеты, ваучер в отель — у меня на руках, виза в паспорте, деньги в сумочке и на карточке. Евро я уже купила.

— Ну, дай бог, — с сомнением сказал Коляшка.

Но Кира не обращала на него внимания — он хороший парень, но с причудами...

Они тепло распрощались.

# Глава 3
## Водоворот случайностей

*Ницца, наши дни*

> *Все, что мы видим и все, что мы слышим,*
> *есть совсем не то, чем оно кажется.*

Лазурный Берег — это несбыточная мечта неимущих романтиков. Потому, что романтики всегда неимущие, и именно поэтому они много мечтают, в отличие от богатых прагматиков, которым мечтать некогда — они заняты повседневным удовлетворением своих многочисленных потребностей.

Как и обещала Диана, Кира летела рейсом «Эйр Франс», самолет несколько минут назад начал снижение, приятный женский голос объявил по внутренней связи, что борт заходит на посадку в аэропорт «Кот д'Азур». Кира допила очередной бокал шампанского и прильнула к иллюминатору.

Там еще не видно ни Лазурного, ни какого-либо иного берега — только морская гладь да белые скорлупки яхт. Но она чувствовала, что ее мечта совсем рядом. Здесь все необычно. Море и небо — чистая голубая гуашь, почти без оттенков, как в коллажах позднего Матисса. А сколько раз она видела, как на цветном экране садился, будто бы прямо в море, огромный «Боинг» с неотразимым белозубым Бельмондо. И вот сейчас сказочная Ницца уже внизу!

— Ой, смотрите, мы садимся прямо в море! — заохала толстая, вульгарного вида соотечественница, тяжело наваливаясь на Киру.

— Не волнуйтесь! Просто аэропорт Ниццы находится на полуострове. На маленьком искусственном полуострове. Землю мы увидим только в момент посадки.

— Вы уже здесь бывали, — обиженно констатировала толстуха, отодвигаясь. Кира промолчала. Если бы соседка узнала, что она досконально изучила путеводители по Лазурному Берегу, то обиделась бы еще больше.

Приземлились они точно по расписанию. Не выключая двигатели, «Боинг-767» зарулил в «карман», освобождая полосу для следующего борта. Лайнеры садились один за другим: в Ницце высокий сезон, аэропорт перегружен.

Пройдя пограничные и таможенные формальности, Кира вышла из здания аэропорта. Было довольно жарко. Пальмы и тропические цветы, испускающие пряные ароматы, напомнили ей Сочи. Только вывески на французском, да чужая речь вокруг. Впрочем, она разбирала слова и даже ухватывала общий смысл разговора. За ней, в сопровождении встречающих, шли крупный немолодой мужчина и высокая, стройная женщина с большим ртом, их лица показались знакомыми — Кира несколько раз обернулась, потом даже остановилась, вглядываясь. Мужчина поймал ее взгляд, улыбнулся и помахал рукой, женщина тоже улыбнулась и Кира остолбенела: это были Шварценеггер и Джулия Робертс!

Кинозвезды уселись в разные лимузины и унеслись в ореоле славы, а Кира, катя за собой небольшой пластмассовый чемодан, прошла мимо очереди на экспресс в Канны и села в такси — неновый синий «Рено», за рулем которого сидел худощавый, носатый и экспансивный француз, похожий на грача. Судя по бейджику, его звали Базиль.

— L'hôtel «Majestik»[1], — сказала Кира и осталась довольна — фраза прозвучала довольно естественно.

Водитель кивнул и включил двигатель. «Базиль» — означает «король» и Кира попробовала завязать разговор.

— У вас королевское имя, — с улыбкой произнесла она.

— Сейчас во Франции другие короли, — мрачно буркнул Базиль, и кивнул на компанию восточного вида мигрантов возле стоянки такси. Те громко разговаривали, оживленно жестикулируя и смеясь. Чувствовалось, что они чувствуют себя здесь хозяевами.

— А только что я видела Шварценеггера и Джулию Робертс! — радостно сообщила Кира, но Базиль только поморщился:

— И что с того? Сейчас все приезжают на Бал цветов. Только мне с этого какая радость?

Неразговорчивый шофер вырулил за территорию аэровокзала и увеличил скорость. Машина неслась по Англий-

---
[1] Отель «Маджестик» (франц.).

скому проспекту. Здесь царила атмосфера вечного праздника: нарядные люди прогуливались вдоль моря, цвели клумбы, шевелили листьями многочисленные пальмы, теплый ветерок играл флагами различных стран, граждане которых отдыхали в Ницце, врывался в открытое окно и ласково шевелил Кире волосы. Они проехали мимо солидного массивного здания, с угловой башенкой, выполненной в мавританском стиле. Кира узнала не раз виденный на цветных открытках Гранд-отель «Негреско». Изысканная архитектура внушала почтение, но, напоминающее замок разорившегося барона здание, явно знало и лучшие времена, причем с тех времен утекло немало воды. Диана и здесь оказалась права.

Через полчаса они подкатили к «Маджестику». Шестиэтажное здание с затейливым под старину фасадом, большими, закругленными вверху проемами окон, резными колоннами, эркерами, причудливыми балкончиками... Увешанное цветочными кашпо и стилизованными под начало прошлого века фонарями, оно выглядело более респектабельным, чем знаменитый «Негреско». Вокруг — ухоженные ярко-зеленые газоны, кусты, аккуратно подстриженные под шары и кубы, усыпанные красным песком дорожки. На парковке блестели, отражая солнечные лучи, дорогие машины, у входа курили сигары и степенно беседовали трое солидных мужчин в отглаженных белых костюмах, на ступенях широкой мраморной лестницы стоял, как показалось Кире, генерал наполеоновской армии в малиновом мундире с позументами. Но ее внимание тут же переключилось на выбежавшую из отеля босую девушку в крохотном бикини, которая спокойно села в красную «Феррари», дверцу которой предупредительно распахнул подбежавший «генерал». Помахав ему рукой, девушка развернулась и выехала с парковки, а «генерал» подбежал к затормозившему у ступеней синему «Рено», который, надо сказать, в этой обстановке выглядел инородным телом. Правда, и «генерал» оказался не генералом, а обычным швейцаром с бейджиком «Джереми».

Приняв багаж, Джереми проводил Киру внутрь. Высокий просторный холл встретил ее прохладой, кожаной мебелью, позолотой торшеров, антикварными статуями и картинами, разноцветным мрамором, красивым фарфором в стеклянных горках и улыбкой портье — приветливого молодого человека за стойкой ресепшен.

В глаза бросились яркие плакаты, сообщающие о главном событии лета — Бале цветов в знаменитом замке Мон Дельмор. На стойке лежали красочные буклеты в которых описывались балы прошлых лет: с цветных фотографий смотрели арабские шейхи, князь Монако, премьер-министр Великобритании, мировые знаменитости: политики, кинозвезды, спортсмены, писатели...

— Мадемуазель прибыла на Бал? — спросил улыбчивый портье, заметив, что она заинтересовалась буклетом. Кире показалось, что он знает ответ и задал вопрос из вежливости.

— Увы, нет, только на отдых, — слегка смутившись, ответила она, гордясь тем, что понимает и свободно отвечает по-французски.

— Отдых у нас тоже замечательный, — кивнул молодой человек и стало ясно, что он действительно проявил вежливую заинтересованность.

Процедура заселения, которой Кира несколько опасалась, оказалась очень простой. Заполнив короткую карточку гостя и получив ключ, она, сопровождаемая разжалованным «генералом», прошла к лифту, который степенно и плавно поднял гостью на третий этаж. По широкому светлому коридору, вымощенному большими белыми плитами, Джереми проводил ее до номера и подчеркнуто бережно положил маленький, потертый на углах чемоданчик в специальную нишу. И хотя для «Маджестика» это был явно непривычный багаж, но виду он не подал, как будто именно такие чемоданы носил по коридорам отеля всю жизнь. С достоинством приняв несколько одноевровых монет, Джереми удалился.

— Если вам понадобится открыть шампанское, наберите «единичку» и я тут же приду, — сказал он напоследок, указывая на телефон. Кира не поняла, о каком шампанском идет речь, но кивнула и сказала: «Grand merci!»

Когда дверь за швейцаром закрылась, она бросилась осматривать номер. Сразу было видно, что он стоит заплаченных денег. Солнце пробивало разноцветные витражи балкона с видом на море и выкладывало на сверкающем паркетном полу замысловатую мозаику. Стены были затянуты блестящей парчой, и искры вспыхивали то тут, то там, как будто между ее складками запрятаны крохотные бриллианты... Мебели было немного — комод с плоским телевизором на нем, широкая кровать под балдахином, секретер, прикроватная тумбочка, пузатый на гнутых ножках гардероб, два кресла, журнальный столик со стеклянной крышкой, на котором в ведерке со льдом стояла бутылка упомянутого шампанского и ваза с фруктами — подарок от отеля. Кира взяла тяжелую, запотевшую бутылку. Однако! «Кристал» — самое дорогое шампанское в России — она прочла об этом в интернете. Тут не экономят на подарках!

Она прошла в ванную комнату и долго не могла решиться взойти — именно взойти — в эту огромную, похожую больше на мини-бассейн, мраморную чашу. Она и понятия не имела, что ванны для купания могут быть сделаны из настоящего мрамора! Было боязно дотрагиваться до этих золоченых краников: а вдруг они действительно сработаны из чистого золота?

«А я, зато, кран поменяла», — подумала Кира и ужасно рассердилась на себя: дала же слово не вспоминать, не вспоминать, не вспоминать о том, что ждет ее дома! Добавив ароматных солей и шампуней в чуть горячеватую воду, она долго лежала, любуясь тонкими барельефами обнаженных женщин на мраморных стенах, разглядывая свои покрытые клочьями белой пены гладкие ноги с маленькими аккуратными ступнями и ярким педикюром, которые поднимала одну за другой, попеременно. И барельефы и ноги ей нравились, ненужные мысли растворились то ли в воде, то ли в окружающей обстановке роскоши и покоя, душа и тело расслабились. Когда вода остыла, она выбралась из мраморной чаши, промакнулась большим махровым полотенцем и, босиком прошла в комнату.

Вызывать Джереми она, конечно, не стала — открыла шампанское сама, нарезала киви и авокадо, выпила за хороший отдых и «сбычу мечт»... Она вначале хотела выйти прогуляться по вечерней Ницце, но сил уже не было: перелет и нервное напряжение высосали их, без остатка.

Включила телевизор — в местных новостях показывали яхты и вертолеты, в которых прибывала на Бал вся знать Лазурного Берега да, похоже, и всего мира. Потом показали замок Мон Дельмор: он стоял на вершине торчащей из моря скалы, и подсвеченный снизу прожекторами, как будто парил в воздухе. Фантастическое зрелище! Да и сам Бал цветов — это необыкновенное чудо! Никогда Кира даже не приближалась к событиям такого уровня... Она вздохнула. «Мы чужие на этом празднике жизни!» — всплыла в памяти горькая литературная фраза. Она была начитанной девушкой. Но вряд ли это поможет ей попасть на Бал цветов. А вот Наташка прочла в своей жизни только две книги: «Каштанка» и «Муму», но отсутствие начитанности ей в жизни не мешало — она брала другим... Впрочем, это «другое» не помогло бы ей войти в круг мировых знаменитостей. Или все же могло помочь?

Кира подошла к широченной кровати, покрытой тяжелым парчовым покрывалом и усыпанной добрым десятком разнокалиберных подушек в таких же парчовых чехлах, несколько минут стояла, не зная, как к ней подступиться. Но, наконец, решилась: подушки сложила на подоконнике, сверху бросила свернутое покрывало и нырнула под белоснежный, хрустящий крахмалом, пододеяльник. Постель пахла лавандой, вербеной и еще чем-то мягким, уютным. Кира вытерла слезы, выступившие от невозможного счастья, и быстро уснула.

\* \* \*

Спала она прекрасно и проснулась довольно рано, как будто надо было спешить на работу. Накинув на голое тело белый махровый халат с круглой надписью Majestik над сердцем, она долго стояла на балконе, полной грудью вдыхала запах тропических растений и всматривалась вдаль, словно пыталась разглядеть в голубовато-бриллиантовой глади моря, сливающейся с лазоревым небом, на котором всходило большое желтое солнце, что-то свое. Особенное, непонятное ни для кого другого...

В дверь постучали.

— Votre petit déjeuner, madame![1] — молодой стюарт в белом смокинге с черной «бабочкой» вкатил в номер накрытую салфеткой тележку.

Завтрак — это хорошо! Она вдруг почувствовала зверский аппетит. Но сперва...

— Dites moi, s'il vous plaît, est-ce-que dans votre hotel il y a des visiteurs russes?[2] — спросила Кира, на всякий случай сверившись с купленным вчера в Шереметьево русско-французским разговорником.

— Oui, madame. Au rez-de-chaussée se repose une famille charmante, qui parle russe. Mais le numéro lux dans l'aile voisine occupe une véritable princess russe.[3]

Почтительно поклонившись, и помедлив ровно столько, сколько позволяли приличия, но не дождавшись чаевых, молодой человек ушел. Когда же до девушки дошел смысл оброненной им фразы, она рассмеялась и отбросила ненужный разговорник на кровать.

Русская княгиня! Наверняка какая-нибудь новорусская жена, купившая себе титул в какой-нибудь липовой лавочке. Она читала, что услуги подобного рода предлагаются в Москве на каждом углу. Любой Иван-родства-не-помнящий может стать графом, маркизом, а то и внебрачным отпрыском королевы Марии-Антуанетты!

Не-е-ет, милые мои, времена, когда между Ниццей и столицей Российской империи существовало прямое железнодорожное сообщение, остались там, на руинах прошлого века. Это в то время поездка в Канны или Ниццу для россиян означала то же самое, что отдых в Крыму и на курортах Кавказских Минеральных Вод. В Ницце проводили время русские офицеры, аристократы, Гоголь, Бунин, Чехов, Герцен...

— Вот тогда-то, сто лет назад, вам и надо было искать здесь «настоящих русских княгинь», — пропела Кира, окончательно развеселившись.

---

[1] Ваш завтрак, мадам! (*фран.*)

[2] Скажите, пожалуйста, в вашей гостинице есть русские постояльцы?

[3] Да, мадам. На первом этаже отдыхает прекрасная семья, которая говорит по-русски. А номер люкс в соседнем крыле занимает настоящая русская княгиня.

Она сняла с тележки салфетку. Круассаны, джем, фруктовый салат, бри и апельсиновый сок. Европейский завтрак гораздо скудней английского, а французский самый скромный из всех европейских, но Кира была в восторге. Настоящая французская гастрономия! Бледно-синяя от переизбытка крахмала сосиска и засохший салат из супермаркета — пусть всего лишь на несколько дней — остались там, далеко, где-то на краю земли, в серой и скучной жизни...

С едой она покончила за десять минут. А потом, неожиданно напевая: «Отречемся от старого мира, отряхнем его прах с наших ног!» (Кира и понятия не имела, что помнит слова «Марсельезы») — быстро надела купальник, накинула халат и отправилась на пляж.

Солнце только начинало припекать. Многочисленные фонтаны — боже, сколько их! — хрустально звенели водопадом струй, рассыпая вокруг себя тысячи бликов. Стеклянная крыша знаменитого Парка Бабочек, грандиозным экзотическим цветком распустившего гигантский прозрачный купол у самого входа на набережную, сверкала, будто огромный драгоценный камень.

Служащий пляжа подал ей полотенце с галантностью, которую можно было ожидать разве что от принцев крови. Пляж был почти пустынным — слишком рано для богатых постояльцев. Кира сбросила халат и, осторожно ступая босыми ногами по умытой прибрежной гальке, приблизилась к атласной кромке моря, о котором столько думала и столько мечтала.

Едва заметные волны охотно приняли ее в свои объятия, любовно качнули, обдали нежной щекоткой по-утреннему прохладных струй. Море было бескрайним, невозможно красивым. Она перевернулась на спину и посмотрела на берег. Поднимающееся над кварталами старого города солнце нежно подсвечивало черепичные крыши вековых, обветшавших домишек. Русские скоробогачики, нимало не смущаясь, строят дома в Ницце из камней замков аристократов, гильотинированных во время Великой французской революции. Самое смешное — они уверены, что таким образом купили не только благородство и древность рода, но и место в истории. Болваны!

Кира вновь перевернулась на живот. Вода стала заметно теплей — скорей всего, просто тело к ней привыкло. В нескольких сотнях метров от берега белел корпус парусной яхты. Она прищурилась на белоснежный лоскуток, выделяющийся на синей подушке моря в самом центре этой хрестоматийной картинки рая, набрала полную грудь воздуха и поплыла. На какое-то время она, видимо, просто растворилась в море, став его маленькой частицей, наполненной счастьем, как живая клетка наполнена цитоплазмой. Вдох, гребок, выдох, гребок... Пловчихой она была прекрасной и знала это. Движения получались четкими, рассчитанными на равномерный вдох-выдох, вода обтекала сильное тело, вспарывающее синюю гладь ритмичными взмахами рук.

Служащий на пляже забеспокоился: не слишком ли далеко решила заплыть эта русская мадемуазель? Но, увидев, что Кира, отдалившись от берега метров на двести, спокойно перевернулась на спину и полностью отдалась ласке легких набегающих волн, успокоился и продолжил вполголоса переругиваться с продавцом мороженого.

Вода пробралась под купальник, исподволь закрадываясь в каждую складочку и щелочку... Кира почувствовала томление — смутное, неясное, расплывчатое, как бывает во сне, когда чувствуешь, что тело твое готово выгнуться навстречу чужой, космической ласке.

«Как хорошо... — думала она. — Наверное, людям, которые могут себе позволить проводить на Лазурном побережье по полгода, все здесь уже давно не кажется таким волшебным. Бедные, бедные! Как я им сочувствую...»

«Вот, например, эта яхта, — теперь Кира отчетливо, и во всей красе, могла разглядеть белоснежное суденышко, мерно качающееся на воде метрах в ста от нее. — Она вышла в море на рассвете, а может, и вовсе не подходило на ночь к причалу... Интересно, чья она? Наверное, ее снимают в складчину три-четыре пузатых бизнесмена из Парижа, которые денно и нощно разговаривают о делах и деньгах, а их фотомодельные жены ежечасно меняют наряды и портят палубу острыми каблуками... А как, интересно, она называется?»

Еще несколько десятков мощных гребков и расстояние сократилось настолько, что Кира смогла прочесть золотую вязь на кипенно-белом борту. И поняла, что толстые парижские бизнесмены не имеют к этой дорогой посудине ни малейшего отношения. Яхта называлась «Бегущая по волнам», причем знаменитое литературное имя написано по-русски! Значит, ей передают привет земляки, причем не чуждые некоторой интеллигентности, во всяком случае, читавшие Александра Грина!

Коротко рассмеявшись, Кира нырнула, развернулась, быстро, как русалка, проплыла несколько метров под водой, вспугнув стайку пригревшихся на утреннем солнце полосатых мальков, и неспешно поплыла к берегу.

* * *

На белой, как сибирский снег, трехпалубной моторной яхте «Бегущая по волнам», на самом деле находились трое. Это если не считать капитана, моториста, и двух матросов — все они скрылись в рубке и машинном отделении. Потому у разговора, который происходил сейчас под парусиновым тентом за заставленным фруктами и шампанским столом, не было ни одного постороннего слушателя.

— Зачем ты приехал? — брюзгливо спрашивала высокая сухопарая дама, в широкополой шляпе, с жемчужным ожерельем на увядшей шее. На ней было летнее, сильно открытое платье. Несмотря на набирающую силу жару, вид пожилой женщины в девичьем сарафане с разрезами на месте рукавов вызывал острую жалость: бедняга столь же старательно, сколь и безуспешно старалась казаться моложе.

Вопрос был обращен к высокому широкоплечему мужчине лет тридцати пяти, одетому в белый парусиновый костюм. Сидя у накрытого стола, но не притрагиваясь к еде, он, иронично изогнув бровь, разглядывал третьего участника застолья — длинноволосого лет двадцати пяти парня в хлопковых шортах и расстегнутой на груди цветастой рубахе. Парень ел персик, тыльной стороной ладони утирая сбегавший по подбородку сок, и улыбался прямо в глаза своему визави.

— Зачем ты приехал, Андрей? — снова спросила дама. Она нервно проворачивала на пальцах перстни с отборными, такими же, как в ожерелье, будто светящимися изнутри, жемчужинами. Стоимость этого ювелирного комплекта позволяла купить еще одну яхту, не хуже «Бегущей по волнам».

— Странный вопрос. Разве я не могу навестить тебя? — ответил человек в парусиновом костюме.

— Ты мог бы просто позвонить!

— Я решил своими глазами увидеть твое новое увлечение, мама. Как его зовут?

Длинноволосый парень улыбнулся Андрею и взял со стола еще один персик. Речь шла о нем, но эта сторона вопроса его как будто не занимала.

— Познакомь нас.

— Ах, оставь, Андрюша! Зачем это нужно? Ты не должен был приезжать... — на открытой груди проступили красные пятна. — Артурчик, познакомься. Это мой сын, Андрей.

Не вставая с места, любитель фруктов отвесил Андрею легкий поклон. Светлые волосы на секунду скользнули вниз, повисли по обеим сторонам лица и снова были отброшены за спину.

— Дорогая Элеонора, у тебя такой взрослый сын, — пропел Артур, лаская глазами свою повелительницу. — Просто удивительно, при твоей сияющей молодости...

Андрей хмыкнул. Откровенное вранье, граничащее с наглостью, вызвало у него легкую оторопь. При этом Артур продолжал сидеть напротив, безмятежно покачивая обутой в сандалию ногой, и улыбался Андрею так, будто был с ним в каком-то омерзительном сговоре.

— Ну вот, познакомила. Что-нибудь еще? — Выражение лица у Элеоноры приобрело плаксивое выражение.

— Ты не очень-то ласково меня встречаешь, мама.

— Ах, боже мой! Ну неужели ты не понимаешь, что своим приездом мешаешь мне! У тебя отпуск? Отпуск. Но для отпуска в мире так много прекрасных мест, а ты почему-то приезжаешь именно сюда!

— Почему ты не допускаешь мысли, что я просто соскучился? Мы не виделись почти год!

— Ты бы мог позвонить, — повторила она, теребя перстни.

Возникла пауза. Был слышен плеск моря о борт яхты и вежливо-приглушенное чавканье Артура — персики на столе закончились, и он принялся за абрикосы.

— Но по телефону нельзя обсуждать деловые вопросы. А ты знаешь — отцовские активы мне бы очень понадобились, чтобы выбраться из затруднительного положения. Я ведь последнее время балансирую на грани разорения! — сохраняя сдержанный тон, заметил Андрей.

— Я не разбираюсь в твоих делах! И в делах твоего отца не разбиралась. Но я имею право пользоваться его наследством и отдыхать, наконец! — Элеонора повысила голос.

— Но я тоже имею право на наследство!

— Мы же уже сто раз говорили на эту тему. И юристы тебе объясняли: раз ты не вписан в завещание...

— Он просто не успел меня вписать... Но, кроме юридических прав, есть родственные отношения...

— Уезжай, Андрей. Я прошу тебя. Наш совместный отдых не закончится ничем, кроме неприятностей, я это чувствую... Дай мне проводить время так, как я хочу.

— Тебе следовало бы помнить, что ты проводишь его на мои деньги!

— Зачем ты это говоришь?! — взвизгнула Элеонора. — Ты намерен попрекать меня? Попрекать куском хлеба?! Меня, свою мать?!!

— Твой кусок хлеба, как ты это называешь, сдобрен изрядной порцией черной икры. И я никогда не стал бы упрекать тебя, если бы ты снова не начала играть в эти игры с юнцами втрое моложе себя, которые выставляют тебя на посмешище! Если бы ты просто швыряла деньги налево и направо, я бы не сказал тебе ни слова. Хотя, видит бог, они бы помогли мне восстановить отцовский бизнес! Но ты снова связалась с каким-то прощелыгой, готовым обобрать тебя до нитки. Прошлая история тебя ничему не научила, мама!

Прекратив чистить апельсин, Артур поднял на Андрея прозрачные глаза. Впервые за все время в них сверкнуло хоть какое-то чувство. Обида?

— Тебе не следует так говорить со мной, сынок. — Голос матери стал дребезжащим, режущим слух.

— А тебе следовало бы помнить, что ты уже не девочка! Тебе шестьдесят два года!

— Пошел вон! Вон! — завизжала дама, вскакивая с места. Лицо ее горело, как будто он только что надавал ей по щекам. — Пошел вон! Я тебя ненавижу!

Побледнев, Андрей тоже поднялся. Теперь они смотрели друг на друга, как давние враги.

— Никогда, никогда больше не приближайся ко мне! Щенок! — кричала она, поднимая к лицу сжатые кулаки.

Он шагнул к ней. С силой взял за локти, подержал и... отпустил. Развернулся, посмотрел на Артура — тот продолжал индифферентно работать челюстями.

— Желаю вам счастья! — отвесил ему шутовской поклон Андрей. — И вам! — поклонился он матери, помахав у самой палубы воображаемой шляпой. — И вам! — склонился он в поклоне высунувшемуся из рубки капитану.

— Спасибо, Андрей Максимович, и вам не хворать... — проговорил потрясенный капитан, но Андрей его не услышал. Одним прыжком перемахнув через борт, он, как был, в парусиновом костюме и летних туфлях, «ласточкой» вошел в море, оставив за собой фонтан сверкающих брызг.

Дама завизжала. На яхте поднялась суета, по палубе забегали, кто-то спустил за борт канат, капитан сдирал с кормы спасательный круг... Но все это было уже не нужно.

Не обращая внимание на суматоху позади себя, Андрей мощным кролем плыл к берегу, загребая воду ровными взмахами рук. Чувствовалось, что он тоже хороший пловец!

* * *

Ничего этого Кира не видела и не могла видеть. Она плескалась в воде, ныряла, как утка за мелкой рыбешкой, затем ложилась на спину и ногами взбалтывала водную гладь в пену, снова переворачивалась и опускала лицо в голубую прохладу. Ей хотелось петь — и она пела, тем более что на этом расстоянии от берега услышать ее никто не мог. Хотелось быть счастливой — и сегодня она была счастлива.

Прошло уже много времени, как она зашла в море и прохлада уже не просто проникала в складки тела, но и просочилась сквозь кожу, заставив тело дрожать мелкой дрожью. Пора выходить, погреться на солнце, прижаться щекой к горячей гальке... В последний раз нырнув, она взяла курс на берег.

— ...огите!!! — слабый ветерок донес до нее крик, исполненный такого ужаса, что Кира на минуту замерла. — Помогите!!!

Кричала женщина с городского пляжа, вплотную примыкающего к купальной зоне отеля. Кричала по-русски. Крошечный силуэт метался по берегу, вызывая в памяти сходство с каким-то мультипликационным персонажем.

— ...онет! — услышала Кира. — О, господи, он тонет!

А кругом было так спокойно! Час назад пустынный пляж заполнился отдыхающими, на желтом песке расцвел веселенький садик из цветных тентов и надувных матрасов самых невообразимых оттенков. Море осталось тихим, ласковым, невозможно было поверить, что здесь может разыграться настоящая трагедия!

— Он тонет, тонет! — рыдала женщина. — Господи, да помогите же кто-нибудь!

Наконец Кира увидела его — мальчика лет шести с красным надувным медвежонком, который плескался метрах в пятидесяти от берега. Ах, нет! Он не плескался, а действительно, самым настоящим образом, тонул! Светлая головенка на миг показывалась над каемкой воды и вновь исчезала. Ветер гнал красного медвежонка прямо на Киру.

Кира резко ускорила ход, направляясь навстречу ребенку раньше, чем ужас происходящего дошел до ее сознания. К счастью, расстояние было небольшим, и она даже не успела запыхаться, когда подоспела на помощь. Но успела вовремя: маленькое тельце уже не боролось — она сумела подхватить его уже под водой:

— Держись, малыш! — крикнула она и, хватив ртом и носом соленую воду, принялась кашлять и отплевываться, дыхание сбилось. Но мальчик не мог держаться. Он был без сознания. Кира похолодела, увидев бледное лицо без красок жизни. Ребенок безвольно повис у нее на руках, и она совершенно не представляла себе, как доберется до берега. Вода начинала затягивать и ее — если бросить ставшее неимоверно тяжелым тельце, то может и выплывет, а если нет, то вместе с ним пойдет на дно... Где же спасатели? Ведь тут обязаны быть спасатели!

— Дайте мне! — раздалось рядом и в поле зрения появилось лицо незнакомого мужчины. Он тяжело дышал, но руки были твердыми, сильными — Кира почувствовала, как ее обхватили за талию и поддерживают над водой, не давая захлебнуться.

— Вы в порядке?

— Не знаю...

— Посадите ребенка мне на спину и цепляйтесь сами. Не за руки — за плечи! Следите, чтобы мальчик не соскользнул, придерживайте его своим телом. И ничего не бойтесь. Дышите ровнее. Сейчас мы отсюда выберемся.

Как небольшой катер, неожиданный спаситель направился к берегу. Плыл он неторопливо, хотя и целеустремленно. Волны расступались под его мерными гребками. Женщина перестала звать на помощь, у самой кромки воды собралась небольшая толпа. Их ждали — размахивали руками и подбадривали криками.

Почувствовав под ногами дно, Кира отцепилась от незнакомца. И только сейчас заметила, что все это время держалась не за голое тело, а за промокший рукав светлого костюма. Он бросился в воду одетым! Ну, надо же...

Гомонящая толпа приняла ребенка из рук незнакомца, очень толстая мамаша в очень цветастом купальнике метнулась к сыну. Киру и молодого человека оттерла кучка итальянцев — размахивая руками, пять или шесть разновозрастных людей, очевидно, одно семейство, суетливо пытались пробиться к распростертому на песке маленькому тельцу.

— Петенька! Очнись! Сынок! Петенька! — подвывала мамаша, размазывая по лицу ярко-красную помаду. — О господи, да уберите же вы эту компанию! Что им нужно?! Петенька! Сынок! Да что они говорят?!

— Они говорят, что один из них — врач. И что нужно допустить его к вашему ребенку. У мальчика может быть отек легких, — сказал рослый мужчина в мокром костюме.

— Где врач, где?! — вскричала мамаша, кидаясь на итальянцев. — Кто врач? Кто из вас врач?! Умоляю, спасите моего ребенка! Он умирает!

Человек в мокром костюме что-то коротко сказал по-итальянски, затем по-французски — и толпа расступилась, давая проход. Итальянский доктор опустился на песок рядом с мальчиком, оттянул ему веки, пощупал пульс — и вдруг, резко приподняв ребенка за спину, нагнул ему голову, а другой рукой крепко надавил на грудь. По телу мальчика прошла дрожь, изо рта и носа хлынула вода.

Толпа радостно ахнула и зашевелилась.

— Пойдемте, — неожиданно обратился к Кире благородный спаситель. — Дальше они и без нас разберутся.

Взяв за руку, он вывел ее из толпы и повел к отелю. Она шла послушная, завороженная нереальностью всего происходящего, позабыв даже, что на пляже остались ее вещи: сумка, сандалии, сарафан. За ними пришлось вернуться с полдороги.

Когда они наконец добрались до «Маджестика», смотреть на них сбежалось пол-отеля. Респектабельная гостиница была потрясена необычным зрелищем: девушка в узком красном бикини, оставляя на мраморном полу мокрые следы, поднимается по мраморной лестнице, а за руку ее ведет широкоплечий, мокрый насквозь молодой человек, с костюма которого частыми ручейками струится вода. Так они дошли до номера. Незнакомец протянул руку — все еще пребывающая в сомнабулическом состоянии Кира вложила в нее ключ. Дверь открылась без скрипа. Незнакомец вошел первым.

— Ну, вот теперь вы на месте. Рекомендую принять теплый душ и отдохнуть. Еще лучше, если перед сном вы выпьете чего-нибудь крепкого. От стресса надо избавляться именно таким образом.

Кира смотрела на него во все глаза.

— Зачем вы меня проводили?

Этот простой вопрос его удивил.

— А правда, зачем? — Он смотрел так, как будто Кира знала ответ и могла его сейчас сказать. Глаза у него были удивительные — редкостного, чистого зеленого цвета с золотистыми крапинками. — Знаете что? — рассмеялся он, и от этого смеха в Кирином номере сразу потеплело. — Наверное, я чувствую за вас ответственность. Как-никак я ваш спаситель.

Кира кивнула. Отвернулась. Подхватила с ручки кресла купальный халат, накинула на плечи.

— Хотя... Вы тоже спаситель... то есть спасительница. Вы спасли ребенка, а я спас вас. У нас тут наметился небольшой клуб спасителей жизни, забавно, не правда ли?

— Да. Смешно, — на самом деле она не видела в этом ничего смешного.

— Простите, я, кажется, был не очень вежлив. До сих пор не представился. Хотя сами понимаете, обстановка к знакомству как-то не располагала... Меня зовут Андрей. А вас?

— Кира.

— Кира! — Он склонил голову к плечу и прислушался. — Кира, Кира... — Губы его произнесли ее имя несколько раз, словно пробуя его на вкус. — Это очень красиво.

— Вы живете в этом отеле?

— Нет, — сказал Андрей, к великому ее разочарованию. И тут же поправился: — Пока нет. Я только прилетел. Утренним рейсом. Оставил чемодан в камере хранения аэропорта и пошел... — он запнулся, — пошел навестить одну... одного человека.

— У вас здесь знакомые?

— Да... близкие знакомые. Ближе не бывает.

От Киры не укрылась горечь, с которой он произнес последнюю фразу.

— Но... Как же вы спуститесь вниз в таком виде? Тут тако-о-ой навороченный отель, — сказала она совсем уже по-свойски, как старому приятелю.

Он усмехнулся, оглядывая себя в зеркало.

— Да, вид у меня, конечно... Ихтиандра приодели, а он решил поплавать...

Кира улыбнулась.

— Вот что, — сказала Кира. Пережитый только что стресс наполнял ее неожиданной решимостью: во что бы то ни стало, хотелось продлить общение с этим странным, но таким привлекательным мужчиной. В глубине души, под стихающими адреналиновыми волнами, Кира была готова, чтобы общение переросло в нечто большее, гораздо большее.

— Позвоните на ресепшен и распорядитесь, чтобы съездили в аэропорт и привезли ваш чемодан. А сами тем временем пойдете в душ. Потом обсушитесь, переоденетесь в сухое, спокойно спуститесь и оформите заселение. Как вам такой план?

— Это самый прекрасный план, который мне только доводилось слышать!

Андрей шагнул к телефону, набрал номер и изложил свою просьбу. Опустил трубку, положил рядом ключ.

— Кажется, мы только что поменялись ролями: теперь вы стали моей спасительницей.

— Что вы... такая мелочь.

Куда делась вся ее решимость, готовность действовать? Кира чувствовала, как ее вновь охватывает привычное чувство неуверенности в себе, желание взять безопасную дистанцию с мужчиной. Да что это такое?! Только что собиралась быть современной, раскованной — как темпераментные и независимые героини французских фильмов. Но стоило ему произнести несколько французских фраз своим красивым бархатистым голосом, стоило поднять на нее играющие лукавым огоньком глаза — и на тебе, ни решимости, ни французского кино!

Андрей оглядел номер, задержав взгляд на широкой кровати.

— Хорошо тут. Комфортно.

— Да, — ответила она, тщетно пытаясь выглядеть современной и раскованной. Хотелось добавить еще что-нибудь, преодолеть наступивший ступор, но в голову лезли какие-то глупости про пахнущие лавандой простыни, про огромную мраморную ванну.

С одежды Андрея все еще сочилась вода. Он посмотрел себе под ноги, пошлепал подошвами по набежавшим лужицам.

— Кто же пойдет первым в душ? — спросил он, придав лицу комично-растерянное выражение. — С одной стороны, как джентльмен я должен пропустить вперед даму... С другой — мокрый джентльмен портит даме интерьер, — на губах играла многозначительная улыбка.

— Идите вы первый, — сказала Кира. — Вы гость все-таки.

— Что ж, — он потянул с себя пиджак. — Как гость, я покладист и не привередлив.

Пиджак лег на стекло журнального столика.

— А может, пойдем вместе? — Он двинулся в сторону Киры, расстегивая рубашку.

— Вместе? — переспросила она, чувствуя, как заколотилось бешено сердце — будто они вернулись в море, и нужно снова спасать чью-то повисшую на волоске жизнь.

— Конечно. Мы же уже купались вместе...

Рубашка улетела следом за пиджаком. Кира любовалась его крепким, ладно скроенным белым телом. Здесь, в мире загара, белизна придавала ему особенный шарм.

Она молчала.

— Мне кажется, у нас обоих на уме одно и то же, — сказал он тихо. Мягко, но уверенно он притянул ее к себе и поцеловал. Кира откликнулась, задрожав всем телом, сильно прижалась к нему.

— Так и есть, — сказал он совсем уже шепотом и расстегнул застежку бюстгальтера. Белые груди с маленькими розовыми сосками выскочили наружу. Лифчик полетел на пиджак, его догнали узенькие трусики. Он не спешил. Он был нетороплив и чуток, точно угадывая, когда следует замедлиться и повременить, когда двинуться дальше, ускориться и сделаться настойчивей. Его губы были солоны, соль проступала на спине и плечах — и Кире казалось, что они легли не в постель, а в притихшее шелковистое море. И вот уже накатывает первая волна, захлестывая восторгом, и Кира выгибается всем телом, отдаваясь во власть чудесной стихии, обещающей быть бережной и нежной.

В дверь постучали — портье принес чемодан Андрея. Но едва ли этот стук мог прервать то, что происходило между мужчиной и женщиной в двести тридцать восьмом номере отеля «Маджестик». Тем более что вышколенный персонал вел себя достаточно деликатно, беспредельной настойчивости не проявлял, поэтому чемодан был успешно занесен в номер через полтора часа.

\* \* \*

Ей снился парк в Тиходонске. Старинный и запущенный. Высокие лиственные деревья росли тесно, соприкасаясь ветвями. Она шла по аллее, запрокинув голову, и любовалась листьями, пронизанными солнечным светом. Листья тихонько шелестели, хотя не было ни ветерка. От них исходил приятный горьковатый запах — он был хорошо ей знаком, но Кира никак не могла вспомнить, чем это пахнет. Но постепенно лицо парка менялось — он становился гуще и приобретал все более дикий вид. Послышались какие-то крики, крупная обезьяна пролетела перед ней на лиане, деревья превратились в сплошную зеленую стену из которой выглядывала голова страшного идола со сверкающими глазами, взгляд которых прожигал до самой души... «Джунгли!» — поняла Кира и, развернувшись, бросилась назад в такой мирный и безопасный парк... Но его не было — вокруг расстилались зловещие джунгли, населенные ядовитыми змеями, крокодилами и кровожадными каннибалами. Она закричала и проснулась от собственного крика. Сердце колотилось. Такие страшные сны она видела в детстве, после рассказов отца об Африке. Она открыла глаза, резко села и увидела, что все в порядке — кругом чисто, уютно, тихо и спокойно. Судя по всему, и кричала она во сне.

Закрытый от Киры развернутой газетой Андрей в махровом гостиничном халате сидел перед столиком, на котором стоял завтрак — кофейник, круассаны, пиалы с маслом и джемом, кувшинчик со сливками. Еще несколько прочитанных и неровно сложенных газет валялись на полу возле кресла. Кира посмотрела на его голые волосатые ноги, вальяжно выставленные из-под халата и закинутые одна на другую, и разом вспомнила все, что было ночью. Ах, что это была за ночь! Не стесняясь наготы, Кира откинула одеяло: ей хотелось быть раскованной и темпераментной — оказывается, с таким мужчиной это очень просто и совершенно естественно!

— Спасение двоих утопающих русской гостьей отеля «Маджестик», — услышала она его голос. — Туристка из России спасла шестилетнего мальчика и мужчину, тонувших вчера на виду у большого скопления пляжных зевак.

Прошуршала складываемая газета. Опустив ее на стопку возле кресла, Андрей улыбнулся своей красивой белозубой улыбкой.

— Спасенный мужчина приветствует свою спасительницу и желает ей доброго утра. Как спалось, моя морская красавица?

— Сказочно, — улыбнулась она в ответ. — Снился парк.

— Возможно, это были райские кущи?

— Возможно. Но Адама я там не застала. Он уже завтракал. К тому же, парк перешел в страшные джунгли...

— А может, это был ад?

— Не знаю... Ничего не знаю... Неужели мы почти сутки провалялись в постели?

— И не только провалялись...

Кира посмотрела Андрею в глаза. Ей понравился ответный взгляд — открытый и теплый. Дружеский взгляд близкого человека, и этого было достаточно, чтобы сердце Киры забилось чаще. Он подошел к кровати и, опустившись на колени, поцеловал Киру в подбородок, потом в шею и, наконец, в губы долгим страстным поцелуем. Когда объятия разомкнулись, она сказала:

— Но ведь это ты меня спас. И мальчика. Нас обоих.

— Боже упаси тебя сказать об этом газетчикам!

— Почему?

— Ты лишишь их идеального сюжета. Женщина спасает двоих. Здешние феминистки проклянут тебя, если ты их подведешь.

Андрей поднял с пола стопку неровно сложенных газет и встал. Подошел к окну. Не касаясь штор, выглянул в просвет между ними. Привстав на локте, Кира любовалась его спортивной спиной в мягко облегающем халате.

— Мне надо спуститься вниз ненадолго, — сказал он, отворачиваясь от окна. — Чтобы уладить формальности.

Дойдя до середины комнаты оглянулся на Киру и добавил:

— С твоего позволения, mon cher, я оплачу совместное проживание.

В ответ Кира потянулась всем телом — сладко, до хруста.

— Не хочешь позавтракать, пока кофе не остыл?

Андрей вытащил из шкафа брюки и рубашку. Он даже вещи успел распаковать — беззвучно, не разбудив ее.

— Я взял ключ, — предупредил он.

После того как за ним закрылась дверь, Кира еще полежала какое-то время, нежась на влажных, измятых за ночь простынях и, упругим рывком, словно собираясь взлететь, поднялась. Похоже, время близилось к полудню. Но смотреть на часы не хотелось — пусть время течет бесконтрольно: счастливые часов не наблюдают! Надев халат, Кира выглянула в окно. Солнце и впрямь было высоко. На небе ни облачка. Все столики, расставленные на веранде кафе напротив, были заняты. Кире даже показалось, что столиков больше обычного.

«Надо же! Вчера такого не было, а сегодня аншлаг. Наверное, пик сезона!»

Кто-то из посетителей кафе вскинул фотоаппарат и сфотографировал фасад отеля, и тут же еще двое подняли свои камеры, и еще...

«Туристы, новый заезд», — решила она.

Удобно расположившись за столиком, она налила кофе, добавила немного сливок, намазала на круассан масло. Круассан был настолько воздушный, что сжимался между пальцами так, что они соприкасались. А стоило отпустить — и он вновь возвращался к прежнему состоянию. Наслаждаясь настоящим французским завтраком — вторым в ее жизни, она заглянула в газету.

«Русская туристка спасает сына одной из богатейших женщин Лазурного Берега», — прочитала она.

Вот те на! Толстая тетка на общем пляже, ну никак не тянула на богачку! Круассан Кира дожевывала, удивленно распахнув глаза. Отхлебнула кофе, взяла другую газету. На первой странице красовалась фотография, на которой она — обессиленная, мокрая, покидает пляж в сопровождении Андрея. Кто успел сделать снимок?! Когда?!

Крупный заголовок гласил: «Гостья отеля «Маджестик» спасла мальчика и мужчину». И чуть ниже более мелким шрифтом: «Один из тонувших — сын богатейшей жительницы Ниццы».

Да что они, с ума посходили? Или журналисты что-то путают, или эта толстуха — сумасшедшая миллионерша, которая тщательно маскируется...

К статье прилагались еще несколько снимков: спасенного мальчика, его толстой мамы, Андрея, запечатленного, судя по костюму, на светском приеме — и какой-то пожилой дамы в бриллиантовом колье. Фото дамы и Андрея были повернуты вполоборота друг к другу — так что создавалось впечатление, будто они вступают в некий диалог. Но даже без этой редакторской уловки было видно, что эти двое связаны друг с другом кровными узами! Получается, это Андрей — сын миллионерши, а не малыш! И что она его спасла, а не наоборот!

— Обалдеть! — выдохнула Кира, покрутив головой. — Что хотят, то и пишут. Хоть бы разобрались вначале!

Она налила из блестящего кофейника еще кофе, надкусила следующий круассан, одновременно просматривая по диагонали описание происшествия. Андрей, оказывается, плавал в костюме не потому, что не успел раздеться, как он сам объяснял — просто свалился с яхты своей матери. Той самой, неподалеку от которой Кира плавала.

«Как можно свалиться с яхты?» — недоумевала она. Впрочем, журналист тут же прояснил ситуацию со своей колокольни:

«Андрей Войтов — сын застреленного в Москве олигарха Максима Войтова, унаследовал его бизнес, хотя с развитием его испытывает определенные трудности. С матерью у него довольно сложные отношения... И есть версия, впрочем, ничем пока не подтвержденная, что Андрей Войтов был сброшен с борта «Бегущей по волнам» в результате очередного скандала с madamme Voitoff...»

— Что хотят, то и пишут! — повторила Кира. — Но Андрей тоже хорош — про богатую маму ни слова! Может, думает, что я охотница за миллионами? Хотя все основания для этого есть, вот Наташка — как раз пример такой охотницы! Но где он?

Андрей вскоре вернулся. В одной руке его был роскошный букет, в другой конверт, увенчанный пышным бантом.

Кира как раз доедала третий круассан. То ли от интенсивных ночных утех, то ли от прочитанных новостей, у нее проснулся зверский аппетит. Сопроводив взглядом букет, положенный на столик возле кофейника, благодарно кивнула.

— Это тебе!

— Угу, — только и проговорила она с набитым ртом.

Заметив скомканные газеты, небрежно брошенные на пол, Андрей усмехнулся.

— Вот это в развитие темы, — он положил конверт перед Кирой. — Вручили на ресепшен. Думаю, там письмо благодарности от отеля. А также администрация с радостью сообщила, что в знак особой симпатии продлевает ваше проживание в отеле на три дня без оплаты, с пожеланием провести лучший отдых в вашей жизни.

— Лучший отдых в моей жизни уже состоялся, — улыбнулась она, прижимаясь к нему плечом. — Он же, правда, и первый, по большому счету... если не считать поездку в Анапу на третьем курсе... Но мне, кажется, хватит на всю оставшуюся жизнь.

— Можешь рассказать об этом журналистам. Их внизу несколько десятков!

— Журналисты меня мало интересуют...

Кира снова, уже не так явно, присматривалась к Андрею: теперь, когда он знает, что она знает, что он наследник миллионов, — переменится ли что-нибудь в его поведении? Но все было по-прежнему. Естественные манеры, открытый взгляд, ровный тон... Похоже, Андрей Войтов был не только богатым, но еще и порядочным человеком.

«Может, не нужно сразу влюбляться?» — одернула она себя и вздохнула, едва не произнеся вслух: «Поздно!»

— ...почему они пишут все, что придет в голову? Неужели нельзя их прогнать?

— Вряд ли! Они буквально осаждают отель. Я просил управляющего призвать их к порядку, но он только развел руками — свобода слова! Да и то, что он может? Разве что напомнить им о правилах приличия. Но желтая пресса и правила приличия... сама понимаешь...

— Ага, понимаю! — Кира кивнула. — Ну что, пойдем на пляж?

— Пойдем. Только просто так они нас не выпустят. Придется тебе с ними поговорить.

— Поговорить? О чем?

— Рассказать, как ты нас спасала. Как гребла из последних сил, а я хрипел: «Только не бросай!» — и цеплялся за разные места...

— Андрей!

— Ну, нельзя огорчать прессу. Люди с утра там сидят, кофе обпились уже. Я, кстати, свое отработал. Успокоил общественность: мол, меня никто с яхты не сбрасывал.

— И?

— И все, сказал «ноу комментс», и был таков.

— Ну вот, все оставил разгребать хрупкую наивную девушку.

— Не хотел отбирать у тебя хлеб. Да и забыл я, по правде говоря, как дело было, — сказал он, подходя к Кире и схватив ее в охапку. — Нужно бы вспомнить, как ты меня спасала... А главное — как и за что я хватался...

Через час, сходив в душ, Кира вышла к Андрею в полной боевой готовности: макияж, оранжевая маечка, джинсы, босоножки на шпильке.

— Да, — протянул Андрей. — Вот это я понимаю, улов... Вот это, я понимаю, дары моря...

— Сходишь со мной? — попросила Кира. — Я буду волноваться...

— Схожу! — кивнул Андрей.

# Глава 4
## Вы поедете на бал?

***Ницца, наши дни***

> *Получив подарок от жизни, посмотри —*
> *нет ли на нем цены.*

Стоило Кире с Андреем выйти из лифта, наперерез им, подчеркнуто доброжелательно улыбаясь, и включая на ходу диктофоны, целеустремленно направились молодой длинноволосый парень в рваных джинсах и гавайской рубашке, и коротко стриженная рыжая девушка в такой же одежде, туфлях на низком каблуке и с фигурой «унисекс».

— Вы прибыли на бал?

— Вы женаты?

Следом за ними выдвинулись три фотокорреспондента, семеня по холлу зигзагами в поисках выгодного ракурса, и поблескивая на ходу объективами.

Защелкали затворы, вспыхнули блицы, но Кира, не обращая внимания, шла к выходу. Когда она появилась на ступенях, ее сразу окружили человек десять пишущей братии, от уличного кафе бежали еще столько же. Вопросы посыпались, как пистолетные выстрелы.

— Вы были знакомы друг с другом раньше или познакомились в Ницце?

— Какие отношения связывают вас?

— Расскажите, как вам это удалось — вытащить на берег сразу двоих, тонувшего мальчика и довольно крупного мужчину.

— Вы занимались плаванием?

Оглядев нацеленные на нее взгляды, диктофоны и фотообъективы, Кира собралась и взяла себя в руки.

— На самом деле, — начала она по-французски, но испугалась, что забудет какие-нибудь слова, собьется, и перешла на русский. — На самом деле, это господин Войтов спас меня и мальчика. Мне не хватало сил удерживать мальчика над водой. Даже не знаю, что было бы, если бы Андрей... господин Войтов не подоспел. Нам так повезло, что он оказался в море, и что он такой сильный и смелый...

Вопросы сыпались, как из рога изобилия, вдобавок повторялись, Кира отбивала их, как опытная спортсменка мячики на теннисном корте. Она ждала, когда вопросы закончатся и Акулы пера разойдутся, но похоже, это были напрасные ожидания.

Краем глаза Кира заметила, как подъехала большая черная машина, как стоящий у входа в «Маджестик» швейцар открыл заднюю пассажирскую дверь. За ней угадывалась фигура женщины в светлом костюме. Немного помедлив, и не выходя из машины, женщина что-то сказала швейцару. Тот, почтительно поклонившись, закрыл дверь и отошел.

— Нет, мы не были знакомы раньше, я же уже сказала, — продолжала отвечать Кира. — Мы познакомились в море... То есть потом познакомились, когда выбрались... Мы впервые встретились в море.

— Прости, я не могу тут больше оставаться, — сказал Андрей, наклонившись к самому уху Киры. Затворы фотокамер защелкали. — Там стоит «Роллс-Ройс» моей матери. А я не хотел бы сейчас с ней встречаться. Слишком, знаешь ли, свежо...

Кира посмотрела на машину, потом на Андрея.

— Ты отлично справляешься, — подмигнул он. — Хоть портишь чудесную историю про Киру Морскую Спасительницу...

И уже по-французски, сказал, повышая голос:

— Дамы и господа, смею вас уверить, что наши отношения... которые вас, мадемуазель, так интересовали, — он нашел взглядом молодую журналистку с ярко-рыжими волосами, — складываются самым замечательным образом и пребывают в самой прекрасной стадии.

И снова наклонился к Кире.

— Вернусь через часок-другой. Мне нужно подписать кое-какие бумаги в банке.

Он направился по улице в сторону порта, и фотокамеры защелкали ему вслед.

— Я буду на пляже, наверное, — бросила она уходящему Андрею, и тот, обернувшись, улыбнулся.

— Попробую к тебе присоединиться. На этот раз без пиджака.

Следом за ним увязались было несколько журналистов, но Андрей бросил им на ходу, что отвечать на вопросы не будет, и ускорил шаг.

«Роллс-Ройс» тем временем тронулся и, обогнув отель, въехал во внутренний двор.

— Главное, что я хочу сказать: это господин Войтов спас меня и мальчика, — повторила Кира для верности и, вспомнив напутствие Андрея — уходить, как только возникнет первая пауза, сказала: — А теперь простите, я хотела бы вернуться в номер!

Затворы камер отщелкали еще раз — теперь вслед уходящей Кире. Пройдя через холл, она дошла до лифта и нажала кнопку вызова. Зайти в номер, надеть купальник и сразу же отправиться к морю... Но в ясные планы уже вмешалась внешняя сила, сила случая, имевшая, похоже, немало преимуществ на том игровом поле, на котором, помимо своей воли, очутилась Кира.

— Извините, мадемуазель, — раздался почтительный голос сзади. — С вами хотела бы встретиться мадам Войтова.

Интонация, мимика, вся фигура управляющего добавляли к содержанию этой фразы столько оттенков смысла, что Кире потребовалось несколько долгих секунд, чтобы все их уловить. «Сама госпожа Войтова — вы ведь знаете, о ком я говорю — хочет с вами увидеться», — говорили его слегка приподнятые — очевидно, для обозначения важности сказанного — брови. «Это и для меня неожиданность», — добавляли его удивленно расширенные серые глаза. «Это включает вас в узкий круг избранных, в котором и я отчасти состою», — намекала довольно близкая дистанция, на которую он подошел, дабы сообщить известие. «Вы ведь понимаете, что от такого предложения никак нельзя отказываться?» — резюмировали его чуть развернутые в сторону плечи — будто он заранее уступал Кире проход, ожидая, что она сейчас же бросится к мадам Войтовой, на бегу уточнив направление.

Первое, что мелькнуло в голове у Киры, кода она осознала сказанное: «Андрей ушел, только чтобы с ней не видеться». Воображение девушки тут же нарисовало нечто среднее между Пиковой дамой и крестной мамой русской мафии на Лазурном Берегу. «Что ей надо от меня?» Чувство обиды на Андрея — бросил одну на растерзание своей мамаши — скользнуло неприятной тенью.

Но управляющий держался уверенно, и выглядел очень значительно. Да и место солидное. Не похитят же ее, в конце-то концов — вот так, из дорогого отеля, средь бела дня!

«Вот так закрутился отпуск!» — подумала Кира.

— Прошу, — управляющий жестом указал направление — в глубину холла, мимо ресепшен. — Она ждет вас в ресторане.

И добавил тоном почти интимным:

— Ее зовут Элеонора Леонидовна.

В лучших традициях романов девятнадцатого века мадам Войтова ждала Киру в отдельном кабинете. Небольшое уютное помещение было оформлено под барокко: голубые с золотом стены, пышные завитки затейливых узоров, картины на стенах. Когда Кира вошла, Элеонора Леонидовна — похоже, без особого интереса, разглядывала одну из них. Она была худощавой, с короткой стрижкой и тщательно уложенными платиновыми волосами на маленькой головке. Легкое светлое платье доходило до середины икры, туфли на плоской подошве выдавали наличие артрита.

— Здравствуйте, мадемуазель, — сказала мадам Войтова с приветливой полуулыбкой, развернувшись на звук шагов и эффектно продемонстрировав прямую осанку и элегантность движений. — Весьма признательна, что приняли мое приглашение.

Кира подумала, что и картину она разглядывала именно для этого, чтобы эффектно развернуться.

— Добрый день, Элеонора Леонидовна, — ответила Кира сдержанно.

— О! Прошу вас, называйте меня Элина. Уверена, мы можем подружиться. Вы ведь уже подружились с моим сыном?

Она состроила шутливую гримаску, в которой одновременно содержалось и приглашение не церемониться, и выражение симпатии. Но Кира невольно вспыхнула и смущенно закусила губу. Да и демонстрируемое дружелюбие было похоже на маску: глаза, смотревшие на Киру из-под искусственных, неестественно пышных для возраста мадам Войтовой ресниц, поблескивали холодно, как чуткие зоркие сканеры.

— Прошу вас, Кира, простите мне мою излишнюю прямоту...

Элеонора Леонидовна понизила голос, насытив его интимными шелковистыми нотками.

— Издержки возраста, знаете ли. Да и многое, многое здесь по-другому. Люди обходятся без экивоков, отучились ходить вокруг да около. Очень, кстати, удобно.

Она жестом пригласила Киру сесть, предлагая тем самым перейти к сути, и неторопливо устроилась сама по другую сторону массивного с неровными округлыми краями стола. Кира послушно уселась в огромное пухлое кресло с изогнутой по краям спинкой — точнее, погрузилась в него, как миниатюрная драгоценность в чересчур просторную коробочку.

Под энергичной сухой ладошкой стоявший на столе механический звонок самого что ни на есть классического вида — блестящий купол с кнопкой — издал оглушительную заливистую трель. Из-за тяжелой портьеры в цвет голубых стен показался пожилой седовласый официант, которого Кира, столкнись она с ним в холле, вполне могла бы принять за приезжего герцога.

— Доброго вечера, дамы.

Официант выложил перед каждой меню и собрался уходить, но Элеонора Леонидовна остановила его еле заметным жестом — слегка приподнятыми пальцами руки, лежащей на столе.

— Мне, пожалуйста, салат «нисуаз» с тунцом, Симон, — сказал она. — Добавьте каперсы и анчоусы. И бокал шабли. Без особых изысков, одиннадцатого года.

Поглядывая на меню, Кира чувствовала, как ее сковывает неловкость. Сейчас она погрязнет во всех этих незнакомых блюдах, среди которых наверняка есть заведомо неприемлемые — вроде, скажем, лягушек. А расспрашивать не хотелось, чтобы не выглядеть деревенщиной. Она не придумала ничего лучше, как попросить кофе и смузи.

— Может, пирожных? — учтиво переспросил седовласый официант. — Какие пирожные предпочитает мадемуазель? С молочным кремом, с шоколадом, с фруктами, с карамелью? У нас пятнадцать видов и все очень вкусные.

Кира заказала фруктовое и карамельное пирожное, ледяной смузи из агавы, двойной эспрессо — и осталась с Элеонорой Леонидовной Войтовой один на один.

— Не буду вас томить, сама этого не люблю, — голос новой знакомой сделался более деловым, но она по-прежнему старательно демонстрировала дружелюбный настрой.

Беззвучно постучав по мягкому поручню нарощенными ногтями, она приступила к делу.

— Прежде всего спешу уверить, что мои намерения относительно вас, Кира, как и относительно Андрея, исключительно добрые. Он мой сын. Этим все сказано. Хотя, и не всем понятно.

Ее узкая правая бровь выгнулась аркой.

— И я заинтересована, чтобы в его жизни появилась приличная неиспорченная девушка... а я уверена, что вы именно такая, — перебила она сама себя. — Так вот, я в этом заинтересована, и готова этому способствовать...

Официант принес заказ, ловко расставил тарелки, стакан с зеленоватым фруктовым коктейлем, чашку кофе, бокал с вином, и ушел так же беззвучно, как появился. Кира уже догадалась, что в этом разговоре ей не обязательно участвовать — достаточно слушать. И она слушала, заняв себя пирожными, которые, как и обещалось, оказались невероятно вкусными. Так же, впрочем, как смузи и необыкновенно ароматный кофе.

— Поясню мои мотивы, — продолжала мадам Войтова, лениво ковыряя салат. — Андрюше давно пора завести семью. А сделать это при том образе жизни, который он ведет... нет-нет, ничего такого, — снова перебила она себя. — Просто он слишком... эээ... повернут... простите за жаргонизм, на бизнесе покойного отца. У него не получается, а он бьется, нервничает, вымещает на мне свои неудачи! Зачем ему бизнес-империя Максима? Денег у него достаточно, и можно жить в свое удовольствие, но честолюбие не дает покоя... А если появится женщина, с которой он захочет покоя и уюта, то все изменится. И его претензии ко мне исчезнут...

Она пригубила светло-соломенного цвета вино, покрутила бокал, разглядывая оставшиеся на стекле потеки, одобрительно кивнула, сделала большой глоток и принялась за еду, что, впрочем, не помешало ей говорить.

— Не стану скрывать, я попросила навести о вас справки. Что ж, я впечатлена. Одно только отсутствие аккаунтов в соцсетях с сисястыми и губастыми фоточками о многом говорит. Да и место работы... скажем так, позволяет предположить неизбалованность и трезвый взгляд на жизнь. Разумеется, вы вправе отмахнуться от вздорной... немолодой дамы... и вернуться, как планировали, в свою бухгалтерию...

«Как она могла так быстро все обо мне узнать?» — мелькнула у Киры первая мысль. А потом пришла вторая: «Кажется, она ожидает комплимента»...

— Вас вовсе нельзя назвать «немолодой»! — убежденно сказала она. — И насчет вздорности — на мой взгляд, вы себя оговариваете!

Элеонора едва заметно улыбнулась. Похоже, она любит лесть. И верит в нее.

— ...вы всегда можете вернуться. Но это не мешает вам принять мое предложение. Я хочу, чтобы вы сгладили ту неловкость, которая возникла между мной и сыном. Мы поспорили на яхте, и он прыгнул в море, я чуть не умерла от страха. Эта ссора и этот поступок нас разделили. В общем, я думаю, что вы сможете способствовать нашему примирению!

— Но каким образом?!

Последовала театральная пауза — непродолжительная, но эмоционально насыщенная с обеих сторон: Кира зажевывала удивление карамельной корочкой, мадам Войтова сверлила ее проницательным взглядом — настолько похожим сейчас на взгляд Андрея, что Кире делалось не по себе.

— Просто плывите по воле волн. Прошу вас быть моей гостьей на Балу цветов. Он, как вы знаете, пройдет в принадлежащем мне замке Мон Дельмор...

— Что?! — ахнула Кира. — Вы хозяйка Бала цветов?!

У нее закружилась голова. Нет, нет! Такого просто не может быть! Оказаться на главном празднике Лазурного Берега в числе мировых знаменитостей... Даже, если бы это не было шуткой, ей не в чем туда идти... В джинсах, маечках и босоножках от Версаче на Бал даже не пустят! На подобных мероприятиях всегда строгий дресс-код!

Элеонора Леонидовна снисходительно улыбнулась, едва заметно кивнула, потянулась к изящной сумочке, лежавшей на специальной маленькой табуретке, вынула белый конверт и положила рядом с чашкой из-под кофе.

— Здесь банковская карта с небольшой суммой. Так, на такси и, как говорят, на булавки...

Но это тоже не решит дела! Вот если бы она купила то платье для раутов...

Мадам Войтова неспешно, с удовольствием смакуя, сделала несколько глотков вина, вынула телефон, набрала номер. Подержав трубку возле уха, но не сказав ни слова, снова убрала аппарат в сумку и допила бокал. Почти сразу в дверь, скрытую портьерой, вошел небольшого роста человек в строгом костюме, с двумя портпледами и блестящей коробкой в руках. Выложив все это на свободное кресло и поклонившись, он вышел.

— Здесь платье от Готье для вас, и смокинг для Андрея.

Виктория Леонидовна поднялась и, одним уверенным движением расстегнув портплед, высвободила оттуда невесомое, чем-то ярко поблескивающее и шуршащее тонкими кружевами, чудо от-кутюр. По сравнению с ним, то платье, которое она только что с восторгом вспоминала, казалось повседневной кухонной одеждой Золушки.

— Если не сядет как нужно, там, в портпледе, визитка с телефоном менеджера дома Готье. Достаточно будет позвонить, — сказала буднично Элеонора Леонидовна, раскладывая платье на спинке кресла.

Она села обратно за стол, поддела и отправила в рот лепесток анчоуса, пока Кира, онемев, в восхищении разглядывала платье, издалека подступая к мысли о том, что оно предназначено ей, и если не сядет как нужно, где-то там телефон, который мигом все исправит... Неужели это правда, и колокольчики сказки звенят не во сне, и не в ее воображении, а в реальности, со стороны замка Мон Дельмор?!

А сюрпризы продолжались. В комнату вошел высокий шкафообразный мужчина, похожий на уже немолодого Лино Вентура, торжественно неся перед собой круглый плоский футляр из черного бархата. Костюм на его плечах и бицепсах бугрился и грозил разойтись по швам при малейшем неосторожном движении. Человек-гора двигался очень плавно и осмотрительно, внимательно глядя себе под ноги. Футляр лег на стол — торжественно и значительно, толстенные пальцы откинули крышку — и у Киры перехватило дыхание.

Бриллиантовое колье на черном шелке сверкало под светом люстры тонким благородным светом, испуская острые разноцветные лучики, приятно покалывающие глаза. Кира смотрела, не отрываясь. Лучи проникали в ее зрачки, будто послание из волшебного мира принцесс и принцев, в котором всегда побеждает настоящая любовь — даже если влюбленные гибнут от происков жестокосердных злодеев.

— Колье арендовано на время бала, — небрежно обронила мадам Войтова, чтобы не создавать у девушки напрасных иллюзий. — Жан-Поль отвечает за его сохранность.

Кира кивнула, поняв, почему богатырь остался в комнате, только на шаг отступив от драгоценности.

— Его необходимо хранить в сейфе отеля, — Войтова перешла на французский. — Жан-Поль будет вас сопровождать и со своими коллегами обеспечивать безопасность непосредственно на балу.

Богатырь величественно кивнул.

— Позвольте вас покинуть. Подготовка занимает массу времени, к тому же ВИП-гостей мне приходится встречать лично, — Элеонора Леонидовна промокнула губы крахмальной салфеткой, поднялась с той же нарочитой эффектностью, с какой совсем недавно встречала Киру и, предвосхищая ее движение, замахала ухоженной узкой рукой.

— Оставайтесь, — наклонившись к Кире, она ласково потрепала ее локоть. — И если все-таки проголодались, непременно закажите гусиные лапки в красном вине с виноградным соусом. Просто объедение... Или голубя по-парижски. Его здесь готовит шеф-повар лично.

— Но разве можно есть голубей? — промямлила Кира, хотя гуси, голуби, да и все пернатые мира интересовали ее сейчас меньше всего. — У нас это не принято...

— Можно! И лягушек можно! Здесь все хорошее принято! — отрезала Элеонора Леонидовна.

Мадам Войтова ушла, оставив Киру среди безумно дорогой, сверкающей и переливающейся красоты, служащей пропуском в тот самый сказочный мир принцесс и принцев, о котором она так часто думала, как о несбыточной мечте незаметно выросшей маленькой девочки. Кира неуверенно поднялась, подошла к креслу, потрогала платье кончиком пальца. Как будто лебяжий пух... Может, если надеть его, то превратишься в белую царевну-лебедь? Оглянулась на Жан-Поля, будто желая спросить: так ли это? Но охранник был заточен на практические проблемы.

— Может быть, мадемуазель желает, чтобы я отнес драгоценности в сейф? — спросил он.

Кира кивнула. Пальцы толщиной с сардельки бережно закрыли коробку.

— Всегда к вашим услугам, — сказал Жан-Поль, с достоинством наклонив голову. — Я ночую в отеле, номер двести сорок два.

Кира осталась одна. С бешено бьющимся сердцем она приложила к плечам платье. «Мой размер, — заклинала она мысленно. — Мой, я же вижу». Похоже, что так и было.

Вспомнила про блестящую лакированную коробку, наклонилась, скинула крышку. Там лежали туфли. Если, конечно, это чудо можно было назвать столь обыденно, и приземленно. Нет — это произведение высокого искусства! Сплошь расшитые серебристым бисером, с остроконечными конусовидными и пирамидальными стразами, на высоченной изящной шпильке, с красной подошвой... Лабутены!

Кира потрясенно опустилась на стул и расплакалась.

\* \* \*

Андрей пришел к обеду, со свежей дневной газетой под мышкой. Повалился в кресло, вытянул ноги, развернул «Голос Лазурного Берега».

— Вот здесь прекрасный пассаж, — найдя нужное место, он с выражением зачитал: *Впечатляет скромность новой подружки мсье Войтова...* прости, тут так написано... *утверждавшей в присутствии прессы, что она на самом деле никого не спасала. По версии мадемуазель Киры все было наоборот — и ее, и мальчика спас мсье Войтов, который отказался комментировать столь неожиданное заявление... Впрочем, в это мало кто поверил. Какие причины кроются за маскировкой истинной картины происшествия, мы еще расскажем. Может, обычное кокетство, а может — интересная тайна...*

— Но почему они не верят? — спросила Кира, которую сейчас волновало совсем другое: как отнесется Андрей к приглашению матери? А вдруг откажется?

— Обычное дело. Если уж угодила в желтую прессу красивая история — портить ее прозаичной правдой никто не станет!

Присев возле мини-бара, встроенного в комод, Кира открыла его, поглядела на разноцветные, разной формы и размеров бутылки, подумала — не глотнуть ли для успокоения чего-нибудь крепкого. Но так и не решилась — не было у нее такой привычки. Закрыла бар, подошла к креслу и забралась в него с ногами, туго обхватив колени.

— Ерунда какая-то, — произнесла задумчиво.

Андрей подошел, поправил ей волосы.

— Да брось ты. Смотри на это веселей, — он сел в кресло напротив. — Как на игру. Ты бы, подыграла им, подбросила бы что-нибудь эдакое!

— Какое еще «эдакое?»

— Задвинула бы, например, что проходила подготовку боевых пловцов. Лейтенант Кира Быстрова — российская Никита!

Кира невесело рассмеялась.

— Это правда! Квартальный отчет переплываю без кислорода. Дебет-кредит с двух рук свожу...

А Андрей продолжал развивать идею.

— Тренировалась ты, тренировалась, себя не жалела, а потом командовать подразделением пришел новый генерал, лютый гендерный шовинист... в это они вцепятся мертвой хваткой, увидишь... и этот генерал приказал перевести тебя в хозяйственную службу. Вот ведь скотина! Но ты... ты ведь была одной из лучших, у тебя амбиции, у тебя гордость... ты не могла отправиться чистить картошку и варить гречку... и вот ты уходишь из армии... то есть из флота. Точнее, уплываешь преодолев пять километров морем... А? Как?

— Это получится ремейк «Солдата Джейн». По-моему, на такую чушь никто не клюнет.

— Вот увидишь, они раскатают это на разворот, на телешоу тебя позовут! *Спасительница Андрея Войтова о гендерных преследованиях во флотских частях специального назначения.* Хочешь, я солью это двум-трем журналистам?

Она замахала руками:

— Ты что! Не вздумай!

— Ну, давай! Будет весело.

— У нас есть лучший вариант для веселья...

— Конечно! Идем на пляж. Смотри, какая погода.

Погода и впрямь была идеальная. Глядя на это яркое безоблачное небо, на море, переливавшееся чистейшими оттенками синего, голубого и бирюзового, Кира поняла, почему здешние места названы Лазурным побережьем.

— Я не это имела в виду.

— А что?

— Помнишь детскую считалку?

И, не дожидаясь ответа, Кира продекламировала:

> «Приехала дама, с большим чемоданом,
> в карете с прислугой, и пьяной подругой,
> привезла банный веник, сто рублей денег.
> Велела не смеяться и не улыбаться,
> черное с белым не носить, «да» и «нет» не говорить.
> Вы поедете на бал?»

Если Андрей и удивился, то виду не подал.

— Чемодан у тебя маленький, кареты и прислуги нет, да и пьяной подруги я что-то не заметил. В чем прикол?

— Тем не менее это про меня. А прикол в вопросе. Вы поедете на бал?

Он пожал плечами.

— Ничего не понимаю. Какой бал?

— Тот самый! Открой шкаф.

— И что там?

— Открой!

Долго уговаривать Андрея не пришлось. Одним движением вытолкнув себя из кресла, он подошел к гардеробу, распахнул сразу обе створки и замер, уставившись на матово блестящий черный смокинг и ослепительно сияющее белое платье.

— Что это?!

— Подарки. Мадам Войтова пригласила нас в Мон Дельмор. Потому и спрашиваю: вы поедете на Бал?

— Конечно, нет! — Он с треском захлопнул шкаф.

— Ты забыл условие: «да» и «нет» не говорить!

Андрей выпятил нижнюю губу.

— Не морочь мне голову! Бесполезно! Я не позволю моей maman манипулировать мной с твоей помощью! Ты понимаешь, что тебя используют в качестве отмычки?

— Нет! Я понимаю только, что мне сказочно везет, вот что я понимаю! И мне кажется, я надеюсь — только кажется, что кто-то хочет вытащить меня из сказки и поставить в угол! — Кира даже повысила голос. — То, что тебе привычно, мне кажется фантастикой. Если ты поставишь барьер на пути в блистающий мир, то...

— Что — «то»?! — Андрей тоже повысил голос.

— То! — повторила Кира, все же оставив за собой последнее слово, хотя и избежав обострения ситуации, которая и так была непростой. — Итак, вы поедете на Бал?

— Нет! В конце концов, ты можешь поехать и без меня...

— Я так и сделаю, — Кира сама удивилась своей твердости.

А как иначе? Ведь речь идет о сказочном бале, приглашение на который выпадает раз в жизни, причем одной женщине из миллиона... Или из ста миллионов? А на другой чаше весов новые чувства и упоительные отношения, которые продлятся, возможно, лишь несколько дней... Что там говорила Наташка про мужчин? Что они летят со всех сторон, как пчелы на мед. Не будет одного — появится другой! Цинично, конечно, но, пожалуй, верно. Просто, надо самой это понять. И она, кажется, поняла...

— А я «поеду на Бал, поеду на Бал», — это правильный разрешенный ответ! — напевая, она быстро разделась догола, танцующим шагом подошла к шкафу, с величайшей осторожностью извлекла платье. — «Оно запрещенного цвета», — и это тоже допустимый ответ. Помоги мне одеться!

К ее удивлению, вроде бы надувшийся кавалер, послушно выполнил просьбу, которая больше походила на приказ. Причем сделал это с явным удовольствием. Когда Кира влезла в свою новую одежку, и Андрей вжикнул змейкой, то восторженно присвистнул.

— Ну и ну!

Кира подошла к зеркалу и тоже ахнула. В нем действительно отражалась Царевна-лебедь! Платье было соткано из воздуха, света и звезд: шелк, атлас, кристаллы Сваровски, кружева, вышитые вставки... Узкие бретельки полностью открывали плечи, глубокое V-образное декольте на груди доходило до уровня сосков, а сзади обнажало спину почти до крестца. Корсет как будто из светящегося изнутри шелка был усыпан переливающимися кристаллами Сваровски, сквозь длинную, тонко вышитую юбку достаточно откровенно проглядывало то, что должно быть скрытым от посторонних взглядов. Кира повернулась вправо, потом влево, потом сделала полный оборот вокруг своей оси.

— Но в нем нельзя выходить на публику! — воскликнула девушка. — Оно похоже на пеньюар для спальни!

— Напротив! — возразил Андрей. — Готье обожает эпатаж, он считает, что главное — это тело, а платье должно только подчеркивать его красоту... Как прозрачная обертка вокруг шикарного букета роз! И тут эта задача выполнена. Конечно, придется купить соответствующее белье... И туфли, ты же не можешь идти босая...

— Туфли там, внизу. Достань, пожалуйста, из коробки.

Андрей выполнил и эту просьбу, больше того, опустился на колено, Кира по очереди подняла одну ногу, потом другую, а он аккуратно надел лабутены на изящные ступни с ярким педикюром. После этого Кира стала выше на пятнадцать сантиметров и приобрела стройность и воздушность топ-модели.

— О-бал-деть! — только и смогла восхищенно выговорить она.

— Не жмут? — поинтересовался Андрей. Теперь он был даже немного ниже девушки — это ему явно не нравилось и выбивало из колеи.

— В самый раз. И платье хорошо село, и туфли. Как она сумела так подгадать?

Андрей усмехнулся.

— Моя maman не так проста, как кажется. Она всегда знает, что ей надо. Хотя ее знания реализуют специально обученные люди... Их она тоже умеет подбирать...

— На каблуках оно выглядит еще лучше, — сказала Кира, продолжая крутиться перед зеркалом. — А колье как раз выгодно украсит декольте...

— Какое колье?

— Бриллиантовое. Оно в сейфе отеля.

— Да брось! На maman это не похоже!

— Колье она взяла напрокат. И к нему приставлен специальный охранник.

— Жан-Поль?

— Да. Очень серьезный мужчина. Думаю, у него есть пистолет.

Андрей пожал плечами.

— Обычно он не носит ничего такого. Он сам и есть оружие. Хотя, когда речь идет о больших деньгах...

— А сколько все это стоит? — заинтересовалась Кира.

Андрей повторил жест неопределенности.

— Точно не скажу. Платье — тысяч десять-двенадцать, туфли три-пять... Ну, а бриллиантовое колье — не меньше миллиона...

— Долларов? — ужаснулась Кира.

— Нет, конечно, — улыбнулся Андрей.

И не успела она с облегчением перевести дух, добавил:

— Евро.

— С ума сойти! Теперь помоги мне раздеться.

— С удовольствием! — Андрей расстегнул молнию, осторожно снял лебединые перья, жадно рассматривая Киру, на которой никакой одежды не осталось.

— Ты не на меня смотри, на платье! И повесь его аккуратно, чтобы не мялось...

— Конечно! А потом можем немного отдохнуть, поваляться в постели...

Кира покачала головой.

— Вначале посчитаемся: «Черное-белое не берите, «да» и «нет» не говорите, вы поедете на Бал?»

— Ну, что ты зациклилась на этой дурацкой считалке?

— А мне она нравится! Итак: черно-бело не берите, «да» и «нет» не говорите, вы поедете на Бал? — судя по лицу, она шутила, но говорила твердо и очень серьезно.

Андрей это понял и, поколебавшись несколько секунд, махнул рукой.

— Поеду! Я же не могу отпустить такую красавицу одну! Да еще в бриллиантовом колье!

— Охранник у меня есть — Жан-Поль. Мне нужен спутник, — Кира тонко, со значением, улыбнулась. — Кстати, Жан-Поль живет в отеле, совсем рядом!

— Вот и пусть охраняет! — взволновался Андрей. — А спутник у тебя уже есть. Это я!

Теперь она уже не скрывала победную улыбку. Слова Наташки подтверждались.

— Ну, раз на считалку ты ответил правильно, то, пожалуй, я соглашусь с твоей программой! — раскинув руки, она опрокинулась на кровать и подняла ногу. — Разуешь меня?

— Конечно! — Андрей по очереди снял одну туфельку, потом другую. Выполняя очередное указание, спрятал их в коробку.

Наташка знала что говорит. Оказывается, поклонниками действительно можно крутить как захочешь!

— Теперь иди сюда...

Андрей прыгнул в постель, смело и решительно, как прыгал с борта «Бегущей по волнам». Только с куда большим удовольствием...

* * *

Лишь через два часа они вышли из номера. Пересекли мощеную площадку перед отелем, и оказались на улице, под небольшим уклоном убегающей к морю. Их встречали заинтересованные взгляды прохожих и посетителей многочисленных открытых кафе, разбросанных прямо на тротуарах. Некоторые махали руками, здоровались, кричали что-то ободряющее, показывали растопыренными пальцами знак победы, только что не подбегали сфотографироваться. Пожилые француженки пялились с таким умилением, будто перед ними были молодожены в свадебных нарядах.

Кире даже неловко становилось за свои мятые шорты, школьные косички, старую соломенную шляпу и сланцы. Особенно на фоне тех роскошных вещей, которые ждали своего часа в шкафу «Маджестика».

Роль звезды, внезапно свалившаяся на плечи, оказалась довольно обременительной — постоянное внимание незнакомых людей утомляло, мешало расслабиться, по-настоящему насладиться чудесной погодой и близостью Андрея. Укрощенного Андрея!

— Да, поначалу это грузит, — сказал он, заметив ее напряженность.

— Поначалу?! У меня начало сопряжено с концом. Через несколько дней все закончится, — она пожала плечами. — Я вернусь в Тиходонск, к своим бухгалтерским будням, пыльным бумагам, осточертевшей повседневности... Про этот праздник никто и не узнает...

— Ты плохо знаешь законы сенсаций. Уверен, по возвращении тебя ждет девятый вал славы! Журналюги будут осаждать, звонить, в двери стучать. Сто процентов, тебя еще на Первый канал позовут!

Она покачала головой.

— Не-е-ет. Сказки длинными не бывают, как говорит одна моя сослуживица...

— Видно, она хорошо знает жизнь! — засмеялся Андрей.

К берегу, обходя Ниццу с востока, приближался небольшой, похожий на большеглазую стрекозу, вертолет. Еще один, пятый за день. Сделает краткую обзорную экскурсию — облетит город по спирали, и направится к вертолетной площадке.

«Гости слетались на бал», — мысленно перефразировала классика Кира.

На пляже было много народу, но на них с Андреем внимания не обращали: все с интересом смотрели в море. На рейде белела огромная пятипалубная яхта. «Бегущая по волнам» могла служить ей спасательной шлюпкой и стоять на верхней палубе. Впрочем, место было занято — там, опустив кончики лопастей, ждал своего часа четырехместный вертолет.

Кира вспомнила: в новостях по телевизору говорили, что сегодня в Ниццу прибывает саудовский принц на своей новой яхте «Ориент» — рекордно скоростной, построенной по новейшим технологиям. Она таких никогда не видела. Да и где бы? Она и других не видела — только маленькие парусные лодочки на Дону. Вокруг «Ориента», на приличном расстоянии, стояли еще несколько больших белых судов с плавными обводами. Судя по всему, это тоже прибыли высокопоставленные гости. Неужели, завтра она окажется среди них?!

Сердце учащенно колотилось, купаться уже не хотелось. Хотя загара надо добавить. «И еще белье купить, — билась в голове беспокойная мысль. — Голой ведь на бал не выйдешь... И белье небось непростое, его еще найти нужно... Ну, да Андрей поможет...»

Они все же выкупались, пару часов позагорали, и только после этого покинули пляж.

* * *

И вот, день X наступил. В назначенный час Кира, в платье от Готье и в колье за миллион евро, об руку с Андреем в смокинге от Хьюго Босса, торжественно спустились по мраморной лестнице в холл отеля. На лацкане Андрея и на бретельке Киры, согласно дресс-коду Бала цветов, красовались небольшие аккуратные бутоньерки: красная гвоздика у кавалера и черная роза у дамы. За ними, зорко поглядывая по сторонам, с деловитостью танка двигался могучий телохранитель Жан-Поль.

Двое папарацци, примостившиеся в креслах у входа, видимо, уговорили администратора впустить их в холл при условии скромного и незаметного поведения — при их появлении вмиг забыли свои обещания: бросились наперерез, щелкая камерами, слепя вспышками и выставив вперед диктофоны — так киллеры наводят на своих жертв пистолеты... Но атака не удалась: Жан-Поль оказался на их пути, киллеры пера и объектива налетели на его железную фигуру, один упал, второй, уронив диктофон, невидимой силой был отброшен в сторону.

— Осторожней, мсье, — увещевающе проговорил Жан-Поль. — Вы можете причинить вред себе и другим...

Кира даже не поняла, что произошло: она прижалась к спутнику и отвернулась, а когда пришла в себя, то один журналист уже поднимался с холодного мрамора, а второй недоуменно вертел в руках разбившийся диктофон.

— Ну, когда это кончится? — воскликнула она. — Когда они все от меня отстанут?!

— Никогда, — философски сказал Андрей. — Ты теперь публичная персона, вызывающая стойкий интерес прессы. И ничего страшного в этом нет, только не напрягайся, не зажимайся. Представь, что тебя фоткает подружка в караоке-баре...

— Я попробую, — ответила Кира. — Хотя меня ни разу не фоткала подружка. Ни в караоке, ни где-либо еще.

— М-да... сочувствую... Зато сейчас ты все наверстаешь!

Он был прав. В душе пели ангелы, на бисере и стразах лабутенов играли блики света от ярких люстр, на груди переливалось разноцветными огнями бриллиантовое колье, платье на теле практически не ощущалось, казалось, что она совершенно обнажена, как Маргарита на бале у Воланда. Радость от совершенно новых ощущений распирала тело и, словно горячий воздух в воздушном шаре, отрывала ее от земли, как в детских снах: казалось, оттолкнись ногами посильнее — и взлетишь высоко-высоко! И Кира действительно была готова лететь в Мон Дельмор даже на метле...

Но в этом не было необходимости: у подножия мраморной лестницы со львами на перилах их ожидал массивный черный «Роллс-Ройс» мадам Войтовой. Правда, лестница тоже была заполнена журналистами, но Жан-Поль, который, несмотря на свои габариты, умудрялся перемещаться вокруг охраняемых лиц с легкостью бабочки, без всяких усилий освободил проход, открыл Кире дверцу лимузина, помог придержать пышный подол платья, в котором она, с непривычки запуталась. Андрей, вздохнув неизвестно чему, нырнул в другую дверцу и уселся рядом. Жан-Поль занял место рядом с водителем, и «Роллс-Ройс», как комфортабельный лайнер, медленно отошел от причала и двинулся вперед по усыпанным красным песком дорожкам парка «Маджестика». Вскоре он вырулил на асфальтированную улицу и увеличил скорость.

Андрей нажал кнопку, подняв матовое стекло, которое отгородило их от водителя с телохранителем и наглухо отсекло все звуки. Они остались наедине. Андрей по-хозяйски открыл бар, достал бутылку шампанского «Дом Периньон», два узких бокала.

— Выпьем?

Кира покачала головой.

— Не хочется. Я так волнуюсь...

— Тогда тем более надо выпить! Для настроения!

Негромко хлопнула пробка, Андрей ловко наполнил бокалы, один протянул Кире.

— Держи! За новые впечатления! И за исполнение желаний! Пей до дна!

Они чокнулись и выпили. До дна. Кира сразу успокоилась и не стала возражать против второй рюмки. Они оживленно болтали, пили шампанское, закусывали засахаренными орешками и не успели заметить, как допили бутылку.

Начинало смеркаться. На Английской набережной зажглись фонари. «Роллс-Ройс» выехал из Ниццы и, приглушенно гудя мощным двигателем, понесся по ее живописным окрестностям. Слева расстилалось море с забитыми яхтами маринами — будто чайки со всей округи набились в живописные бухточки на ночлег, чтобы отдохнули натруженные крылья... Справа тянулись разной крутизны предгорья. Лимузин несся мимо похожих друг на друга зеленых изгородей и решетчатых заборов, мимо затейливых домишек с высокими дымоходами, мимо вилл, похожих на дворцы, и дворцов, напоминающих виллы... Раскидистые каштаны и стройные кипарисы, склоны, расчерченные ровными рядами виноградников, — все это придавало аккуратность, уют и спокойствие этим замечательным местам. Сумерки сгущались, у ворот вилл зажигались прожектора, отчего окружающая местность становилась еще темнее.

Андрей обнял Киру за плечи, другую руку положил ей на колени.

— О чем ты думаешь? — спросил он, горячо дыша в маленькое ушко.

— Ни о чем. Я еду на знаменитый бал, в настоящий французский замок, с красивым мужчиной. О чем мне думать? Я просто счастлива. А ты о чем?

— Что у тебя очень неудобная юбка, — его рука настойчиво шарила по кружевной ткани, спускалась вниз, чтобы нырнуть под подол, но ничего не получалось. — Нам еще километров пятнадцать ехать и мы могли бы...

— Да ты что, перестань! — поняв его намерения, ужаснулась Кира. — Не место, и не время!

Андрей засмеялся.

— Ну, почему же? Самое то — перед балом в авто премиум-класса... Ты делала это в «Роллс-Ройсе»?

— Я вообще не делала этого в машине! К тому же, тут посторонние...

— Они ничего не видят и не слышат!

— Но я-то знаю, что они здесь... И потом, на что будет похоже платье? Его же специально отгладили!

— Ну, разве что платье, — Андрей вздохнул и прекратил свои поползновения. — Скучная ты, Кирка! Маленькие запоминающиеся глупости украшают жизнь!

— Может, и скучная, но я всегда избегала глупостей, — Кира отодвинулась.

Дальнейший путь они проделали в молчании. Через некоторое время «Роллс-Ройс» свернул с трассы налево, оказавшись на неширокой дороге, и встроившись в неплотный поток дорогих автомобилей — «Феррари», «Ламборджини», «Бентли», «Ягуары»... Кира распознавала лишь некоторые марки, но понимала, что видит самые престижные модели, от двухместных открытых спорткаров, до массивных, бесконечно длинных лимузинов.

Впереди как будто горело искусственное солнце: прожектора, ртутные лампы и галогеновые светильники ярко освещали торчащую из моря коренастую, кряжистую скалу с плоской вершиной, откуда снисходительно, сверху вниз, смотрел на блистательный караван знаменитый Мон Дельмор, словно вежливо щурящийся сноб — дескать: «Неплохо, ребята, неплохо, вы, конечно, произвели некоторое впечатление, но видал я и особ покруче вас...» Мягко подсвеченный тысячами огней, он как будто висел в воздухе, поддерживаемый бьющими снизу лучами прожекторов. Кира недавно видела такую картинку по телевизору, только сейчас, в реальности, это было совершенно фантастическое, завораживающее зрелище...

— Как красиво! — Кира взяла Андрея за руку, и он снова обнял ее за плечи.

Мон Дельмор был не мрачной средневековой крепостью с несокрушимыми стенами, а мирным дворцом восемнадцатого века. Резной фасад, многочисленные затейливые башенки, световые гирлянды... Правда, чем ближе они приближались, тем больше он скрывался за выступами скалы.

— Ничего, поднимемся, рассмотришь все подробно, — пообещал Андрей.

Они миновали контрольно-пропускной пункт, на котором несли службу два жандарма и несколько частных секьюрити в черных комбинезонах. Процедура оказалась простой и быстрой: при приближении «Роллс-Ройса» шлагбаум поднялся, и они заехали под плакат «Частная территория». Так же беспрепятственно проезжали и другие автомобили: очевидно, их номера были заранее сообщены охране.

С берега уходили в море два причала — прибывающие на яхтах поднимались к замку в ярко освещенных прозрачных лифтах, двигающихся по стеклянным шахтам. Вертолеты, садившиеся на вершине горы, высаживали гостей и сразу улетали — видно, места там было немного.

Автомобильная дорога к Мон Дельмору, изгибаясь широкой дугой, шла в гору по спиральному серпантину. На подъезде к главному входу, машины сбрасывали скорость и едва тащились друг за другом. Когда наконец подходила очередь, гости покидали свои автомобили и оказывались между бронзовыми венецианскими львами, на ковровом покрытии, которое ярким пурпурным каскадом взбегало по широкой лестнице к большой мраморной террасе на которой играл большой струнный оркестр.

Наконец и «Роллс-Ройс» мягко затормозил у лестницы, распорядитель в малиновой ливрее восемнадцатого века, в буклях, с фиалковой бутоньеркой в петлице, открыл дверцу и подал Кире руку в белоснежной перчатке. Жан-Поль уже переминался с ноги на ногу возле надменного льва, привычно сканируя зорким взглядом окружающую обстановку. Она была обычной и обеспокоенности не вызывала.

Опершись на руку распорядителя, Кира с замирающим сердцем вынырнула из уютного салона и, ступив на сочившуюся роскошью и торжественностью пурпурную дорожку, с головой окунулась в атмосферу волшебства и праздника.

— Наденьте ваш номер, мадемуазель. — Человек в ливрее ловко закрепил на ее левом запястье красный костяной кружок с белой цифрой «32».

— Зачем это? — удивилась Кира.

— Джентльмены будут выбирать Королеву бала, — пояснил распорядитель, и поспешил навстречу следующей машине.

С открытой веранды доносилась музыка Вивальди. Звуки скрипок разливались над склонами горы Мон Дельмор и, казалось, уплывали далеко вниз, к самому морю.

— Выглядишь ты ослепительно, — сказал Андрей, беря Киру под руку.

— Я волнуюсь, — шепнула она в ответ.

Вдоль широких мраморных перил, мимо лирических скрипок, под объективами телекамер с логотипами EuroNews, France 24, BBC World, NBC, они поднялись к распахнутым настежь резным дверям, украшенным пышной гирляндой из лилий нескольких оттенков. В огромном зале, выложенном разноцветным мальтийским мрамором, играющие Вивальди скрипки, сменило фортепьяно и музыка Шопена, а мягкое вечернее марево вытеснил яркий свет многометровых хрустальных люстр и многочисленных ксеноновых светильников. Музыкант за роялем, целиком укрытым розами, играл вдохновенно и возвышенно.

Огромный зал был почти полон, хотя гости продолжали прибывать. Обязательный дресс-код создавал причудливую, фантасмагорическую картину. Солидные мужчины в черных смокингах, белых сорочках и черных бабочках напоминали неповоротливых пингвинов. То, что большинство их имело заметные животы, усиливало сходство. Женщины в белых воздушных платьях с большим или меньшим успехом играли роль лебедиц, правда, на царевен многие не тянули — в силу перезрелого возраста, неуклюжих движений и подагрической походки. Впрочем, Андрей, если и выглядел пингвином, то молодым и стройным, а Кира, несомненно, подходила на главную лебединую роль, хотя и конкурентов у нее было достаточно: вельможные старцы, как правило, скрашивали себе общество молодыми спутницами... Крупнотелые официанты в белых смокингах, разносящие спиртное, уверенно рассекали черно-белую пингвинью стаю, и у Киры выплыла из подсознания старая детская загадка. Впрочем, и многие взрослые не могли дать на нее правильного ответа.

— Знаешь, почему белые медведи не едят пингвинов? — дернула она за рукав Андрея.

— А они их не едят? — рассеянно спросил он, осматривая окружающих.

— Что за манера отвечать вопросом на вопрос? Если бы они их ели, я бы не спрашивала!

— Тогда не знаю... Может, они жесткие, или невкусные...

— А вот и нет! — торжественно объявила Кира. — Просто медведи живут на Северном полюсе, а пингвины — на Южном!

— И какое отношение это имеет к балу?

— Долго рассказывать, забудь!

Они неторопливо, разглядывая роскошное убранство, двинулись через зал. Его стены, увешанные старинными картинами и древними гобеленами, сегодня были вдобавок украшены цветами: десятки гирлянд, венков и замысловатых композиций, которым Кира не решилась бы придумать название. Цветочным декором замка можно было любоваться, как произведениями искусства из дорогих каталогов. Многие гости, в том числе Кира с Андреем, так и делали, неспешно продвигаясь вдоль стен, как в музее.

«Медведи» в белых смокингах сновали среди гостей с уставленными бокалами подносами: коньяк, шампанское, вина. Андрей задумчиво задержался возле одного, и даже как будто потянулся к коньячному бокалу, но передумал.

— Что-то нет настроения... Может, позже разойдусь...

В стороне, у открытого окна, в уголке для курения обособленной группой сидели на кожаных диванах важные восточные мужчины в длинных белых рубахах — джалабиях, и куфиях — таких же белых или в мелкую красно-белую клетку платках, перехваченных черным обручем. Казалось, что они настолько заняты беседой, что все остальное их не интересует. И конечно, спиртного никто из них не брал. Впрочем, они и не курили — очевидно, разговор был для них более важен.

У дальней стены располагались высокие столы для еды стоя, с деликатесными закусками и шикарными букетами посередине. Элегантно одетые дамы и господа курсировали по залу, меняя собеседников, раздавая и принимая визитные карточки, разбрасывая по сторонам приветствия — то сдержанно-официальные, то по-приятельски веселые, но в конце концов причаливали к столам, пили водку, шампанское, виски и коньяк, закусывали бутербродами с икрой, устрицами, лобстерами, фуа-гра...

От всего этого праздничного возбуждения, Кире показалось, что воздух вокруг искрит и потрескивает. Она выпила несколько бокалов шампанского, разрумянилась, густые блестящие волосы рассыпались по обнаженным плечам, бриллиантовое колье испускало разноцветные острые лучики... Выглядела Кира ослепительно, а некоторой угловатостью, непосредственностью и наивной восторженностью привлекала внимание окружающих. То и дело она ловила на себе оценивающие взгляды женщин и восхищенные мужчин.

— Платье не просвечивает? — вдруг вспомнила она и то ли в шутку, то ли всерьез встревожилась, или сделала вид, что встревожилась.

— Нет, свет падает сверху, так что ничего запретного не видно. И ты прекрасно вписалась в атмосферу, — ободрил ее Андрей. — Наслаждайся всем этим!

Он широким жестом обвел рукой блестящее зрелище великосветского торжества.

— Да, я как в сказке! — Кира переводила взгляд от одной знаменитости к другой, ничуть не заботясь о том, чтобы сохранять при этом вид искушенной светской львицы, как делали все остальные. Куда смотреть, ей частенько подсказывали фотовспышки: вездесущие фотографы сновали между столиками, фокусируясь то на одной ВИП-персоне, то на другой.

— Почему-то не вижу ни Шварценеггера, ни Джулии Робертс, — сказала она. — Я встретила их в аэропорту.

Андрей пожал плечами.

— Может, придут позже. А может, вообще не появятся. У них тут могут быть совсем другие интересы. Не скучай по ним — тут полно медийных персон!

И он был прав.

— Это что, Эмма Томпсон? — шептала Кира. — А это? Бен Аффлек? А это Кира Найтли?

Случалось, лица, выхваченные из праздничной сутолоки фотовспышками, были Кире не знакомы. Тогда она легонько толкала Андрея в бок: кто это?

О некоторых Андрей давал довольно подробную справку:

— Валери Пуссон, владелец Medex, фармакологической компании. Много жертвует на экологию. От «зеленых» откупается. Получил прозвище Эко Рожа.

Мсье Пуссон и впрямь не отличался красотой: массивная челюсть, плоской картошкой неровно прилепленный нос.

О других Андрей говорил коротко:

— Вильям Вербер. Банкир.

— Тот самый? От которого зависит мировая экономика и курсы валют?

— Ну, примерно так... А рядом с ним — Джеймс Камински из ООН. От него тоже многое в мире зависит...

Жан-Поль держался рядом и благодаря его незаметным перемещениям, вокруг них всегда оставалось свободное пространство. Кира с Андреем подошли к мини-фонтану в виде рыбы с задранной кверху распахнутой пастью. Рядом, за столиком стояла пожилая пара: он чуть ниже ее, у обоих моложавый вид — следствие пластических операций, прямая осанка, выдающая занятия физкультурой, похожие тонкие очки в золотой оправе. Андрей поздоровался и завязал с ними беглый разговор на английском. Кира, ничего не понимая, ограничилась доброжелательным кивком и вежливой улыбкой. Старичок с моложавой осанкой отреагировал на нее с таким воодушевлением, что супруга, поглядев с некоторой опаской, подлила ему в бокал минеральной воды.

Кира, в свою очередь, разглядывала господина за крайним столиком у стены — тот не расставался с платком, каждую минуту утирая им густо покрасневший нос. У бедняги, судя по всему, была аллергия на цветы. Роза в его петлице, похоже, была искусственной. Что-то очень важное, не иначе, заставило его явиться в это цветочное царство, и терпеть невыносимые муки.

Поймав себя на том, что опускает пустой бокал с шампанским на столик, Кира попыталась вспомнить — какой он по счету. Но в этой мешанине эмоций и событий, было совершенно невозможно упомнить сколько бокалов она успела опустошить. А то, что слегка кружится голова, — так это вполне может быть от избытка чувств...

Один из фотографов тем временем опознал Киру с Андреем и, делая круги вокруг, как акула возле выбранной жертвы, принялся снимать крупные планы. Тут же за ним последовали еще двое, а стоило им отщелкаться блицами, как на смену пришли новые...

— Такое внимание в изысканном обществе говорит о многом! — заметил Андрей. — Если это еще не слава, то уже популярность!

Повернувшись к нему, Кира нащупала его руку, нежно сжала.

— Я на седьмом небе! Это все не со мной, это во сне... Я как Золушка на балу... Только та была в неудобных хрустальных туфельках, а я в стильных лабутенах, о которых и мечтать не могла...

— Значит, действительность превзошла мечты! А так редко бывает!

— И все-таки... На всякий случай... Надо бы убежать до того, как часы пробьют двенадцать. Мало ли что. Вдруг все это исчезнет, как в той сказке...

— Не думай об этом. Наслаждайся праздником.

Ответив взмахом руки на чье-то приветствие, Андрей взял бокал с коньяком и потянулся к Кире, чтобы чокнуться. Та подхватила шампанское. Хрусталь мелодично пропел, они торжественно выпили.

Через зал, куда-то проследовал тот самый джентльмен, который мучился аллергией. Она хотела спросить — кто он такой, но в этот момент замок вдруг накрыла тишина. Рояль в холле и оркестр на входе стихли, постепенно замолк гомон сотен голосов. Под потолком, с высоких балконов, раздался торжественный звук фанфар. Дошел до кульминации и оборвался.

— Дамы и господа! — прокатился над головами собравшихся сочный мужской баритон. — Хозяйка Бала цветов, мадам Элеонора Войтова!

Зал отозвался дружными аплодисментами. Захлопала и Кира. Хлопал и стоящий на балконе рослый бритоголовый африканец в прекрасно сидящем смокинге с перламутровым отливом, хлопали и стоящие за его спиной два атлетически сложенных чернокожих в гражданских костюмах, но с явной военной выправкой. Кире показалось, что бритоголовый рассматривает именно ее. Впрочем, ей казалось, что все ее рассматривают. Возможно, так и было.

Мадам Войтова стояла в самом начале лестницы, плавным изгибом спускавшейся с балкона. На такой лестнице хорошо снимать фехтовальные поединки... Но шпаги, у Элеоноры, естественно не было, разве что отравленный кинжал в рукаве. Зато все остальное присутствовало. Бело-голубое, как снежная вершина Килиманджаро под безоблачным африканским небом, платье. Бриллианты на руках, на шее, в ушах. И радиомикрофон в руке. Дождавшись, когда стихнут аплодисменты и выдержав небольшую, точно выверенную паузу, мадам Войтова обратилась к собравшимся:

— Дорогие мои, восхитительные мои гости! Нет слов, чтобы выразить во всей полноте мою радость от того, что я вижу вас здесь, в Мон Дельморе, украшенном цветами со всего мира. В замке, собравшем столько успешных и утонченных людей. В старинных стенах, пропитанных красотой и любовью.

— Не знаю, как насчет красоты и любви, но замурованные скелеты в стенах находили неоднократно! — Андрей взял со стола коньячный бокал и опустошил одним глотком, словно там был лимонад. Кира заметила, что этот момент успел запечатлеть фотограф, притаившийся у колонны за спиной Жан-Поля. Интересно, если приказать телохранителю, он отберет фотоаппарат у бесцеремонного папарацци? Наверняка...

— Здесь я вижу много приятных лиц моих знакомых, давних товарищей, друзей, — продолжала мадам Войтова. — Да и родные лица, которые размягчают мое сердце...

— Твое сердце размягчают только деньги! — буркнул Андрей. Он напрягся при появлении матери, но все же сохранил беззаботный вид. А Кире совершенно не хотелось вмешиваться в запутанные семейные отношения этих людей. Хотя волей судьбы она и прикоснулась к ним, но неприятные дрязги не могли помешать ей наслаждаться жизнью — впервые такой красочной и легкой. Живут же для радостей, а не для ссор и конфликтов!

— Развлекайтесь, угощайтесь, наслаждайтесь вечером, — закончила свою речь хозяйка бала. Она сделала несколько шагов вниз по лестнице, нарочито элегантным, театральным жестом придерживая складки длинного платья, но вдруг остановилась с видом человека, вспомнившего что-то важное.

— Ах да! Господа, развлекаясь, не забывайте, однако, участвовать в нашем традиционном выборе Королевы бала. Сразу после полуночи будет объявлен ваш выбор Королевы, которую, как обычно, ждет приятный сюрприз. Урны для голосования располагаются у барных стоек.

Она продолжила спускаться по лестнице, свободной рукой придерживаясь за мраморные перила. Взгляд ее скользнул по головам гостей и ненадолго остановился на столике, за которым стояли Кира и Андрей. Кире показалось, что хозяйка бала при этом удовлетворенно кивнула.

— Во сколько же ей обходится весь этот бурлеск? — спросила Кира.

Андрей вздохнул и осушил очередной бокал.

— Ни во сколько. Наоборот — она получает кругленькую сумму за аренду замка. Расходы несут рекламодатели и спонсоры. Maman умеет хорошо устраиваться...

— Но за что они платят?

— О! Знаешь, сколько здесь осуществляется коммерческих сделок? И на какую сумму? Кроме того, это сумасшедший пиар: малоизвестная актрисулька, засветившись на бале, может стать звездой первого уровня! И знакомства здесь тоже ценятся весьма и весьма высоко! Полученная тут визитка открывает дорогу на прием к ВИП-персонам мирового бизнеса и политики!

— Тогда выпьем за чудеса Бала цветов! — предложила Кира, и они чокнулись в очередной раз.

Спустившись в зал, Элеонора Войтова направилась прямиком к их столику, по пути перебрасываясь приветственными репликами с гостями, завязывая с некоторыми из них короткие, поверхностно-шутливые диалоги.

Андрей тем временем, подозвав официанта, осушил еще бокал. От следующего его деликатно удержала Кира.

— Уверен?

— Ладно, ладно, — проворчал он, поставив коньяк на поднос, и царственным жестом отсылая официанта. — Обойдемся минимальной дозой успокоительного...

Мадам Войтова приблизилась к столику, обдав стоящих густой волной горьковато-пахнущего парфюма.

— Здравствуйте, милочка! — Кира получила обворожительную улыбку матерой светской львицы. — Рада видеть вас у себя в гостях. Вы выглядите как настоящая принцесса!

Не успела Кира сообразить, что ответить на комплимент, как мадам Войтова уже переключилась на их соседей по столику.

— Мсье Арно, мадам Арно, — приветствовала она по-французски пожилую супружескую пару. — Надеюсь, мы с вами чуть позже посплетничаем о видах на урожай на юге. Планирую закупить сотню-другую ящиков молодых вин. Нужна консультация эксперта.

И, пресекая порыв мсье Арно посплетничать немедленно, отвернулась к Андрею и положила руку на его ладонь.

— Привет, дорогой. Здорово видеть тебя здесь.

— На этот раз у тебя был замечательный план — прекрасный и безопасный, — изобразив вежливую улыбку, Андрей пожал плечами.

И снова неподалеку защелкали фотоаппараты, отсняв, видимо, как русская миллионерша тепло здоровается со своим странноватым сыном.

Не злоупотребляя его терпением, она убрала руку.

— Твоя спасительница заслуживала того, чтобы побывать на моем балу.

Кира поспешила вступить в разговор.

— Элеонора Леонидовна...

— Элина, мы же договаривались.

— Хорошо, Элина, — Кире с трудом далось амикашонское обращение к женщине вдвое старше себя. — Вы ведь знаете, что все было ровно наоборот. Это Андрей спас и меня, и того мальчика. Увы, как я ни старалась объяснить это журналистам, они пропустили все мимо ушей.

— Что ж, — ее собеседница качнула головой, как бы говоря: это ничего не меняет. — Что бы там ни было в море, на суше, у вас есть прекрасный шанс спасти моего сына, — она сделала небольшую паузу. — От него самого.

При этих словах Андрей решительно махнул ближайшему «белому медведю», приглашая его подойти.

— Даже не знаю, — Кира пыталась поддержать разговор с мадам Войтовой, но в светской беседе та была чемпионом, а Кира — всего лишь робким новичком, так что все ее подачи отбивались слету, без лишних церемоний.

— Поверьте, — мадам Войтова прервала Киру изящным жестом. — Я разбираюсь в принцессах.

Даже комплименты она умела делать так, чтобы самой при этом выглядеть выигрышно.

Чувствуя, что maman намерена задержаться в их компании, Андрей снял с подноса сразу два коньячных бокала. Войтова проводила их напряженным взглядом, но ничего не сказала. Промолчала и Кира, старательно сохраняя беззаботный вид. Она поймала пристальный взгляд молодого смазливого блондина, одиноко стоящего за столиком возле окна. Единственную компанию ему составляла наполовину опустошенная бутылка красного вина. Встретившись с ней глазами, молодой человек заулыбался и помахал рукой. Кира на всякий случай сдержанно ответила.

— Артурчик что, наказан? — спросил Андрей, заметив, как фаворит матери поздоровался с Кирой — в явной надежде, что на него обратят внимание и пригласят присоединиться.

— Андрей! — Мадам Войтова понизила голос, давая понять сыну, что ей не нравится такой поворот беседы — тем более, при посторонних.

Андрей пожал плечами. Чета Арно — видно, из опасения оказаться в эпицентре семейного скандала — предпочла покинуть столик и отправиться смотреть на танцующих в середине зала.

— Прости, но... смотрю, мальчонка скучает в одиночестве, грустит, заливает, так сказать, вином... да и одет как-то не празднично, явно из секонд-хенда...

— Ты сам-то, — мать кивнула на коньячные бокалы. — Плотно взялся, как я погляжу.

— Ну, тут мы с ним, похоже, сошлись во мнениях... В твоей компании под алкоголь как-то легче.

В ее глазах мелькнула ярость. Она, однако, сдержалась и даже выдавила из себя саркастическую улыбку.

— Ты не испортишь мне праздник, сынок.

В следующую секунду она махнула рукой в сторону коренастого крепыша с большими залысинами вокруг растрепанного чубчика.

— Пьер! Идите к нам. Я познакомлю вас с той самой девушкой, которая уберегла Ниццу от трагического происшествия.

Мужчина приветливо кивнул.

— Я именно к вам и иду! Причем как раз за этим знакомством...

Средних лет, неприметное лицо, заурядная одежда: недорогой, обтягивающий смокинг, очевидно извлеченный из многолетнего заточения в кладовке, разношенные повседневные туфли, пластмассовые электронные часы.

— Нашу русскую гостью, Киру, представлять нет необходимости, она — безусловная звезда сезона, — торжественно произнесла Элеонора. — А это Пьер Фуке, служащий муниципалитета, который почему-то знает все и обо всех, как будто он не скромный чиновник, а журналист или полицейский. Так что, иногда я подозреваю его в лукавстве...

— Ах, Элеонора, — весело парировал мсье Фуке, целуя Кире ручку. — Такие, как я, не приспособлены к вранью. У нас, видите ли, уши краснеют. Досадный изъян физиологии, разрушивший надежды моей матушки на мою политическую карьеру. Пришлось довольствоваться скучной кабинетной работой.

Не отпуская руки, он обратился к Кире:

— От лица французского государства и особенно муниципалитета города Ницца, приношу вам, мадемуазель Кира, глубокую благодарность за проявленный, не побоюсь этого слова, героизм.

Пьер Фуке был говорлив, половину слов Кира не успевала понять и восстанавливала фразы по общему смыслу.

— Вы не только спасли жизни... что, разумеется, самое важное в этой истории... но и сохранили доходы отелей, расположенных в непосредственной близости от места происшествия. Турист — существо чувствительное. В прошлый раз... — мсье Фуке запнулся, встретившись взглядом с Войтовой. — Впрочем, стоит ли об этом сегодня...

Он протянул Кире визитку.

— Я бы очень хотел с вами встретиться. Скажем, завтра вечером.

И, не дав Кире времени на ответ, вскинул руки, как бы отметая возможные возражения:

— Не отказывайте, прошу вас. Французское государство в моем лице будет чрезвычайно опечалено. К тому же у него... у меня, то есть... приготовлен для вас небольшой, но, смею надеяться, приятный сюрприз.

Киру развеселил этот бодрый, с чувством юмора, чиновник.

— Договорились, — сказала она, принимая визитку. —
Я позвоню вам завтра.

Она убрала визитку в клатч, лежавший на столике, а мсье
Фуке, покачав указательным пальцем, сказал:

— Надеюсь, вы не забудете!

Кире впервые почудились серьезные нотки в его голосе.
Очень серьезные! Или не почудились? Похоже, он не такой
уж весельчак-юморист...

— Конечно, не забуду! — поспешно заверила она, и в следующую секунду бал уже увлек ее прочь от утомительных
светских знакомств и бесед, в упоительный водоворот возвы-
шенных вихрей музыки. В зале зазвучал ее любимый еще со
времен школьного кружка бальных танцев вальс «Сказки вен-
ского леса». Ее ладонь приглашающе коснулась руки Андрея.

— И правильно, — тут же отреагировала мадам Войтова. —
Здесь следует танцевать. Андрей когда-то неплохо вальсиро-
вал, милочка. Надеюсь, за своим бизнесом не утратил этот
светский навык.

— Пьер, — обратилась она к муниципальному чинов-
нику. — Готово ли французское государство в вашем лице
к туру вальса?

Мсье Фуке выставил локоть, мадам Войтова взяла его под
руку.

— Вальсировать я буду исключительно как частное лицо,
мадам. Прошу внести это в протокол.

Они отправились на площадку для танцев, за ними последовали и Андрей с Кирой.

Навыка Андрей не утратил. В танце с ним было удобно
и легко — он держал партнершу уверенно, но совсем не
жестко. Не давил и не дергал, как делают новички, вел мягко
и точно, в такт музыке. Несколько па — и, почувствовав, как
чутко Кира отзывается на его ведение, оценив грациозный
разворот ее плеч и наклон головы, Андрей увлекся, отбросил
прочь напряженность, владевшую им с начала вечера, и они
поплыли по упругим скрипичным волнам — раз-два-три, раз-
два-три. Он кружил все быстрее, объятия делались все тес-
ней. Проносились чьи-то лица и затылки, ароматы парфюма,
и обрывки фраз.

— Не жалеешь, что отказалась в машине?

— Что? Ах да... Немного. Зато я танцую вальс на Балу цветов в Ницце! Неужели это правда?

Она улыбалась так ослепительно и выглядела такой счастливой, что Андрей тоже расслабился, перестал думать о каких-то своих проблемах, и просто любовался своей партнершей.

— Пойдем, подышим воздухом? — спросила Кира. К ней несколько раз подходили незнакомые мужчины, чтобы рассмотреть цифру на запястье, и что-то чиркали на маленьких квадратных бумажках. Это утомляло.

— Выходи на террасу, я тебя догоню, — кивнул Андрей.

Стоило ему отойти, как перед Кирой очутился тот самый длинноволосый блондин — из разговора Андрея с матерью она знала, что его зовут Артур.

— Вы прекрасно танцуете, — обратился он к ней по-русски.

— Спасибо.

— Артур... близкий, так сказать, друг Элины Войтовой.

— Кира.

— Очень приятно.

Кира кивнула, хотя приятного в знакомстве с молодым красавчиком было мало. Это его «так сказать», снабженное ехидным полусмешком, прозвучало невыносимо пошло. Да и алкоголь он переносил неважно: лицо во время разговора подергивалось, осоловелый взгляд блуждал по ее телу.

— Позвольте пригласить, окажите такую любезность.

Он слегка склонил спину и протянул руку.

Вечер может быть испорчен, почувствовала Кира. Выходить на танцпол с Артуром после Андрея — было бы непростительной оплошностью. Все равно, что выпить после «Дома Периньона» какое-то безродное «Фруктовое шипучее».

— Простите, но мне нужно передохнуть, — ответила она. — Совершенно выдохлась.

— Вы разбиваете мне сердце, Кира.

— Я не нарочно, и это меня оправдывает...

— Может быть, позже? Так хочется потанцевать с вами вальс. Обещаю не наступать на ноги. Я, конечно, немного выпил. Но еще вполне устойчив.

«Вот ведь прилипала! Как в книжках отшивают назойливых кавалеров?»

Выручил подоспевший Андрей.

— О, Артурчик! — Он смерил претендента в соперники насмешливым взглядом. — А тебя там хозяйка ищет.

Артур зарделся. Слишком уж явным и болезненным был укол. Хозяйки бывают у пуделей и котов — и тон Андрея был именно таким, каким говорят с котами и пуделями. Не задерживаясь возле Артура, который так и не нашелся, что ответить, Андрей взял Киру под руку и повел на веранду.

На полпути музыка снова оборвалась, и на лестнице показался высокий господин в образцово-показательном смокинге, с гладко зачесанными волосами.

— Дамы и господа! — воззвал господин к собравшимся зычным тенором. — Полночь! Время подводить итоги конкурса на звание Королевы бала!

Оркестр взорвался торжественным скрипичным всплеском и резко смолк.

На пятачок для танцев начала стекаться заинтересованная публика. Кира уютней устроила свою руку на согнутом локте Андрея, готовясь полюбоваться счастливицей. У нее были свои фаворитки — девушка с выстриженным виском и та чернокожая красавица в экстремально смелом платье с вырезом и прозрачными вставками.

— Наше строгое и неподкупное жюри тщательным образом подсчитало голоса, отданные за прекрасных участниц в анкетах, — продолжал господин на лестнице.

Вслед за струнными инструментами, торжественный мотив сыграли духовые. Публика подыгрывала, возбужденно заулюлюкав, как только смолкла музыка.

— Затем они пересчитали полученные данные.

Крещендо духовых сменила барабанная дробь. Распорядитель бала нагнетал ажиотаж. Публика принялась скандировать: «Королеву! Королеву!»

Господин на лестнице поднял руку, наступила тишина.

— Королевой бала, — он принялся растягивать фразу под возобновившийся бой барабанов, — признана... обворожительная и прекрасная дама... под номером тридцать два!

Оркестр в полном составе отыграл свой маршевый мотив, и как только он затих, за окнами загремели залпы фейерверков, и небо расцветилось яркими цветными узорами. Можно было подумать, что снова взошло солнце. Но это продолжалось недолго: природа взяла свое, и за пределами Мон Дельмора снова наступила ночь. Зато внутри было по-прежнему светло, и все пространство зала заполнили аплодисменты.

— Номер тридцать два! — крикнул распорядитель. — Прошу Королеву бала выйти сюда!

Лощеный господин еще что-то говорил, но Кира его уже не слышала. Она взглянула на Андрея, который, отстранившись, как-то по-новому рассматривал ее и аплодировал вместе с другими. До опьяненного шампанским и славой сознания стало что-то доходить, она бросила взгляд на запястье, и точно: «тридцать два» — это ее номер!

Взметнув узкие брови и, непроизвольным жестом удивления приложив руки к бриллиантам, сверкающим в глубоком декольте, Кира огляделась вокруг. Люди улыбались ей и хлопали в ладоши.

— Ты Королева бала! — Андрей наклонился к ней и, положив руку на талию, вывел из толпы и легонько подтолкнул в сторону ведущего. Тот уже ждал со сверкающей ажурной короной в руках, и совершенной голливудской улыбкой на узком загорелом лице.

Словно во сне, Кира прошла к лестнице, возле которой ее встретил помощник распорядителя — такой же гладко зачесанный брюнет, только помоложе. Галантно подав ей руку, он помог подняться на площадку, которую вдруг залил свет софитов.

— Прекрасная русская девушка, смелая пловчиха, спасшая сына хозяйки бала и ставшая героиней газетных передовиц, сумела завоевать и ваши сердца, уважаемые гости Бала цветов! — торжественно объявил ведущий. — Корона спешит к королеве!

Большие экраны, установленные на балюстрадах балкона и подвешенные высоко на свободных от цветочных композиций участках стен, показывали крупным планом растерянную Киру. Судя по логотипам в углах картинок, видеосигналы из замка Мон Дельмор транслировали все крупнейшие телеканалы мира.

Возникла некоторая заминка. Кира испытывала неловкость, совершенно не представляя, как себя вести. Но распорядитель был профессионалом. Склонившись в почтительном поклоне, он выпрямился и осторожно надел корону Кире на голову, немного поправил, и довольно поднял руки, как марафонец, первым пришедший к финишу. И действительно, корона, переливаясь блеском украшающих ее камней, сидела на волосах цвета вороньего крыла идеально ровно. Помощник уже установил перед Королевой стойку с микрофоном.

— Спасибо вам! — сказала Кира. — Это так неожиданно!

Она помедлила, стараясь совладать с нахлынувшими эмоциями, но почувствовала, что, если сейчас попробует что-то сказать, непременно расплачется. Поэтому просто махнула рукой, как бы извиняясь, что не может говорить. Жест получился наивным и трогательным. Публика отозвалась аплодисментами и одобрительным гулом. В нижней части одного из экранов в это время бежала строка: «Русская героиня опередила известнейших кинодив мира на Бале цветов в замке Мон Дельмор».

Свежеиспеченная королева спустилась по лестнице обратно в зал. Внизу ее с поклоном подал руку Андрей.

— Ваше величество, позвольте сопроводить вас к праздничным напиткам. Иными словами, идем, обмоем!

— Андрей! Это так удивительно!

Кира почувствовала, как со всех сторон напирает взбудораженная толпа, но Жан-Поль не дремал, хотя был немногословен, как, впрочем, и всегда:

— Будьте любезны, мадам, не создавайте неудобств. Аккуратней, мсье, чуть назад, вы можете споткнуться... Молодой человек, я вынужден настаивать...

Несколько движений мощным плечом, протиснутая за спиной рука, отделившая чрезмерно настойчивых поклонников тяжелым шлагбаумом — и к Кире вернулась свобода перемещений. Они пошли через живой коридор улыбающихся, выкрикивающих поздравления людей. Фото- и видеокамеры протискивались через головы, продавливали тесные шеренги, чтобы подобраться поближе к Королеве.

Кира задыхалась от радостного возбуждения. Никогда в жизни она не оказывалась в центре внимания даже небольшой компании, а чтобы купаться в лучах славы десятков важных и известных людей, столь явно ею восхищающихся, — об этом она не могла даже и мечтать!

— Неужели все проголосовали за меня?! Вокруг столько настоящих красавиц... Я таких только в журналах видела... И вдруг... Я действительно Королева, Андрей? Держи крепче, у меня голова кружится... Спасибо, Жан-Поль, без вас меня бы затоптали...

Между тем и Королева со своей небольшой свитой, и все гости двигались не сами по себе, а туда, куда их направляли распорядитель бала и его гладко зачесанный помощник-брюнет. Хотя, было похоже, что основная часть завсегдатаев знает, какой ритуал ждет их впереди, и где он будет происходить. Как бы то ни было, через несколько минут все вышли на веранду, точнее, ту ее часть, которая была обращена к морю. Здесь стояла большая ванна, наполненная пузырящейся жидкостью, и к ней торжественно подошла Элеонора Войтова с радиомикрофоном наизготовку.

— А теперь, дорогие гости, по многолетней традиции, я приглашаю Королеву Бала цветов совершить омовение в лучшем шампанском урожая две тысячи десятого года! — она сделала Кире приглашающий жест рукой. — Приготовиться вы можете здесь!

За ванной была расставлена легкая конструкция из натянутого на четырехугольный алюминиевый каркас яркого шелка — нечто вроде гримерки во время киносъемок на природе, или пляжной раздевалки.

— Прошу вас, Королева! — повторила она. Набившиеся на веранду и балкон над ней, гости зааплодировали, за их спинами снова заиграл скрипичный оркестр.

Андрей, ожидающе смотрел на Киру в упор.

— Это традиционная процедура, ее не следует бояться! — попытался он подбодрить подругу. Но Кире этого и не требовалось. То ли изрядное количество выпитого придавало ей смелость, то ли та атмосфера радостного возбуждения, всеобщего поклонения и вседозволенности, в которую она уже окунулась. Ванна с шампанским была всего-навсего одним из составных элементов торжественного ритуала бала, избравшего ее Королевой!

— Охотно! — ослепительно улыбнулась она. — Только мне нужен будет ассистент для переодевания...

— Я здесь! — как чертик из табакерки выскочил откуда-то Артурчик, но мадам Войтова, не переставая улыбаться, буднично отвесила ему оплеуху, и он вновь растворился в толпе.

— И такой ассистент у меня есть! — Кира потянула Андрея за собой.

Под блицы фотокамер они скрылись в яркой гардеробной. А через несколько минут, Кира выпорхнула обратно, на ней были только купленные накануне за восемьсот евро трусики Agent Provocateur, которые действительно имели провокативный вид, и вряд ли были предназначены для того, чтобы что-то скрывать, скорей, наоборот — подчеркивать...

Артистично раскланявшись, под гром аплодисментов, Кира грациозно опустилась в шампанское, помахав рукой телевизионщикам и журналистам. Помощник распорядителя тут же высыпал в ванну корзину цветов: бутоны роз, хризантем, гвоздик полностью скрыли тело Киры от посторонних взглядов: только голова с собранным на затылке пучком волос осталась над цветочным покрывалом. Очевидно, с яхт следили за инаугурацией Королевы в бинокли, потому что в темное небо над темным морем полетели десятки цветных ракет и фейерверков.

— Как ощущения, Кирочка? — спросил Андрей. Он стоял рядом с ванной, держа наготове раскрытое полотенце.

— Великолепные! Я просто плыву в облаке восторга по четвертому измерению...

— Уже завтра твои снимки украсят таблоиды всего мира! — довольно улыбнулся кавалер.

— Но меня заботит судьба Золушки, — вдруг опечалилась Кира. — Не превратились ли мои лабутены в стеклянные осколки, платье — в картофельную шелуху, а «Роллс-Ройс» — в тыкву, запряженную крысами?

— Нет, конечно! Кто может совершить такую гадость?!

— Ясное дело — злой колдун! Так же, как все происходящее сейчас сотворил добрый волшебник!

— Думаю, волшебство находится над категориями добра и зла. Хотя использоваться может как для одного, так и для другого! Ну, сама подумай, в кого злой колдун способен превратить твоего верного Жан-Поля? Он сам любого, превратит в кого пожелает!

— И все же, все же... — Печать озабоченности не сходила с прекрасного лица Королевы. Но вдруг она встряхнула головой, будто отгоняя дурные мысли.

— К черту предчувствия! Мы очень, просто очень! ... правильно сделали, что поехали на Бал! И должны насладиться им в полной мере!

На этой оптимистической ноте Кира ловко выбралась из ванны, Андрей завернул ее в полотенце, завел в шелковую кабинку, вытер и помог одеться. Бал продолжался!

Все вернулись в зал, посередине которого, на огромном столе, уже была выстроена довольно высокая пирамида из широких шампанниц-креманок, напоминающих вазочки для мороженного. Нижний квадрат занимал почти весь стол, вышестоящие сжимались, и на вершине стояла одна единственная креманка. Забравшиеся на стремянки официанты, с двух сторон лили в нее пенящуюся жидкость из подаваемых снизу курящихся холодным дымом бутылок «Вдовы Клико». Шампанское переливалось через край, стекало вниз, но не проливалось, наполняя последующие уровни ловко выстроенной пирамиды... Через несколько минут акробатический этюд завершился — вся пирамида чаш была наполнена, причем ни одна капля не пролилась на белую крахмальную скатерть! Под благодушные аплодисменты публики, официанты из-под потолка стали передавать наполненные бокалы вниз своим расторопным коллегам, а те сноровисто раздавали их гостям. Волшебную пирамиду разобрали быстро, а выпили еще быстрее. Снова весело играла музыка, кружились в танце блистательные пары, но чувствовалось, что Бал, постепенно, начал сбавлять обороты.

На пустовавшую площадку с нарисованным кругом, стали приземляться вертолеты, забирая наиболее спешащих гостей; некоторые спускались в прозрачных лифтах к причалам, откуда юркие глиссера развозили их по яхтам; у главной лестницы снова выстроилась очередь из роскошных машин. Количество людей в зале заметно уменьшилось.

— Пора прощаться, — сказала Кира. От усталости и нервного перевозбуждения она едва держалась на ногах. — Жан-Поль, вызывайте машину.

— Давай уйдем по-английски, — кивнул Андрей, и тут же чертыхнулся. — Не выйдет, maman уже спешит к любимому сыну...

Действительно, к ним с немного печальной улыбкой гостеприимной хозяйки, не желающей отпускать гостей, приближалась мадам Войтова. Рядом с ней шел тот самый атлетически сложенный бритоголовый африканец, на которого Кира обратила внимание в начале Бала. У него были резкие черты лица, словно вырезанного из черного эбенового дерева. Да и сам он был явно изготовлен из этой тяжелой и твердой древесины. Так же, как и двое его сопровождающих с неистребимой военной выправкой. Один постарше, с фигурой отставного борца — широкие плечи, переходящие в мощную шею, заметная седина, внимательный, прицеливающийся взгляд, глубокие носогубные складки, второй повыше, молодой, ростом и могучим сложением не уступающий хозяину. Они обступили Киру, оттесняя Андрея и Жан-Поля, но последний, резким движением вернул себе место сразу за охраняемой персоной. Черные и белый богатыри обменялись оценивающе-понимающими взглядами, и молча пришли к консенсусу, сохранив сложившуюся расстановку фигур на шахматной доске индивидуальной безопасности ВИП-персон. Впрочем, Андрей остался за пределами игрового поля, и видел только широкую спину одного из телохранителей.

— Кира, один из самых важных моих гостей попросил представить его Королеве бала, — сказала по-русски мадам Войтова и, указав на своего спутника, торжественно произнесла:

— Джелани Афолаби.

— Очень приятно, — Кира вежливо улыбнулась, и протянула руку для поцелуя. Но бритоголовый атлет ограничился рукопожатием и почтительным наклоном головы.

— А это мои самые верные люди — Абиг Бонгани и Мадиба Окпара, — представил ВИП-гость своих спутников. Кира приветливо улыбнулась, но руки не подала, а богатыри едва заметно кивнули.

— Позвольте пригласить вас на морскую прогулку, — приятным баритоном произнес Афолаби. — Вертолет моего друга шейха Ахмеда бин Касима доставит нас на его яхту «Ориент» за пять минут, а на рассвете мы уже будем ловить королевскую макрель, которая единственно и достойна быть подана живой на завтрак Королеве цветов!

— Благодарю за невероятно красивое предложение, — улыбнулась Кира. — Но здесь столько вертолетов и яхт, что к ним невольно привыкаешь, а я очень устала и ничто не манит меня так, как мягкая постель...

И видя, что Афолаби собирается возразить, добавила:

— К тому же вы не учли, что я здесь не одна. — Она протянула руку, и один пальчик Королевы легко отодвинул чернокожего богатыря, выпустив на игровое поле несколько смущенного Андрея, который, впрочем, быстро адаптировался и сделал ход, по-хозяйски крепко взяв Киру за предплечье.

На вырезанном из черного дерева лице, как и следовало ожидать, не дрогнул ни один мускул.

— Я понял ваше желание, Королева цветов, — по-прежнему учтиво ответил он, не обращая на Андрея ни малейшего внимания. — Действительно, вертолеты и яхты надоедают. Но у меня найдется, чем вас удивить! И я не сомневаюсь, что мы еще увидимся!

Афолаби вновь четко наклонил голову, улыбнулся мадам Войтовой, и развернувшись, вместе со своими серьезными спутниками, направился к выходу на вертолетную площадку. Жан-Поль сказал что-то, по тону явно неодобрительное, но непонятное, будто и не по-французски.

— Что он сказал? — поинтересовалась Кира. Мадам Войтова пропустила вопрос мимо ушей, а Андрей охотно ответил:

— Это сленг. Типа того, что эти ... нецензурное слово... только и умеют, что колотить понты... И я в этом с ним полностью согласен!

# Часть вторая
# ЦИНИЧНАЯ СКАЗКА

## Глава 1
## Кровь на бриллиантах

*Ницца, наши дни*

> *Истина — это не то, что можно доказать:*
> *это то, чего нельзя избежать.*

**Н**ад Мон Дельмором взмывали в ночное небо освещенные свечами разноцветные шары — замок прощался с Балом цветов до следующего года.

«Роллс-Ройс», мягко прошелестев шинами по плитке дворовой территории, бесшумно спустился по серпантину, выехал за шлагбаум и двинулся в сторону пустынного шоссе, ведущего в Антиб и Ниццу.

— Видишь, машина не превратилась в тыкву, и лабутены не раскололись, и платье от Готье не исчезло, — Андрей откинулся на спинку и снял галстук-бабочку. — Только одна вещь пропала...

— Какая? — спросила Кира, небрежно перебирая пачку визитных карточек, которые вручались ей, сопровождаемые приглашениями на яхты, частные самолеты, и в лучшие рестораны мира. Только этот, как его, Афолаби не дал свою визитку...

Андрей засмеялся.

— Твои мокрые трусики остались в раздевалке! Я же не мог носить их в кармане! Ничего, думаю, на аукционе фетишистов они уйдут за заоблачную цену!

— Ах, я как-то забыла про это...

Честно говоря, она думала совсем о другом. О том, что волшебный вечер и закончится волшебно — просьбой руки и сердца! И к короне Королевы добавится обручальное кольцо, которое, возможно, уже лежит в кармане у Андрея...

— Зато я все время помнил. И думал, что это упростит мою задачу на обратном пути, — он привлек Киру к себе.

— Подожди... Кто такой Афолаби?

— Понятия не имею. Но, судя по поведению maman, он какая-то крупная шишка! Плевать на него! Иди сюда... Ты же не против?

Ей стало ясно, что никакого кольца Андрей не приготовил — это ее обычная беспочвенная фантазия. И его желания касаются не сердца, а совсем другой части тела. Что ж...

— Пожалуй, нет, — Кире казалось, что голос не выдал всей бездны ее разочарования.

— Ну, и умница! Мы же в сказке. Надеюсь, эта сказка продлится долго...

Ответить Кира не успела. Фары встречного грузовика вдруг вильнули прямо на них, заливая салон ярким слепящим светом. Раздался визг тормозов и крик Жан-Поля:

— Пригните головы! Закройтесь руками!

Удар. Скрежет металла. Свист надувающихся эйрбегов, мигом заполнивших салон и мягко погасивших энергию столкновения. «Роллс-Ройс» швырнуло на обочину. Тяжелый лимузин довольно резко подпрыгнул, но не перевернулся, не покатился штопором, как любая обычная легковушка, а упал на колеса, тяжело ухнув рессорами.

— Целы? — придушенно кричал Жан-Поль.

Прижатая подушкой безопасности Кира не могла ответить.

Четыре дверцы «Роллс-Ройса» синхронно распахнулись. Темные безликие фигуры с огромными, в поллица, блестящими глазами... Шипящие струи приторно-сладковатого газа... Ножи, кромсающие раздутые эйрбеги...

Теряя сознание, она чувствовала, как ее тащат грубые бесцеремонные руки, как на голову опускается душный мешок... Романтичная сказка закончилась...

* * *

— Хватит! Она очухивается...

Слова эти добрались до нее издалека и звучали глухо, словно сквозь толщу воды. Лишь осознав смысл услышанного, Кира восстановила и то, что им сопутствовало. Кто-то только что шлепнул ее по щеке, лицо было мокрое, она неудобно лежала на чем-то мягком. Знакомый запах прелого дерева, земли, цветущих растений, где-то кудахчут куры, гогочут гуси... Вот все и встало на свои места: она у тети Шуры, в деревне, бывшей Голодаевке, а ныне Изобильной... А этот дурацкий бал с выкрутасами — так видно, самогоном напоили...

«Но когда я к ней приехала? И потом, с каких пор в доме у тети Шуры говорят по-французски?»

Кира открыла глаза. Перед ней стояли девушки. Четыре. У одной в руке был стакан с водой — пыльный, весь в белесых потеках, — машинально отметила она.

Из-за плотных штор сочился дневной свет. Гуси стихли. Теперь слышался лишь звук размеренных шагов под окнами. Вперед, назад, вперед, назад...

— Как ты? — спросила та, что нависла над ней ближе других — так что Кира чувствовала ее дыхание у себя на щеке.

— Погоди. Видишь, еще не очухалась.

Они действительно разговаривали на французском. «Да, это точно не Изобильное», — подумала Кира. Привстала, оторвав голову от подушки, комковатой и довольно несвежей. Одета она была в вечернее платье — то самое, от Готье, только измятое и порванное. Туфли куда-то пропали. На ногах красовались шерстяные носки. Похоже, она действительно в сказке про Золушку — но когда часы уже пробили полночь и чары рассеялись...

И вдруг она вспомнила: удар металла о металл, хлопки подушек безопасности, потерявший управление и слетевший с дороги лимузин, распахнутые настежь дверцы, люди в противогазах, усыпляющий газ, грубые руки...

— Где я? Где Андрей?

— Ну, что я вам говорила. Иностранка.

Эти слова с апломбом произнесла мулатка, одетая в растянутую трикотажную пижаму, и стоявшая, уперев руки в бедра, чуть поодаль от старой железной кровати, на которой лежала Кира.

— Похоже, русская.

Кира поняла, что заговорила на родном языке и, сосредоточившись, перешла на французский.

— Где я?

Девушки переглянулись. На всех была явно чужая, нелепая одежда — рваная длинная юбка с яркой маечкой, старый халат, мужская рубашка с заляпанными краской рабочими брюками, растоптанные шлепанцы или пляжные сланцы...

— О! Похоже, мы с тобой поболтаем, — мулатка подошла поближе.

Та, что держала стакан, поставила его на обшарпанную прикроватную тумбочку.

— Я думаю, что ты, как и все мы, в Карну, — сказала она. — Но Эмма уверена, что в Жемано.

Девушка кивнула на темноволосую соседку, облокотившуюся на спинку кровати.

— Где Андрей? — Кира машинально обернулась. — Со мной был мужчина...

— Послушай, — в разговор вступила голубоглазая высокая девушка с косой через плечо. — Тебя похитили? Помнишь подробности?

Кира пожала плечами.

— Грузовиком протаранили... Потом ничего не помню. Как я здесь оказалась?

— Тебя привезли часа полтора назад, мы мотор слышали. Больше ничего не знаем.

— Нас тоже похитили, если тебе интересно, — добавила мулатка. — Такие дела. Где мы находимся, неизвестно. Да и толку? Связи нет, сбежать невозможно, эти ублюдки охраняют круглосуточно.

Кира села на кровати. Голова закружилась, пришлось переждать, пока стены и лица перестанут плыть и покачиваться. Она огляделась. Довольно просторная комната — судя по всему, в большом деревенском доме, небогатом, и не слишком опрятном. Старая мебель, простенькие, местами отклеившиеся обои в цветочек. Несколько кроватей — тоже железных, как и та, на которой очнулась Кира, но с другими спинками. Вообще вся обстановка составлена вразнобой, как если бы ее собирали на распродажах или по помойкам. А вот компания явно не соответствовала собранной из отходов картинке. Все девушки резко контрастировали с обстановкой: высокие, стройные, ухоженные и, несомненно, красивые, несмотря на простую одежду и отсутствие макияжа. Гладкая кожа, маникюр и педикюр, подкачанные губы, подбритые и подстриженные брови, блестящие волосы, легкий запах тонкого парфюма... Все, как на подбор! И вдобавок, похищены... Что бы это значило?

— Как тебя зовут? — спросила голубоглазка.

— Кира.

— Русская?

— Да.

— Меня зовут Софи. Я из Брюсселя. Это Эмма из Будапешта. Она не говорит по-французски. Только по-английски и на своем тарабарском. Эта от природы смуглая нахалка — Марша.

— А я Анна-Тереза. Барселона, — на ломаном французском представилась худенькая брюнетка с медальным профилем, сидевшая в ногах у Киры и пытавшаяся приклеить загнувшийся краешек лейкопластыря на левом предплечье.

— Где тебя схватили? — поинтересовалась Марша.

— Мы ехали с Бала цветов, из замка Мон Дельмор. Я и Андрей... Мы были в «Роллс-Ройсе», с охранником...

— Ты что, важная птица? — спросила Софи.

— Никакая я не птица! Просто меня выбрали Королевой бала, — сказала Кира, и слезы сами собой хлынули из глаз.

Эмма протянула пачку одноразовых платков, которые, кажется, всегда держала наготове.

— Успокойся, от слез нет никакого толку.

Марша усмехнулась:

— Тут ты своей историей никого не удивишь. Одну вытащили из СПА, прямо с массажного стола, — она кивнула на Эмму. — Другую взяли на трассе под Каннами...

Софи подняла руку, подтверждая, что речь идет о ней.

— Эту выудили из кровати в пятизвездочном отеле, — Анна-Тереза печально развела руками: да, так и было.

— Меня вытащили в окно дамской комнаты в ресторане... Сволочи, как какой-нибудь мешок с картошкой... Эту русскую хлопнули по дороге из Мон Дельмора, не помог ни «Роллс-Ройс», ни охрана. Да, у этих сукиных сынов, вероятно, все куплено!

Похоже, Марша была из тех, кто не теряет присутствия духа, даже в самых сложных ситуациях.

— Кто они? Что это за люди? — выдохнула Кира сквозь слезы, с которыми никак не могла совладать.

— Думаешь, они нам представлялись? — усмехнулась Марша. — Но Эмма говорит, что это, скорей всего, Гастон Синяя Борода. Марсельский бандит. Она на телевидении работала, там, у себя, ну и читала много всяких расследований. — Так, подруга? — обратилась она к Эмме, и руками провела от подбородка к талии, будто показала длинную бороду.

Уловив смысл сказанного, Эмма кивнула.

— Gaston, — подтвердила она по-английски. — French gangster.

Подсев с другого края кровати, Марша осторожно потрогала, помяла подол платья Киры, словно оценивала ткань на ощупь.

— Этот самый Гастон Синяя Борода вроде бы крупнейший торговец живым товаром на юге Франции, — сказала Марша. — А здесь у него, видимо, пересыльный пункт, типа того.

Сознание вернулось окончательно, но восприятие происходящего от этого не сделалось яснее. Действительность была настолько дикой и невероятной, что мозг Киры отказывался ей верить: на всем усматривался налет нереальности, как в ванне с шампанским под мельтешением разноцветных огней салютующих яхт.

— Так кого они похищают? — спросила Кира. — Кто вы такие? Я простой бухгалтер с копеечной зарплатой! За меня не заплатят выкупа...

Марша отвязно захохотала.

— Но платье у тебя не копеечное... Значит, есть, чем зарабатывать. Как и у всех нас...

— Мы патентованные красотки, — пояснила Софи. — «Миски» всевозможных конкурсов, лица с обложек глянцевых журналов.

Подойдя к соседней кровати, она принялась ее застилать: взбила подушку, разгладила простыню, уложила и расправила покрывало. Другие кровати уже были застелены. И в том, что признанные красавицы наводят здесь порядок, будто заключенные в камере, тоже было что-то сюрреалистичное.

— Эта банда специализируется на таких похищениях, — продолжала Софи. — И не ради выкупа.

Управившись с кроватью, она уселась на стул возле большого, видавшего виды стола, который, очевидно, долго стоял на улице.

— Если верить Эмме, они продают девушек в гаремы.

— В гаремы?!

Кира не верила своим ушам.

— Harems of the sheiks of the Arab East, — подтвердила Эмма.

— Гаремы Арабского Востока еще не худший вариант, — Марша невесело усмехнулась. — Но у этих ребят плохой менеджмент. Я здесь уже две недели. Софи привезли десять дней назад, а до этого держали где-то в подвале...

Кира поднялась. Поддавшись почти рефлекторному порыву, подошла к окну, раздернула штору — как будто намеревалась сейчас же распахнуть раму и выскочить на свободу. Девушки притихли.

Окно выходило на задний двор сельского дома. Высокий забор из металлического профиля. Сарай. Желтый трактор, плуг, огромные деревянные бочки. Куры и гуси прогуливаются по утрамбованной земле, покрытой скудной травой. Стоило Кире прильнуть к окну, чтобы лучше оглядеться, от угла здания к ней устремился здоровенный парень в расстегнутой до пояса рубахе, с ружьем на плече. Он был явно не похож на типичного французского охотника — в кожаных штанах, резиновых сапогах, шляпе с пером, патронташем и ягдташем с добытыми утками. Впрочем, ее представления о «типичности» французских охотников основывались только на собственных представлениях, вынесенных из французских же кинофильмов.

— Бух! — выкрикнул «охотник», подскочив вплотную и вскинув ружье.

И хотя в этом не было никакой неожиданности, Кира испугалась. Такое дерзкое поведение вооруженного человека, его отвязный, наглый вид, внушали чувство опасности. А вдруг выстрелит?! Кто знает, что у него на уме?

Она отпрянула от окна, а детина с ружьем расхохотался. Судя по всему, во дворе он был не один — размахивая руками, охранник показывал на окно и повторял, захлебываясь глупым смехом:

— Цыпочка испугалась! Пугливая цыпочка!

Марша подошла к Кире и, положив руку ей на плечо, легонько потянула вглубь комнаты.

— Ты бы не нарывалась, не нужно их дразнить.

Кира послушно отошла от окна, уселась на свою кровать.

— Лучше застели, — посоветовала Марша, но Софи махнула рукой — мол, оставь ее в покое, пусть хоть в себя придет.

— Так вот, гаремы шейхов — это не худший вариант, — повторила Марша почти жизнерадостно, видимо, желая приободрить новенькую. — Там с девушками хорошо обращаются, как с почетными гостьями. А через год-два отпускают. Причем с солидным вознаграждением на банковском счете. Серьезно, у меня подружка там была, причем по своей воле...

Кажется, Марша приняла ужас в глазах Киры за интерес.

— Пыталась второй раз пробиться, но не удалось! Многие девушки сами не хотят оттуда уезжать.

— Больше ее слушай! — возразила Софи. — Она, похоже, хочет тут Амели заменить!

— Какую Амели?

— Нашу бандершу!

Но Марша лишь махнула на нее рукой.

— Мне-то что. Так говорят. Но шейхи очень придирчивы. Попасть к ним непросто. Такие дела. По мне, так лучше туда, чем в турецкие бордели. Ну, что ты так смотришь? Там вообще ничего не платят и не отпускают, хотя работаешь с утра до вечера, на износ. Вот и подумай.

Из слов бойкой мулатки (равно как из молчания остальных) следовало, что единственный оставшийся им всем выбор — попасть, если посчастливится, в гарем к арабскому шейху или, если удача отвернется — угодить в турецкий бордель. Кира отказывалась в это верить. Только что она, вырвавшись из убогого быта Картонажки, царила Королевой Бала цветов в прекрасном замке, и вдруг превратилась в рабыню, в безгласный и бесправный живой товар... Нет, так в жизни не бывает! Это же ремейк фильма «Игра» с Майклом Дугласом! Сейчас произойдет очередной поворот причудливого сюжета — и все вернется на круги своя!

— У тебя есть на теле татуировки или пирсинг?

— Что?

Марша повторила вопрос.

Кира отрицательно покачала головой.

— Это хорошо. Больше шансов.

— Шансов на что? — еле выдавила из себя Кира.

— На что, на что... На арабский гарем, естественно! Там не очень любят изображения на теле. Тем более некоторые...

— Да уж... С ящерицей, или змеей можешь даже не показываться, — сказала Софи.

— И откуда вы все это знаете! — упав ничком на кровать, Кира укрылась с головой одеялом, прихлопнула его поверху рукой, прижала к уху. Это чья-то недобрая проделка. Нужно лишь переждать немного — и кто-нибудь войдет и крикнет: это был розыгрыш! Как в телепередаче...

В ту же секунду, как если бы кто-то читал ее мысли, послышался стук открывающейся задвижки, в двери клацнул и провернулся ключ. Сорвав с себя одеяло, Кира вскочила. Но это было не то, чего она ожидала.

В комнату вошла неопрятная толстуха в длинном, заметно замызганном платье с отвисшими карманами. Весила она килограммов сто, а может, и больше. Мужеподобная фигура борца, грушевидное лицо, непромытые волосы до плеч, яркая помада и густой избыток теней вокруг маленьких треугольных глаз. В руках она держала поднос с дымящимся кофейником, горкой нарезанного багета, кирпичиком сливочного масла и плошкой джема.

— А вот и завтрак, мои хорошие! Тетушка Амели принесла вам свежайшего сливового джема! — пропела толстуха таким тоном, будто и впрямь была любимой тетушкой одной из девушек, к которой приехали в гости подружки из города.

Разыгрываемый ею образ резко контрастировал с двумя небритыми охранниками-гориллами, вошедшими вместе с ней и вставшими по обе стороны двери. На поясах у них болтались резиновые дубинки, массивные пистолеты торчали рукоятками вверх из-под клетчатых рубашек навыпуск. Один был повыше — Амели звала его Роже, второй пониже — Этьен.

Толстуха поставила поднос на стол и улыбчиво повернулась к Кире.

— Здравствуй, крошка. Тебя зовут Кира, правильно? А меня Амели. Друзья называют тетушкой Амели. А дружу я со всеми, поэтому для всех я тетушка. Со мной можно откровенничать, советоваться, доверять сокровенные тайны. Тетушка подскажи, тетушка посоветуй. Я уже привыкла.

Толстуха болтала без умолку, а Кира смотрела на нее молча, и по спине бежали мурашки. Почему-то именно эта бабища с фальшивой улыбкой и слащавым голосом заставила всерьез поверить в жуткую реальность. Никакая это не игра, никакой не фильм. Это страшная реальность.

«Меня похитили. Меня продадут и сделают проституткой».

Кира, как подкошенная, рухнула на кровать. Гориллы в дверях многозначительно переглянулись.

— Уже перезнакомились, пташки мои? — продолжала щебетать тетушка Амели. — Джем сегодня исключительный. Если не хватит, вы постучите, я вам еще принесу. Люблю, когда людям нравится моя стряпня.

В руках доброй тетушки появилась тряпка, которой она несколько раз наотмашь махнула по столу.

— Ой, что это я! — спохватилась она. — Совсем забыла, память ведь к старости не лучшеет...

И вихляя массивным задом, тетушка Амели вышла из комнаты.

— Что, девчонки, может, все-таки, порезвимся на досуге? — с кривой ухмылкой процедил один из стоявших в дверях охранников — Этьен. — Чего вам простаивать? Мы хорошие рекомендации дадим...

Роже рассмеялся, шумно скребя густую щетину на бычьем подбородке.

— О да, прорекламируем по полной, — поддакнул он. — Если вы, конечно, постараетесь...

Пленницы со смиренным видом отворачивались, опускали глаза в пол — было заметно, что им не впервой выслушивать такое, но вступать в перебранку они боятся. Да и привлекать к себе излишнее внимание — тоже.

— А что это я слышу? — тетушка Амели вернулась довольно быстро и успела вовремя. — Это хрюканье вонючих свиней? Королева сейчас живо отправит вас на кухню, где уже точатся ножи!

В комнате наступила тишина. Девушки изумленно уставились на хозяйку этой лачуги, да и «гориллы» выкатили на нее свои пустые глаза, и словно окаменели.

Замызганное домашнее платье было украшено бриллиантовым колье, а на засаленных волосах кокетливо сидела корона Королевы бала цветов. В руках она держала мятые джинсы и футболку.

— Что, испугались! — довольно воскликнула она. — То-то же! Слушайтесь того, у кого корона на голове и кое-что в кармане!

Амели многозначительно похлопала себя по дряблому боку.

— А вот что я принесла для бывшей Королевы, хочу утешить бедняжку...

Она положила одежду на кровать Киры.

— Думаю, размер как раз твой. У меня глаз наметанный. В этом тебе удобней будет. Да и платьишко, поди, денег стоит немалых. Я его постираю, подштопаю и оставлю себе. А камешки, конечно, придется отдать — это я так, поношу, чтобы покрасоваться...

«Разве эти толстые пальцы могут штопать воздух и солнечный свет с блестками звезд?!» Мысль о том, во что превратится лебяжья одежда от Готье после «стирки» и «штопки» тетушки Амели не успела прокрутиться в мозгу Киры, как кружащиеся в голове слова сами слетели с губ:

— Отпустите меня, пожалуйста... Я здесь по ошибке... Я просто не выживу...

Тетушка Амели всплеснула пухлыми ручками:

— Да что ты, девочка моя! Как же так, взять и отпустить?! Да за Королеву Бала цветов заплатят больше, чем за всех остальных кисок вместе взятых!

Подпиравшие дверной косяк «гориллы» зашлись визгливым смехом.

— А что, старушка, может, устроим праздник — поделим драгоценности, напьемся, да используем девчонок по назначению? — продолжал веселиться Этьен.

— Конечно, конечно, мои маленькие ребятки! — тетушка Амели, сунув руку в карман платья, со своей обычной сладкой улыбкой подошла к огромным безмозглым тушам. — Мой дебильный хряк очень хорошо придумал...

И вдруг, с неожиданной ловкостью, резко ударила Этьена коленом в пах, а когда он согнулся, добавила кулаком по затылку, причем на пальцах уже блестел узкий кастет с полусферическими шипами. Следующий удар пришелся второму охраннику в лицо, оставив на скуле красный рубец с четырьмя кровоточащими ранками.

— Роже тоже дебильный хряк, но он не высказывает такой чуши, как ты! — сейчас Амели уже не улыбалась и не изображала добрую тетушку, напротив, она внушала парализующий ужас и проштрафившимся «гориллам», и пленницам. — И запомните, если кто-то приблизится к сейфу или к кому-то из девчонок, хотя бы на метр, тому я вышибу мозги и скормлю своим свиньям, которые умнее вас в тысячу раз! Помните, придурка Клода?

Судя по серьезному молчанию охранников, Клода они помнили.

\* \* \*

Переодеваться в принесенную одежду Кира не стала — может, побрезговала, а может, хотела сохранить на себе платье Королевы, вместо того, чтобы напяливать робу заключенной и тем самым соглашаться с новой социальной ролью. Пленницы долго не могли заснуть: обсуждали шансы на освобождение. Варианты высказывались разные: побег, полицейская операция, подвиг благородного рыцаря...

Но убежать при такой охране было маловероятно, с освобождающими прекрасных дам рыцарями последние двести пятьдесят лет было довольно напряженно, даже склонная к фантазиям Кира не могла представить, каким образом вдруг ее найдет и спасет Андрей. Оставалась полиция. Но кто ее сюда наведет?

— Раз они пользуются этой фермой, значит, у них все схвачено, — подвела итог опытная Марша, которая неплохо знала изнанку жизни. — Место пустынное, отдаленное, достаточно прикормить местного жандарма и можно ничего не опасаться...

В общем, спасать их было некому. Правда, Марша хорохорилась и говорила, что у нее есть один знакомый апаш[1], но все понимали, что это знакомство вряд ли способно кому-то из них помочь. На такой пессимистической ноте обсуждение завершилось и девушки отошли ко сну.

Всю ночь Кира провела в странной балансировке между явью и дремотным оцепенением: то проваливаясь ненадолго в спасительное забытье, то выныривая в жуткую явь, каждый раз вскидывая голову с липкой подушки и озираясь в полумраке — все ли по-прежнему, не рассыпалась ли ее тюрьма, как хлипкая декорация.

— Да спи ты, — проворчала разбуженная в очередной раз Софи. — Только зря изводишь себя... Береги силы.

Снова оставалось лишь одно — укрыться с головой одеялом и постараться хотя бы этим отгородиться от окружающего ужаса, так запросто, по-простецки орудовавшего в ее груди своими щупальцами.

«Чертова Ривьера, — думала она. — Лучше бы я сделала ремонт, купила новую мебель. Лучше бы в Сочи съездила. Или в Турцию». Она вспомнила, что в Турцию ей теперь, возможно, предстоит попасть в качестве живого товара — и тихонько разревелась. Слезы вымотали ее окончательно, и Кира сама не заметила, как отключилась.

Но в какой-то момент она села на кровати с открытыми глазами, будто и не спала. Ночь начала random сереть рассветом. Но главное — что-то происходило снаружи — там, откуда днем доносились шаги и реготание охранников. И Кира почему-то знала: это «что-то» выходит за рамки устоявшейся жизни пересыльного гангстерского притона. Напряженный до предела слух ничего не улавливал, но она со стопроцент-

_____
[1] Апаш — криминализированный тип, хулиган, бандит.

ной уверенностью ощущала скрытое смертельное напряжение и бесшумное, но жестокое действо, происходящее совсем близко и воспринимаемое ее чутким организмом по каким-то неизвестным энергетическим каналам... Вот обостренное восприятие уловило звуки какой-то возни, странные хлопки...

— Марша, — позвала Кира отчаянным шепотом. — Проснись...

Но мулатка мирно сопела на соседней койке и не реагировала на призыв. Однако, раздавшийся в следующую секунду ружейный выстрел сорвал ее с кровати. С криками: «Черт! Святая Дева Мария! Ох, дерьмо!» — Марша бросилась к двери, по пути схватив стул, и привычно сунула его спинкой под ручку.

— Эй! Вставайте! — крикнула она и, развернувшись к Кире, выругалась. — Что уставилась?

Догадавшись, что Марша просит помочь, Кира сорвалась с места и принялась со скрипом двигать стол, потом тумбочку и кровать. Кое-как им удалось забаррикадировать дверь.

— О, черт! О, Дева Мария! — то молилась, то богохульствовала мулатка, а остальные девушки оцепенело сидели на кроватях.

Между тем события за стенами их комнаты разворачивались стремительно. Не осталось никаких сомнений, что снаружи одни парни дерутся с другими. На пол валились массивные тела, слышались удары, крики, стоны, хрипы. На верхнем этаже что-то треснуло и гулко влетело в стену, так что дом содрогнулся. Раздался истошный крик тетушки Амели — и тут же оборвался. Выйдя из оцепенения, Софи, Анна-Тереза и Эмма выпрыгнули их своих кроватей и присоединились к возведению баррикады: к двери были снесены все предметы мебели, включая железные кровати.

— Хрен его знает, кто там, — прошептала Марша, кивая на заваленную дверь. — Может, другие бандиты, конкуренты. Я знаю одну такую историю... Тогда всех перестреляли!

Дом наполнился упругим стуком подошв и негромкими голосами, перебрасывавшимися короткими то ли репликами, то ли командами. Несколько бесконечно тянувшихся минут прошли, и дверь в комнату к девушкам сотряс мощный удар, потом еще один и еще. Баррикада не выдержала испытания: замок с хрустом вырвало из дерева, дверь подалась вперед, ножки стульев и стола заскрипели по полу. Протиснувшись в образовавшийся проход, в комнату, подсвечивая себе яркими фонарями, вошли два могучих африканца, очень похожие выправкой и фигурами, на давешних телохранителей Афолаби. И выглядели они так, будто только что приехали из Мон Дельмора, и ни в каких схватках не участвовали: аккуратно сидящие одинаковые темные костюмы, белые сорочки, одинаковые неброские галстуки. Осветив лица всех пленниц по очереди, и не говоря ни слова, они двинулись прямиком к Кире. Та стояла у стены на ватных ногах, онемев от страха.

Ухватив девушку под локти — крепко, но бережно, молчаливые черные гиганты неспешно, повели ее к окну, словно санитары ослабевшую больную.

— Где мои туфли? — спросила она первое, что пришло в голову. Марша бросилась куда-то в угол и вернулась с потерявшими форму лабутенами.

— Мы их померили... Но каблук сломала эта корова, Амели, — оправдывалась она. — Ну-ка, девки, помогите!

Марша и быстро подбежавшая Софи, мигом обули Киру, хотя она отметила, что вместо привычного комфорта, ноги будто попали в колодки пыточного «испанского сапога».

— Так это все из-за тебя? — изумленно спросила Софи. — Ну, ты и крутая! Наверное, княгиня Монако?

Остальные пленницы лишились дара речи и только восхищенно таращились на происходящее, в котором материализовались их мечты о благородных спасителях.

— Да никакая я не княгиня, — ответила Кира, плохо соображая, что происходит. Ее мечта тоже материализовалась, но она не могла понять — каким образом? Кто эти люди? Как они ее нашли? И что, наконец, они сделали с охраной?

Тем временем один освободитель посветил в окно фонарем. В ту же секунду стекло разлетелось вдребезги, в образовавшуюся дыру просунулась черная рука, зацепила за раму металлический крюк. Короткая пауза, рывок — и рама со смачным шлепком улетела в рассветные сумерки. Один из африканцев ловко выпрыгнул в проем, второй, легко ее приподняв, пронес над подоконником, и передал на руки напарнику.

Кира оказалась на свободе. Она глубоко вдохнула свежий утренний воздух с каким-то кислым оттенком. Обратила внимание, что двор усеян какими-то странными бугорками. Присмотревшись к ним в тусклом рассветном свете, Кира поняла, что это трупики птицы.

«Они их отравили, — пришла неожиданная и единственно верная догадка. — Иначе гуси подняли бы такой шум...»

Сам собой, автоматически, появился и ответ на вопрос о судьбе охраны...

— Эй! А как же мы? — донесся до Киры голос Марши, но она не знала, что ответить. Туфли неимоверно жали, она их скинула и понесла в руке.

У ворот стоял микроавтобус с горящими габаритными огнями и заведенным двигателем. Мягко распахнулась дверца, Киру практически на руках внесли в салон и усадили в мягкое кресло. Сопровождающие опустились по сторонам, под тяжелыми телами сиденья жалобно скрипнули. Дверца со щелчком закрылась, огромный водитель включил двигатель.

— Доброе утро, мадемуазель, — приветствовал Киру чернокожий, сидящий впереди, рядом с шофером. Он был таким же мощным, как и все остальные. Может, даже, еще мощнее. Лицо его показалось знакомым. Может, потому, что все африканцы для нее были похожими друг на друга.

— Меня зовут Мадиба. Ни о чем не беспокойтесь, ваши беды закончились. Мы доставим вас в безопасное место.

В руках у него был телефон, по которому он, кажется, только что говорил: экран еще не погас.

Микроавтобус рванулся вперед. Кира обернулась, глядя, как остается в прошлом страшная ферма, на которой она пережила самый ужасный день в своей жизни.

— Вас что-то беспокоит? — спросил Мадиба.

— Как же остальные девушки? Заберите их! Вы не можете оставить их там — вдруг кто-то очнется? И эта Амели — она страшная женщина!

— Не волнуйтесь, им уже ничто не угрожает, все будет хорошо. Скоро о них позаботятся официальные власти.

— А вы кто? — не удержалась Кира.

Ответа не последовало.

Дальше ехали молча. Уже рассвело, за окном расстилались довольно пустынные предгорья Южных Альп. Микроавтобус подпрыгивал на неровной проселочной дороге, которая шла сверху вниз, иногда петляя, чтобы уменьшить крутизну спуска. Кое-где, среди деревьев мелькали крыши домов — очевидно, в чаще прятались такие же фермы, как та, которую она недавно покинула.

Спасшие ее люди сидели молча, смотрели перед собой, не встречаясь с ней взглядами: похоже, это входило в инструкцию, расписывавшую, как вести себя при ее перевозке. Но кто дал им такую инструкцию? Кем вообще являлись эти крепкие африканцы, так легко вырвавшие ее из лап банды, неуязвимой для местной полиции? Они ведь даже не запыхались, и одежду не помяли!

Исподволь рассматривая своих соседей, Кира обнаружила, что у них одинаковые часы: из нержавеющей стали, даже на вид крепкие, противоударные, — черные циферблаты, но белые метки, цифры и стрелки, — чтобы лучше отражался свет люминесцентной краски... Явно армейские! Значит, это военнослужащие? Наверняка какое-нибудь элитное спецподразделение Французской Республики! Но почему они все чернокожие? Может, в их знаменитом иностранном легионе, про который снято столько фильмов и написано столько книг, существует какое-то особое африканское подразделение?

— Скажите, пожалуйста, мсье, — обратилась она к своим спутникам, на лицах которых напрочь отсутствовали признаки эмоций — так могли бы выглядеть незнакомые пассажиры междугороднего автобуса. — Что случилось с теми, кто был со мной в «Роллс-Ройсе»?

Ей не ответили. Как будто никто ничего не говорил. Или никто ничего не слышал.

— Мой спутник... — собравшись с силами, Кира попыталась настаивать. — Что с ним? Для меня это очень важно!

Ее обуревали эмоции, они переполняли душу и рвались наружу. Хотелось расспросить мужественных освободителей, поблагодарить их, рассказать о пережитом ужасе, от которого они ее избавили. Но те к разговорам расположены не были.

— Но почему, почему вы все время молчите?! — Она готова была заплакать.

— Простите, мадемуазель, — отозвался наконец Мадиба. — Мы только выполнили свою задачу. Все остальное нам неизвестно.

Он замолчал. Стало очевидно, что продолжения не будет, расспрашивать бессмысленно. Между тем грунтовка выровнялась и стала ровнее. А вскоре микроавтобус вырвался на знакомую асфальтовую дорогу, свернул налево, мимо промелькнул указатель «Жуан-ле Пен» — 5 км». Значит, они вдоль берега возвращаются в Ниццу! Кира скосила глаза и незаметно посмотрела на часы соседа справа. Светящиеся стрелки показывали шесть часов пятнадцать минут. Они ехали всего три четверти часа! А кажется, что побывали на другом конце света! Или вообще на том свете!

Кира откинулась на сиденье и прикрыла глаза. Под чуть тарахтящий гул дизеля и шелест шин перед ней закрутилась карусель человеческих лиц. Мужчины и женщины, худые и упитанные, молодые и пожилые, улыбающиеся, разгоряченные танцем, увлеченные разговором друг с другом и обращающиеся к Кире со всеми этими малозначительными, но завораживающе красивыми фразочками, которыми так богат французский. Лица появлялись и исчезали, люди сменяли друг друга. Но в какой-то момент плотный человеческий калейдоскоп остановился, застыл неподвижно, как будто испугался чего-то! Готовящийся к прыжку хищник смотрел на Киру цепким прицеливающимся взглядом — высокий смуглый бородач, угрожающий прищур, зловещий оскал, да и борода какого-то странного цвета... Сердце сбилось с ритма — вот он, Гастон-Синяя Борода! Кира проснулась, рывком выпрямилась, осмотрелась.

Расположившиеся на соседних сиденьях чернокожие мужчины — молчаливые и невозмутимые, все так же бесстрастно смотрели в окна. За окнами проносились картинки утреннего пригорода. Вот дама в шлеме и кроссовках под деловым брючным костюмом, на скутере торопится в офис. Вот школьный автобус подбирает детей. Вот чистенькая седая старушка выгуливает такую же чистенькую и седую болонку. Размеренная обыденная жизнь. Все позади, никто не отправит Киру в гарем!

Она вдруг спохватилась, что до сих пор не спросила, куда ее везут.

— Куда мы едем?

— Домой, мадемуазель, — ответил Мадиба. Видно, по инструкции, вести разговоры с ней мог только он один.

И снова молчание.

Больше она не предпринимала попыток заговорить, и вновь погрузилась в тревожную нервную полудрему. Дорога петляла по чересполосице пригородов. Микроавтобус то вырывался на шоссе, то стоял на светофорах. Наконец звуки города сделались плотными, забурлили сплошным потоком. Они въехали в Ниццу.

Кира открыла глаза. В курортном раю начинался очередной день, исполненный праздности и маленьких туристических радостей. Официанты на открытых площадках кафе разносили завтраки, фанаты здорового образа жизни выходили на пробежку. На перекрестке Кира заметила парочку, явно направлявшуюся к пляжу: шлепанцы, холщовые сумки через плечо, соломенные шляпы. Совсем недавно Кира вот так же, под ручку, шла с Андреем на пляж. Но та прекрасная жизнь неожиданно треснула. Или даже вообще сломалась. На глаза вновь навернулись слезы.

Микроавтобус завернул в переулок, проехал несколько кварталов и остановился.

— Здесь мы с вами попрощаемся. Ваш отель в квартале отсюда, — Мадиба указал направление вдоль улицы.

Прозвучало это так обыденно, будто привезший ее таксист извинился, что не может подъехать ближе. Поддавшись его тону, Кира так же обыденно кивнула.

— Хорошо, — сказала она, надевая туфли. — Большое спасибо!

Проворно, но без малейших признаков суеты, Мадиба выскочил из машины, огляделся, подошел к центральной дверце и распахнул ее. Повеяло свежим утренним ветерком. Кира увидела галантно протянутую черную ладонь.

— Благодарю, вы очень любезны, — опершись на этот несокрушимый поручень, и отметив, что у него такие же армейские часы, как у остальных, она выпрыгнула на улицу и чуть не упала, резко осев на левую ногу — каблук был сломан!

«Вот корова!» — помянула она недобрым словом тетушку Амели. Конечно, толстуха не умела шить воздух и лунный свет, не могла чинить лебяжью кружевную кожу, да и волшебные лабутены она вмиг испортила и превратила в орудие пыток!

Разувшись, и с облегчением ощущая ступнями прохладу свежевымытого асфальта, Кира прошла несколько шагов до ближайшей урны. Лабутены гулко стукнули о металлическое дно.

— Не забудьте ваши вещи, мадемуазель! — Мадиба протянул ей бумажный пакет с логотипом супермаркета Carrefour. Только вместо французских багетов, круассанов, вина, оливок и сыров, в нем лежало бриллиантовое колье и корона королевы Бала цветов.

Вид драгоценностей возвращал ее в недавнее и одновременно бесконечно далекое прошлое, когда ночь сияла алмазами и пахла цветочными ароматами, когда она неслась по извивам захватывающей сказки, приближавшейся к кульминации, после которой следует то самое «и прожили они долго и счастливо!»

Впервые после освобождения, Королева оглядела себя. Ноги босые, грязные. Платье измято, порвано, и покрыто какими-то маслянистыми пятнами. Что с Андреем — неизвестно. Сутки, минувшие после триумфальной коронации в замке Мон Дельмор, внесли в ее сказочную историю существенные коррективы.

«Все-таки, и в сказках за все приходится платить, — подумала она. — Кареты превращаются в тыквы, кучера — в крыс, а Золушки после бала так и остаются Золушками!»

— Прощайте, мадемуазель. Надеюсь, вы не рассмотрели тех, кто вытащил вас из бандитского гнезда. Скорей всего, они были в масках...

За спиной хлопнула дверца микроавтобуса, заурчал и стих за изгибом узкой улочки мощный двигатель. Кира оглянулась и увидела лишь пустынный переулок.

«Вот-вот, — подумала она. — Волшебство исчезает, одинокие Золушки возвращаются с бала пешком»...

Она печально вздохнула и двинулась туда, куда указал таинственный спаситель. Идти, впрочем, действительно было недалеко. Завернув за угол, Кира увидела знакомое здание и вывеску «Маджестик».

Парковка перед отелем была забита сверх обычного. Машины стояли в два ряда, второй ряд намертво запирал первый.

«Журналисты! — догадалась Кира. — Падальщики... Ждут очередной сенсации — моего трупа!»

Ее опознали не сразу. Похоже, никто не ждал, что похищенная вернется вот так — тихо и в одиночестве, без полицейских мигалок. Кира успела уже подумать, что удастся проскользнуть незамеченной, но миновать лестницу все-таки не успела. Из двери-вертушки выскочил навстречу человек с массивным телевизионным микрофоном, следом за ним второй, с кинокамерой на плече.

— Я не верю своим глазам! — кричал телевизионщик в микрофон. — Это она! Королева бала, босая и оборванная, самостоятельно возвращается в отель!

И тут уже захлопали дверцы припаркованных машин, со всех сторон бросились люди с камерами и дикрофонами, обрушив на свою жертву залп вопросов.

— Что за чудесное возвращение?

— Расскажите, как вам удалось спастись?

— Кто вас похитил?

Она ускорила шаг, но на пути успели выстроиться высыпавшие из холла папарацци. Они стояли плечом к плечу — монолитно, как римская фаланга.

— Мадемуазель Быстрова, два слова, у нас прямой эфир! Вам не причинили вреда?

— Где вы провели прошлый день?

Стрекот фотокамер напоминал звук огромной швейной машинки.

— Потом, господа, потом! — прорвав ряды журналистов, Кира оказалась в холле и припустила со всех ног к лифту.

Служащие отеля приветствовали ее восторженно.

— Мадемуазель Кира! С возвращением!

— О, Дева Мария! Это чудо!

Упитанная дама за стойкой вытирала слезы умиления. Кто-то аплодировал. Кто-то снимал ее на камеру телефона. Выскочив к толпе преследователей, администратор раскинул руки.

— Спокойней, господа журналисты! Уважайте личное пространство!

Через пару минут она стучала в дверь своего номера, не слыша звука, издаваемого побелевшими костяшками пальцев.

— Кто? — раздался через некоторое время недовольный голос Андрея.

— Это я.

Дверь распахнулась. Одетый в джинсы и мятую футболку, Андрей смотрел на нее с откровенным изумлением, как на призрака.

— Это я, я! — повторила она, почему-то испытывая раздражение. — Или ты ждешь кого-то другого?! Почему ты вообще сидишь в номере, как ни в чем не бывало?!

Он обнял ее и прижал к себе, Кира почувствовала, как ее тело обмякло. По щекам потекли слезы.

— Но что я могу сделать? Я говорил с полицией меньше часа назад, они сказали, что на след похитителей выйти, пока, не удалось. А тут ты стучишь в дверь...

Она вошла в номер, Андрей запер дверь на ключ и зачем-то посмотрел в глазок.

— Мы пришли в себя, когда уже приехала дорожная служба, — сообщил Андрей. — Они вначале думали, что это обычная авария... А что с тобой случилось?

Промокая глаза салфетками, Кира сидела в кресле и пыталась рассказывать о том, как она побывала в плену у торговцев живым товаром, про пережитый ужас и внезапное освобождение. Мысли путались и все выходило не очень складно. На столе перед ней стоял стакан воды. Пить не хотелось, но Андрей налил, не спрашивая — видимо, машинально, чтобы был под рукой, если ее накроет истерика. Не в силах совладать с возбуждением, сам он метался по комнате, время от времени останавливаясь, чтобы молча покачать головой или сморщиться, как от зубной боли — и продолжить свой нервный забег.

— Наверное, этот газ действовал. Или вкололи что-то, — говорила Кира. — Пришла в себя где-то в горах, там были еще четыре девушки и бандиты. Думаю, они готовились сразу всех нас переправить, целую партию. Хотелось умереть. А потом вдруг послышался шум, появились какие-то люди... Меня вынесли через окно...

В дверь постучали.

— Я посмотрю, — сказал Андрей.

— Пожалуйста, если журналисты, не открывай... Я не могу сейчас...

Андрей снова посмотрел в глазок.

— Там полиция, — оглянулся на Киру. — Придется открыть.

Он отпер замок, держась за ручку и загораживая проход. В коридоре стояли полицейские в форме — офицер и сержант, оба среднего роста, гладко выбритые, но с усталыми землистыми лицами. Офицер протирал белым платком лоб.

— Господин Войтов?

Андрей кивнул.

— Мы из отдела расследований. Нам хотелось бы поговорить с мадемуазель Быстровой.

Офицер заглянул через его плечо. Андрей не препятствовал — даже отклонился немного, чтобы визитер мог удостовериться, что с Кирой все в порядке. Она демонстративно отвернулась и откинулась на спинку кресла.

— Можно ли отложить этот разговор? — спросил Андрей. — Вы видите, сейчас нелучшее время.

Разведя руками, офицер продемонстрировал сожаление.

— Простите, но это экстраординарный случай. Во Франции нечасто похищают знаменитостей. Точнее, вообще не похищают. Мы с коллегой не спим вторые сутки, дело на самом высоком контроле...

Он сложил платок и сунул в карман брюк.

— К тому же каждая минута промедления уменьшает шансы поймать преступников.

— Хорошо, — отозвалась Кира слабым голосом. — Я готова.

— Тогда прошу проследовать с нами в участок.

— Но мне надо принять душ и переодеться...

На лице полицейского отобразилось сомнение.

— Двадцать минут, — сказал Андрей и, закругляя разговор, принялся закрывать дверь. — Через двадцать минут мы будем внизу.

* * *

Полицейский участок встретил Киру напряженными взглядами десятков глаз. Их с Андреем сразу завели в большой кабинет. В пляжном сарафане и босоножках, с влажными волосами, без косметики она чувствовала себя неловко. Люди в форме и штатском рассматривали ее внимательно — если не сказать въедливо, будто пытаясь разгадать зашифрованную в ней загадку, от решения которой для них зависело очень многое.

Стенд на стене был увешан распечатанными на ксероксе фотографиями. В большинстве случаев это были портреты анфас крупным планом, но на некоторых красовались фигуры в полный рост — судя по ракурсу, снятые камерами наружного наблюдения.

Тишину прервал поджарый седоволосый господин в коричневом пиджаке, бледно-голубой сорочке и синем галстуке.

— Рады, что с вами все в порядке, мадемуазель, — сказал он хрипловатым голосом и откашлялся. — Но позвольте сразу к делу.

Он жестом пригласил Киру за длинный стол, стоявший в середине кабинета. Вопросительный взгляд при этом уперся в Андрея. Кира заметила.

— Я просила господина Войтова сопровождать меня, — сказала она, и села за стол.

— Что ж. Все равно в конце придется дать подписку о неразглашении.

Господин в коричневом пиджаке уселся напротив, слева и справа от него за столом устроилось еще человек семь. Остальные остались стоять.

— Я комиссар Густав Перье, — представился седоволосый. — Назначен руководить расследованием вашего дела... Кофе, чай, воду? — прервал он себя.

— Нет, спасибо.

— Должен сообщить, что наш разговор записывается, и при нем присутствуют ответственные лица из разных подразделений, которых я, с вашего позволения, не буду представлять, дабы не утомлять вас без необходимости.

Кира обвела взглядом кабинет, не задерживаясь ни на ком из присутствующих. Те, в свою очередь, рассматривали ее все так же пристально и бесцеремонно. Было неуютно, хотелось закончить все поскорей.

— Итак, прошлой ночью вас похитили неизвестные в масках неподалеку от замка Мон Дельмор, когда вы покидали Бал цветов.

Кира кивнула.

— Сколько было преступников? Как выглядело место, куда они вас доставили?

Она пожала плечами.

— Я-то их толком и не видела. Пришла в себя уже на месте. Ферма... Сарай... Бочки какие-то... Там еще куры с гусями по двору бегали... и само помещение такое, в деревенском стиле... светлые обои... простенькие...

— Большой дом?

— Не знаю. Я видела только ту комнату, в которой нас держали...

— Извините, — вмешался стоявший за Кирой Андрей. — Но как понимать ваши вопросы? Раз полиция уже освободила мадемуазель Быстрову, то вы должны гораздо больше знать о том, о чем ее расспрашиваете!

Комиссар Перье не удостоил Андрея ответом, ограничившись лишь тяжелым многозначительным взглядом.

— Итак, мадемуазель, кто и каким образом вас освободил?

— Их было четверо, в масках. Лиц я не видела. Там были еще четыре девушки, эти люди сказали, что с ними все будет в порядке...

Кира тоже мало что понимала, но голова гудела от усталости и переживаний, а отвечать на вопросы было намного легче, чем размышлять о работе полиции.

— Стало быть, куры во дворе, светлые обои на стенах. Что еще?

— Кровати старые, железные. Старая мебель. Охрана — четыре или пять головорезов. Хозяйка — тетушка Амели, толстуха с кастетом в кармане...

Она попыталась припомнить еще что-нибудь, но воспоминания смазывались и рассыпались. Что было видно в окна помимо двора? Какая мебель стояла в комнате, кроме кроватей? Какие на окнах были занавески?

Перье беззвучно постучал пальцами по полированной столешнице.

— Хотя бы ориентировочно — где находится эта ферма?

— Но я не знаю этих мест и совершенно не ориентируюсь на местности. Да и везли меня туда в бессознательном состоянии.

— А обратно?

— Что?

— На обратном пути вы были в сознании? Как выглядела дорога, сколько времени вы ехали?

— Разбитый проселок, ведущий сверху вниз, с двух сторон промоины от дождей... Ничего особенного...

Вдруг она вспомнила фосфоресцирующие стрелки армейских часов и радостно воскликнула:

— ...Обратно мы ехали сорок минут! И выехали на шоссе у указателя «Жуан-ле Пен» — 5 км»!

Суровое лицо комиссара подобрело.

— Молодец, девочка! Ну-ка, давайте посмотрим...

На стол тут же легла бумажная карта. Полицейские оживленно сгрудились над ней, показывая что-то пальцами, ручками и карандашами.

— Тут один выход на шоссе, вот он! А на спуске не разгонишься, гравий там давно смыло, глинистая дорога петляет, за сорок минут можно проехать от пятнадцати до тридцати километров...

Педантичного вида бритоголовый офицер установил на карту циркуль и провел полукруг, потом расширил радиус и провел еще один полукруг.

— Далеко в стороны от проселка не уйдешь, там крутые склоны и густые леса, значит, вот реальный сектор поисков, — в руке появился желтый офисный маркер и он ловко заштриховал небольшой прямоугольник. — Примерно так... Квадрат «Г-3» на стыке с «Д-4»...

— Что ж, это кое-что, — кивнул Перье. — Отработаем, для начала, этот сектор. Отправляйте беспилотник. Есть у нас что-то в этом районе?

— Второй борт у моря, близ Антиба, — ответил худенький очкарик в пестрой «гавайке». — Сейчас свяжемся с оператором. До нашего сектора ему минут пятнадцать лету...

— Включайте монитор!

Прошло совсем немного времени, и огромный экран, висевший в простенке между двумя стеклянными дверьми, ожил. По нему покатились вначале ряды вилл с бассейнами и хозяйственными постройками, потом склоны холмов, покрытых ровными рядами виноградных кустов, затем пошли ярко-зеленые поля люцерны. В них вклинивались пастбища, усеянные спинами коров. Снова виноградники и снова люцерна, более серьезные горные склоны, леса, мелькающие сквозь листву крыши разбросанных на приличном расстоянии друг от друга домов...

— Примерно, этот район, — сказал бритоголовый полицейский.

Очкарик вдавил кнопку рации.

— Прочеши там все, Эмиль. Покажи нам ферму. Как понял? Ищем строения. Одинокий дом с сараем, бочки...

Помедлив немного, рация ответила:

— Вас понял, база! Пока ничего не вижу. Сейчас поднимусь повыше...

Поля качнулись, и масштаб изображения на экране стал стремительно уменьшаться: беспилотник поднимался вверх.

— Как вам такое строение? — сказал голос в рации.

Изображение на экране превратилось в ленту, которую стремительно потащили за край. Лоскутки полей и виноградников, перекрестки дорог. Наконец, картинка застыла. Высокий забор из металлического профиля, неказистый двухэтажный домик, сарай...

— Давай подробней!

Беспилотник начал снижаться. Крыша из старой черепицы, бочки у сарая, трактор...

— Желтый трактор! — вскрикнула Кира. — Точно! Там во дворе трактор стоял!

Беспилотник тем временем снизился настолько, что можно было рассмотреть и двор, усеянный трупиками домашней птицы, и дверь, распахнутую настежь, и выбитое окно в котором ветер играл занавеской — то вытягивая ее наружу, то вдувая обратно...

— Это та самая ферма, — произнесла Кира сдавленным голосом и поежилась — как будто испугавшись, что ее может затянуть в эту распахнутую дверь, и она вновь окажется в пересыльной тюрьме Гастона-Синей Бороды.

Машина сыска, собравшаяся в кабинете полицейского участка, выдохнула и пришла в движение. Профессионалы знали, что делать и действовали уверенно и целенаправленно.

— Берите вертолет, и два отделения, Жак! — скомандовал комиссар Перье. — Одну группу десантируйте в точку, вторую выбросьте вверх, чтобы никто не ушел в горы. И блокируйте дороги вниз.

— Есть, комиссар! — крупный широкоплечий блондин в черном комбинезоне, и еще двое в таком же облачении, прошли за спиной Киры и, молча вышли в коридор.

— Первое, третье отделения, по машинам! — послышалась отрывистая резкая команда. — Выдвигаемся к вертолетной площадке, живо!

Хлопнули автомобильные двери, взревели двигатели, скрипнули резко проворачивающиеся колеса.

— Жюль, все имеющиеся в районе беспилотники направить к точке. Взять под контроль квадраты «Г» и «Д» и прилегающую территорию, — продолжил Перье. — Связаться с территориальным участком и жандармерией, ориентировать их на поиск пяти головорезов и четырех девушек...

— Да, господин комиссар! — отозвался очкарик.

Андрей подошел вплотную к Кире, положил ей руку на плечо.

— Мы можем вернуться в отель? Кажется, наше присутствие здесь не обязательно?

— Вас отвезут, — рассеянно бросил через плечо Перье. Ему уже было не до Киры.

* * *

— Получается, это не полиция тебя освободила?

— Получается, так.

Прорвавшись под прикрытием сопровождающего сержанта сквозь толпу папарацци и войдя в номер, они заперли дверь и сели в кресла возле журнального столика.

— А кто?

— Думаешь, они представлялись?

— Но кто бы это мог быть? Ты их видела?

— Нет. Только маски и обычные костюмы, — Кира была обескуражена не меньше Андрея. Откуда взялись эти африканцы? Почему они целенаправленно спасали именно ее? И что стало с другими похищенными девушками?

Как бы то ни было, она на свободе, цела и невредима, и за это очень благодарна своим спасителям. Если они хотят остаться неизвестными, то выполнить их желание — самое малое, что она может сделать в ответ...

Она так и заснула сидя. Выключилась на шесть часов, как выключаются электроприборы, выдернутые из розетки — и вернулась в реальность, посвежевшая и собранная. Андрей перенес ее на кровать, а сам сидел в кресле и читал газету. Корона, завоеванная на Бале цветов, лежала на комоде, посверкивала камешками, рядом с бриллиантовым колье. Ее мир восстанавливался из осколков. Все, что радовало ее и наполняло ощущением сказки в последние дни, возвращалось. Возможно, Золушка все-таки получит и своего принца, и выстраданное в передрягах счастье. Она потянулась под простыней.

— Что пишут?

Андрей отложил газету.

— Ничего внятного, — он пересел на краешек кровати. — Полиция ведет расследование, похищенная уклоняется от общения с прессой. Кстати, ты не знаешь, откуда кровь на колье?

— Может, поцарапалась?

Она машинально схватилась за шею.

— Так вроде, нет...

— Да из царапины столько и не вытечет... Оно все было красным!

— Какой ужас!

Андрей покачал головой.

— Не страшно, бриллианты легко отмываются. Я очень быстро смыл все сильной струей воды...

— Наверное, это кровь Амели, бандерши... Она все хотела покрасоваться в моем колье... Кстати, его надо сдать. Где Жан-Поль?

— Если maman его не уволила, то скоро он должен появиться. Я позвоню на ресепшен, чтобы его спрятали в сейф.

— И корону.

— Не имеет смысла — в ней просто стекляшки, — Андрей усмехнулся. — Ну что, пришло время отпраздновать спасение королевы?

— Да уж, второе за неделю, — она обняла его за шею и, подтянувшись, села в кровати.

— Что и говорить, случаи счастливых спасений в городе Ницца, аномально участились с приездом сюда Киры Быстровой. Пойдем поужинаем? Я заказал столик в «Шантеклере». Или ты предпочитаешь «Ротонду»?

— Я не знаю ни того, ни другого. Но полностью полагаюсь на твой вкус.

— Это рестораны отеля «Негреско». А «Негреско» — один из старейших и самый известный отель на Лазурке.

— Про него я слышала... Сейчас, приведу себя в порядок...

# Глава 2
## Прогулка на дирижабле

*Ницца, наши дни*

*Нет ничего более обманчивого,
чем вполне очевидный факт.*

Они зашли в «Негреско» с угла — Андрей пообещал вначале маленькую экскурсию. Судя по интонациям, слово «маленькое» компенсировалось непроизнесенным, но подразумеваемыми эпитетами «значимая» и «очень интересная».

— Я знаю людей, которые за сотни и даже тысячи километров приезжают в Ниццу только для того, чтобы здесь пообедать, — с энтузиазмом рассказывал он, проводя Киру в огромный овальный зал со свисающей с потолка огромной люстрой. — Тут чувствуется настоящая роскошь старины, запахи легенд, следы великих личностей. Здесь бывали Коко Шанель, Марлен Дитрих, Хемингуэй, Франсуаза Саган...

— Говорят, что именно здесь князь Монако Рене влюбился в ослепительную Грейс Келли, — в тон ему продолжила Кира.

Андрей прервался на полуслове и взглянул с новым выражением.

— А ты не такая простушка, как кажешься...

— Вот как?! — она изобразила негодование. — Значит, я кажусь простушкой?

— Гм... Нет, конечно. Просто, я неудачно выразился... Раз ты все знаешь, пойдем сразу в ресторан.

Андрей заказал дюжину устриц Belon с бутылкой шампанского «Кристалл».

— Ой, а они правда пищат когда их глотаешь? — хлопая ресницами, спросила Кира.

— Не переигрывай, — досадливо ответил Андрей. — Уж что это ерунда, все знают...

— Ладно, не злись, — Кира погладила его по руке. — За что пьем?

— За твое благополучное избавление!

В зале было немноголюдно, беззвучно работала плазменная панель на стене. Все посетители под стать белоснежным скатертям, крахмальным салфеткам, хрустальным бокалам и ценам в меню. Никто откровенно не пялился на героев большого скандала, который был в самом разгаре. Хотя Кира то и дело ловила на себе искоса брошенные взгляды и понимала, что разговор за каждым столиком наверняка идет о ней. Ну, и пусть болтают о чем угодно!

Они ели устриц, пили шампанское, произносили тосты. Настроение улучшалось. От вкусной еды и вина Кира размякла. Щеки порозовели, на губах заиграла улыбка. И очень хорошо, что сюда не набились назойливые папарацци!

Время шло быстро. После устриц подали сибас в соли, его мясо просто таяло во рту.

— Это просто пир духа! — с набитым ртом сказала Кира. — Я ведь целый день не ела...

— Стали известны подробности недавнего освобождения русской красавицы Киры Быстровой, похищенной предположительно бандой Гастона Кошто, более известного как Синяя Борода, — вдруг ворвался в ресторанное благолепие упругий голос диктора. Одна из посетительниц — дородная бедрастая тетка — не выдержала теста на деликатность встала и пультом включила звук. Андрей привстал было с места, собираясь крикнуть ей, чтобы шла в номер, если хочет смотреть новости — но Кира его остановила.

— Пусть, интересно...

Они переглянулись, и Андрей опустился на стул.

Перед телевизором уже собрались официанты, посетители тоже развернулись в сторону экрана. В углу его выскочил значок «18+».

— Следующие кадры содержат сцены насильственной смерти, — предупредил диктор.

На экране появилась видеозапись. Тот самый дом. Двое мужчин лежали навзничь посреди кухни. У одного из-под плеча тянулась темная извилистая струйка. Еще трое в гостиной — двое мужчин и одна женщина. Та самая тетушка Амели. Раскинув руки и ноги, она уткнулась лбом в кухонный шкаф, отчего голова ее задралась кверху, а правый, по-птичьи округлившийся глаз, уставился в объектив.

— Согласно версии полицейских, члены банды во время внезапно вспыхнувшей ссоры, перебили друг друга. После чего Кира Быстрова, объявленная королевой на недавнем Бале цветов, сумела сбежать, и самостоятельно добраться до гостиницы, где и пребывает в настоящий момент.

Кира и Андрей ошарашенно переглянулись.

— Ничего не понимаю, — выдохнула она и добавила одними губами. — Это все неправда.

Андрей нахмурился. Калейдоскоп закружившихся вокруг них событий нравился ему все меньше и меньше.

Телевизор наконец притих. Ведущий перешел к другим новостям, и кто-то убавил звук. Подвыпившая дама, питающая повышенный интерес к новостям, приклеившись взглядом к Кире, вернулась на место, персонал занялся своими делами. Но передача взбудоражила посетителей — за каждым столиком теперь оживленно обсуждали увиденное, чувствительные натуры отодвигали от себя недоеденные блюда.

Пропал аппетит и у самой Киры. Она нехотя ковыряла земляничное мороженое, тщетно пытаясь собраться с мыслями. Рассказ телеведущего, словно ингредиенты салата, смешавшего правду, недоговорки, и откровенный вымысел, выбил ее из колеи. Кто ее освободил? Где другие похищенные девушки? Почему выдвинута столь неправдоподобная, театральная версия гибели бандитов?

У Андрея тоже испортилось настроение. Он задумчиво потягивал граппу, не поднимая на Киру глаз. Она явно чего-то недоговаривает, новости тоже рисуют очень странную картину. Что все это значит?

— Боюсь показаться невеждой, — раздался мужской голос рядом. — Но позвольте мне прервать ваше задумчивое уединение.

Андрей и Кира одновременно вскинули головы. Перед ними стоял ничем не примечательный коренастый мужчина в мешковатом сером костюме и сорочке с однотонным серым галстуком. Он не был похож ни на журналиста, ни на охотника за автографами.

Поняв, что его не узнают, мужчина представился:

— Пьер Фуке. Нас знакомила мадам Войтова на Балу цветов.

— Ах да, — спохватилась Кира. — Я должна была вам позвонить... Простите, Пьер, столько всего произошло...

— Что вы, прекрасно понимаю.

Андрей жестом пригласил Фуке за столик.

— Не выпьете ли с нами кофе?

— С удовольствием. Эспрессо.

Андрей подозвал официанта.

— Два эспрессо и капучино без корицы.

— Приходите в себя? — поинтересовался Фуке у Киры, не стараясь изображать протокольного участия — и этим располагая к себе. Чувствовалась в нем неподдельная естественность — или муниципальный служащий располагал отменным актерским талантом.

— Да-а, — с потерянным видом протянула Кира. — Пришли, вот, отвлечься, посидеть... а тут...

— Увы, повышенный интерес к скандальным новостям — патология века. Подвержены все без исключения. Вам, наверное, нелегко оказаться в эпицентре. Не представляю, как бы я с этим справлялся.

— О да, — вздохнула Кира. — Такой насыщенной жизни у меня еще не было. Одна случайность за другой.

Фуке сочувственно покивал.

Принесли кофе. Разговор переключился на другой регистр.

— Скажите, мсье Фуке, — сказал Андрей. — Я понимаю, что вопрос не по адресу. Но вы производите впечатление человека вполне адекватного...

— Эх, жаль, вас не слышит моя жена!

— И очень информированного, как сказала мадам Войтова, — встряла Кира. — Она считает, что вы все про всех знаете!

— О, она преувеличивает, — выставил ладонь Фуке.

— Почему такая путаница в передачах? — продолжил Андрей. — Там рассказывают вещи, которые никоим образом не согласуются с реальностью.

— Да, — подключилась Кира. — Все было совсем не так!

— Очевидно, у полиции есть какие-то свои расчеты и планы, — ответил Фуке, и поднес чашку к губам. — А здесь отличный кофе.

— Ведь они не сами перебили друг друга! И я не сама убежала! Я бы и дороги обратно не нашла!

— Но кто тогда это сделал? — с искренним интересом спросил Фуке.

— Четыре человека. Они... — Кира осеклась. — Они были в масках. Крепкие, рослые, в одинаковых армейских часах. Они очень четко провели эту операцию. Как в кино!

— Да ну?! — изумился Фуке, и сделал еще один глоток.

— Да, да, именно так все и было! Но кто это сделал?!

Кира положила руки на стол перед собой, склонила голову набок, как школьница, которая не может решить задачу и надеется на помощь преподавателя. Она почему-то была уверена, что Фуке знает ответ на этот вопрос, и подсел он за их столик не для того, чтобы ограничиться разговором на общие темы.

— Кто меня спас? — повторила она.

Скромный муниципальный служащий посмотрел долгим открытым взглядом на Киру, потом на Андрея, позволяя собеседникам прочесть в его откровенных глазах все, что они сумеют. Тон его почти не изменился, когда он наконец ответил:

— Хотя вы и не описали их внешность, мадемуазель, судя по всему, это были «Черные леопарды»...

Андрей поперхнулся кофе.

— Кто?! — изумилась Кира. — Какие леопарды?

— Элитный спецназ африканского государства Борсхана. Известно вам такое?

— Не самое симпатичное место на земле, — ответил за Киру Андрей. — До недавнего времени там процветало людоедство, газеты писали, что один из правителей обожал человеческие пальцы... Но что эти леопарды делают в цивилизованной Европе?

— Они и созданы бывшими офицерами элитных французских частей, решивших осесть в Африке по различным пикантным причинам, — пояснил Фуке. — «Леопарды» охраняют Президента Борсханы, обеспечивают безопасность посла этой богоспасаемой страны во Франции, а также безопасность важных гостей. Например, заместителя исполнительного директора международной алмазной корпорации «Алмазы Борсханы» Джелани Афолаби. Вы должны были видеть его на балу.

— Видели! — скривила губы Кира. И мстительно добавила:

— Он единственный, кто не посчитал нужным вручить мне свою визитную карточку...

— Подождите, но откуда муниципальный служащий знает то, чего не знает полиция? — растерянно спросил Андрей. — Полицейские понятия не имеют о том, кто освободил мадемуазель Быстрову!

Вместо ответа Фуке вскинул ладонь — так полицейский останавливает автомобильный поток в экстренной ситуации.

— Это не тема для сегодняшнего разговора.

И откашлявшись, уже не «кофейным» тоном, торжественно произнес:

— Мадемуазель Быстрова, местная власть в моем скромном лице официально предлагает вам получить вид на жительство во Франции. Так сказать, как героине и знаменитости. Это, безусловно, будет полезно для Ниццы. И для вас, полагаю, откроет новые жизненные перспективы...

Машинальным жестом Кира ковырнула растаявшее мороженое, отправила ложку в рот, запила глотком «капучино».

— Спасибо, — растерянно сказала она. Больше в голову подходящих слов не приходило.

Зато Андрей не стал скрывать своего изумления.

— О-ла-ла, — он покачал ладонью, будто дирижировал невидимым оркестром. — А мне? Я ведь тоже спас утопающих...

— Про вас указаний не поступало, — развел руками Фуке. — Видите ли, места для спасателей ограничены...

Кира молчала, собираясь с мыслями. Но мысли собирались плохо.

— Видите ли, я не могу... вот так, сразу...

— Конечно, — кивнул Фуке. — Не спешите, у вас есть время все обдумать. Вот. Полагаю, моя первая визитка была утеряна при извинительных обстоятельствах.

Он выложил перед Кирой визитную карточку. Она взяла ее, сунула в сумочку, и неожиданно встала.

— Давайте выйдем, я хочу на воздух! Мы прогуляемся пешком...

Андрей остался расплатиться, а Фуке пошел следом. Стоило им с Кирой выйти на улицу, как вновь зажужжали кинокамеры. Шеренга журналистов выстроилась вдоль тротуара, за растянутой на переносных столбиках красно-белой лентой, какой обычно огораживают места преступлений и дорожных работ. В глаза ударили фотовспышки, загорелись осветительные лампы, нацелились в упор микрофоны.

— Мадемуазель Быстрова, пожалуйста, уделите несколько минут прессе!

— Мы ждем целый день! Неужели все было так, как сообщили в новостях?

— Из-за чего бандиты перебили друг друга?

Если бы не тройка полицейских, оттеснявших репортеров, они бы и в этот раз взяли Киру в оцепление.

— Ооо, — послышался сзади голос Андрея. — Да мы снова в тисках пятой власти!

— Спасибо, господа, что позволили нам более-менее спокойно поужинать! — поблагодарил он полицейских, беря Киру под локоть. Они не отреагировали, только один ответил едва заметным кивком в сторону, где прохаживались вдоль красно-белой ленты люди в штатском, но с повадками полицейских. Они внимательно наблюдали за обстановкой вокруг и сканировали лица зевак.

— Позвольте предложить вам трансфер до гостиницы, — сказал Фуке. — Ну, или до того места, которое вы назовете. Но, полагаю, прогулку по Ницце лучше все-таки отложить.

— Да, — обернулась к нему Кира. — Отвезите, пожалуйста.

Смешно привстав на цыпочки, Фуке замахал вытянутой вверх рукой.

— Сию минуту.

За спиной у муниципального служащего мигом появились два крепко сбитых мужчины в строгих костюмах, и с галстуками. Фуке обернулся к ним и бросил что-то вполголоса.

В следующую секунду они переставили столбики, державшие заградительную ленту, и в образовавшийся зазор задом на тротуар въехал огромный черный «Кадиллак». Фуке жестом пригласил Киру с Андреем в машину. Не дожидаясь, пока кто-нибудь из кавалеров откроет для нее дверь, Кира сама дернула ручку. Усаживаясь в просторный салон, она вдруг выхватила в людской толчее знакомое лицо. Застыла на мгновение, поискала взглядом. Точно! Тот самый африканец — Мадиба, на этот раз в легком светлом дорогом костюме! Он стоял, облокотившись на такой же огромный лимузин с наглухо затонированными стеклами, и глядя куда-то в сторону, как будто рассеянным, лишенным эмоций, взглядом. Его присутствие здесь не добавляло происходящему ясности. Но интуиция подсказывала Кире, что говорить о нем с Фуке не стоит. Будто случайно повернув голову, Мадиба мазнул взглядом по Кире с Андреем, по Фуке и двум его помощникам. И это был не случайный взгляд, нет... Это был взгляд профессионала оперативной работы.

Кира плюхнулась на мягкое сиденье «Кадиллака», подвинулась, уступая место Андрею. Дверца за ними захлопнулась. Помощники Фуке легкой трусцой бросились в сторону перекрестка. Сам он устроился на пассажирском сиденье возле водителя, и машина осторожно покатилась мимо наставленных в упор объективов фото- и телекамер.

— Вам, конечно, понадобится немало сил, чтобы перенести тяготы известности, мадемуазель Быстрова!

Фуке произнес это своим обычным тоном балагура, в котором Кире теперь слышались наигранные нотки. Не вязался этот образ ни с «Кадиллаком», ни с расторопными парнями, которым Фуке буднично отдавал распоряжения, и которые их с привычной готовностью выполняли.

— Но пусть это временное неудобство не станет для вас решающим аргументом, когда вы будете рассматривать мое... наше предложение. Уверен, что через несколько дней ажиотаж уляжется, и вы сможете спокойно наслаждаться жизнью на Лазурном побережье.

— А если нет, купим карнавальные маски, — пошутил Андрей с некоторым усилием.

Фуке ничего не ответил. Кире показалось, что Андрей вызывает у него сильнейшее раздражение. И то, что он говорил за столом, предназначалось только для ее ушей.

Когда подъезжали к «Маджестику», второй «Кадиллак» уже поджидал их. Он немного продвинулся вперед, завернув мордой к стене почти вплотную — так, чтобы не оставить прохода. Одновременно автомобиль с Кирой и Андреем подъехал ко входу. Фуке вышел первым, помог выйти Кире. Следом выбрался Андрей. Разумеется, журналисты караулили и здесь.

— Получается, что вы спаслись без помощи полиции?

— Как вы нашли обратную дорогу?

— Кто эта убитая женщина?

Но втиснуться между «Кадиллаками» они не могли. Водители лимузинов — какую бы службу они ни представляли, знали свое дело.

— Позвольте проводить вас до номера, — сказал Фуке.

— Странное чувство, когда тебя с твоей девушкой провожает муниципальный служащий, — буркнул Андрей.

— О, это Франция! — парировал Фуке. — Страна творческих решений.

— О да! Пока лично меня особенно впечатлило творчество новостного канала...

Киру пикировка спутников успокаивали. Несмотря на щелканье фотокамер, она постаралась расслабиться и взяла Андрея под руку.

— Идемте, господа. Ваша компания меня вполне устраивает.

В лифте, многозначительно откашлявшись, Фуке произнес тоном человека, понимающего, что собеседники могут неоднозначно воспринять его слова:

— Мадемуазель Быстрова, мсье Войтов... От имени все той же муниципальной власти я прошу вас... Во избежание повторения печальных инцидентов позвольте моим... коллегам охранять ваш номер. Поверьте, они не причинят вам никаких неудобств.

На этой фразе двери лифта распахнулись, и Кира увидела двоих мужчин, стоящих по сторонам двери ее номера.

— Им бы еще камзолы и алебарды, — вздохнула она. — Ведь я же как-никак королева! Ну, ладно уж... Пусть стоят без алебард...

* * *

К хорошему быстро привыкаешь. Уже целую вечность сказочных каникул, ее день не начинался так рано: на рассвете резко и требовательно зазвенел телефон Андрея. Прижав мобильник к уху, хрипя осипшим спросонья голосом: «Да. Слушаю. Конечно, спал!», — тот выскочил в прихожую. Но Кира уже проснулась. Лежала, моргая осоловело. Часы на стене напротив показывали «6:17». Кто, или что, обитающее в телефоне бойфренда, ни свет, ни заря вламывается в шикарный номер с видом на ласковое море? Ничего позитивного от раннего тревожного звонка Кира не ждала. Через закрытую дверь произносимые Андреем отрывистые фразы звучали смазанно, слов было не разобрать. Но тон был нервный, в этом она не сомневалась.

Он вернулся через несколько минут. Хмурый. В руке помимо телефона какой-то конверт из плотного картона.

— Что-то случилось?

Андрей со вздохом кивнул, отвел глаза.

— Проблемы с бизнесом... Мы только-только стали выходить на французский рынок — и надо же... Как назло, я как раз здесь, но отсюда эту пробоину не залатаю. Придется лететь в Москву!

Он лег рядом с Кирой, прикрылся простыней, протянул ей конверт.

— Это тебе. В прихожей лежало. Подсунули под дверь.

Она взяла с тумбочки маникюрные ножницы, отрезала край с торца, вытряхнула странно тяжеловатый и твердый золотистый листок размером с открытку. На нем, выполненная каллиграфическим почерком, затейливыми, с росчерками, черными буквами, красовалась лаконичная надпись: «Господин Джелани Афолаби имеет честь пригласить Королеву Бала цветов совершить небесную прогулку на дирижабле, которая состоится сегодня, в удобное для Королевы время». В правом нижнем уголке поблескивал граненый камешек.

— Странно, — произнесла она. — Приглашение без адреса, без времени...

— Ну-ка, дай! — Андрей протянул руку, покрутил открытку, согнул, провел ребром по ладони, даже зачем-то понюхал.

— Ничего себе! — наконец сказал он. — Открытка-то из золота! А внизу вставлен бриллиантик... Вот как они надпись учинили, непонятно...

— А все остальное понятно? — Кира не могла скрыть сарказма.

— Конечно! На тебя положил глаз богатый чувак, который хочет удивить тебя золотом, бриллиантом и дирижаблем. Ты летала на дирижабле?

— Никогда!

— Думаю, так ответит миллион женщин из миллиона. Дирижабль гораздо увлекательней самолета. В общем, с неба на красивую девушку свалилась замечательная альтернатива. Как я понимаю, тебе билет на Москву заказывать не надо?

Кира молчала. Остаться в Ницце одной, наедине с толпами бесцеремонных журналистов, странной полицией, какими-то «черными леопардами» и неведомыми опасностями, было страшновато. Но и бросить разворачивающуюся в серой жизни увлекательную цветную сказку, досрочно окунуться в беспросветные будни бухгалтерии офисно-коммерческого центра, так до конца и не изжившего унылый дух картонажной фабрики, было свыше ее сил.

— Не надо, — ответила она. — Отпуск-то не закончился!

— Ну-ну, — неопределенно кивнул Андрей, выполняя бронирование онлайн. — Я буду звонить по возможности...

— Конечно! — без особого энтузиазма повторила Кира, рассматривая драгоценное приглашение.

«Прогулка на дирижабле с моим величеством... Ладно, так тому и быть!» Настроение менялось, причем в лучшую сторону. Она представляла, как алмазный магнат катает ее на дирижабле — и успокаивала себя соглашательской мыслью:

«Не могут же неприятности следовать одна за другой! Недаром говорят, что снаряд не попадает дважды в одну и ту же воронку. Как знать, быть может, в ее жизни открывается новая страница, полная приятных сюрпризов и шикарных подарков...»

Голос Андрея вернул Киру в утреннюю реальность.

— Нужно выезжать прямо сейчас.

Он встал с кровати, в два широких шага пересек комнату и, распахнув шкаф, потянул с вешалки рубашку.

— Надеюсь, обойдется без пробок, — пробормотал он, быстро натягивая брюки. — Не скучай!

— Вряд ли мне это удастся, — сказала Кира, надеясь, что бойфренд не разберет фальши в голосе. Он был уходящей натурой. А еще сильней и искренней она надеялась, что скучать ей не придется.

Быстрый прощальный поцелуй и дверь захлопнулась. Кира укрылась с головой, надеясь снова уснуть. Но сон не шел.

«Завтракать, — приказала она себе, отбрасывая простыню и вскакивая. — Нечего киснуть!»

Напевая, она направилась в ванную. Голая, ставя ноги «по-модельному» — в одну линию.

«А после завтрака меня найдут. Приглашенных на частный дирижабль всегда находят, еще ни одна не потерялась...»

В этом она была совершенно права.

\* \* \*

В коридоре стояли двое, как и раньше, но дислокация изменилась — теперь один нес службу возле двери номера, другой — напротив аппендикса, в который прибывал лифт. Но бдительности и установленного порядка охраны они не проявляли: переговаривались о чем-то — похоже, просто травили байки, обычные для двух здоровых мужчин, проводящих время в бездействии и категорически запрещенные для лиц, обеспечивающих чью-то безопасность. При виде Киры они посерьезнели.

— Доброе утро, мадемуазель, — сказал тот, что стоял ближе. — Мы здесь, чтобы вас охранять.

— Доброе утро, господа, — ответила Кира. — Я собираюсь позавтракать внизу, в ресторане.

Охранник, стоявший в районе лифта, нажал кнопку вызова.

— Я сопровожу вас.

Вблизи она рассмотрела в спутнике смешение кровей: восточную смуглость, нехарактерный для европейца разрез глаз, слегка крючковатый нос. Заходя в лифт, Кира удивилась тому, с какой легкостью она освоилась с ролью охраняемой особы. И в который раз убедилась: к хорошему быстро привыкаешь!

Смуглый охранник остался стоять у входа, Кира зашла в ресторан, сразу обратив на себя внимание. Но она уже привыкла, и даже научилась вести себя естественно, никак не реагируя на заинтересованные взгляды и шушуканье любопытной публики.

К завтраку был накрыт длинный шведский стол с самой разнообразной едой — от мюсли и йогуртов с сухофруктами, до ветчины, куриных грудок, жареных колбасок, многочисленных разновидностей яичницы и обилия сыров. Ко всему этому изобилию прилагались бутылки с шампанским, стоящие на тумбочке в наполненных льдом серебряных ведерках. У ведерок было оживленно. Поразмыслив, Кира тоже решила выпить шампанского. Оно уже успело стать частью ее новой красивой жизни. К тому же улучшало настроение и заставляло начинающийся день сразу играть яркими красками.

— Прошу, мадемуазель.

Молодой мужчина в мятом льняном костюме — сам такой же мятый, не иначе, с крепкого похмелья, уступил ей очередь.

— Спасибо.

— Самый здоровый завтрак — бокал шампанского и... Еще бокал шампанского!

Малый был не прочь завязать знакомство и, похоже, не узнавал в Кире звезду газетных передовиц и теленовостей. Но Киру он не заинтересовал, поэтому она демонстративно проигнорировала неловкие заигрывания.

К шампанскому она взяла вазочку с салатом из морепродуктов, сыр «бри», круассан, уселась за освободившийся столик возле окна и неспешно приступила к экзотическому, по крайней мере для нее, завтраку.

За окном раскинулось голубое безоблачное небо, которое мягко сливалось с ярко-синим, покрытым дрожащими бликами, морем. Белые крылья чаек и яхтенных парусов, казалось, меняются местами, плавно перемещаясь из одной стихии в другую. Нервное напряжение последних дней таяло в этой безмятежной синеве. Молодость и роскошный морской пейзаж делали свое дело. Впрочем, немалый вклад вносило и шампанское. Кира незаметно осушила бокал. Проходивший мимо официант заметил и предложил повторить.

— Да, пожалуй, — не раздумывая, согласилась Кира.

И обрадовалась, когда в бокале вновь запрыгали веселые пузырьки.

— Могу я предложить также чай или кофе?

Слова официанта звучали, как строчка из оперы. Кира заслушалась и ответила не сразу.

— Чай, пожалуйста.

Настроение стремительно улучшалось. Она ощущала в себе некоторую бесшабашность — состояние для нее крайне редкое, — которая отвлекала от мысли, одолевавшей ее с первого дня на Лазурном Берегу и проснувшейся сегодня, при виде Андрея, срочно собирающегося в Москву. Мысль о неизбежном возвращении Золушки со сказочного бала в убогую кухню мачехиной квартиры, оказывалась гораздо ужасней воспоминаний о похищении.

Вернувшийся с чашкой чая официант что-то сказал. Погруженная в свои раздумья Кира поняла это с некоторым запозданием. Пришлось переспросить.

— Вас ждут во внутреннем дворике, — повторил он, и поставил чашку на стол.

Кира не стала спрашивать — кто. Она даже не выразила удивления, лишь взглянула на стоявшего у входа охранника. Официант прочитал этот взгляд безошибочно.

— За столом с десертом есть дверь, которую не видит тот мсье у входа, — сказал он.

Кира еле заметно кивнула. Официант ушел, а она, чуть помедлив, отправилась к десертному столу. Что-то подсказывало ей, что нужно принять это приглашение. Жилка авантюризма дрожала внутри и толкала вперед. Возможно, бесшабашность ее была вызвана чудесными совпадениями — ибо надо признать, что в череде случайностей последних дней, приятные преобладали. Молодой девушке, до сих пор видевшей от жизни так мало благосклонности, сложно было сопротивляться синдрому баловня судьбы...

На веранде ждал элегантно одетый богатырь-африканец — Кира сразу узнала Мадиба. На этот раз он был в белых брюках, легком желтом пиджаке, белой рубахе с распахнутым воротом, в котором виднелся желтый шейный платок на мощной шее... Сейчас он выглядел обычным курортным франтом, плейбоем, и совершенно не был похож на грозного воина, хотя армейские часы по-прежнему красовались на широком запястье. Они тепло поздоровались.

— Господин Афолаби поручил мне доставить Королеву на «Звезду Африки». Конечно, если его приглашение принято.

Услышав эти пафосные фразы, неподходящие Мадиба так же, как и броская одежда, Кира не сдержала улыбки. И тут же подумала, что текст этот, скорей всего, задан хозяином: его напыщенность вполне сочеталась со стилистикой приглашения на листе золота с бриллиантом в уголке.

— Принято, принято, — весело ответила она.

— Прошу.

Они сели в просторный белый «Ситроен» со шторками на окнах, занявший почти весь внутренний дворик.

— Господин Афолаби приносит извинения за столь скромный автомобиль, который он для маскировки вынужден предоставить Королеве, — сказал Мадиба, и запустил двигатель.

И снова Кира улыбнулась.

«Ах, не останавливайтесь, прошу вас»! — хотела сказать она, но суровый африканец явно не был настроен шутить, — шутки не его амплуа, — и она благоразумно промолчала.

Водил он отменно, умело маневрируя, и мастерски выдерживая среднюю скорость: по запруженным улицам машина шла плавно, без торможений и резких ускорений.

— Как вы смогли меня найти? — спросила Кира. — Я имею в виду, найти тот дом...

Вначале она подумала, что Мадиба не хочет отвечать. Но он ответил.

— В джунглях мы по запаху чуем зверя за километр. И человека тоже...

Разговор завязался и это был добрый знак.

— Вы хорошо знаете Ниццу. Но ведь вы же тут не живете? — попыталась она закрепить успех.

Снова помедлив, африканец неопределенно пожал плечами.

— Сейчас живу.

— А вообще, где ваш дом?

Однако, так далеко разговорчивость Мадиба не распространялась.

— Простите, но об этом вам лучше спросить у господина Бонгани.

— А это кто? — удивилась Кира.

— Мой начальник. На Бале цветов мы сопровождали господина Афолаби. Помните?

Кира из вежливости кивнула. На самом деле, она тогда не запомнила телохранителей ВИП-африканца. И сейчас видела в сопровождающем только своего спасителя, вырвавшего ее из лап похитителей.

— А почему в новостях сообщили, что я сама убежала от бандитов? — продолжала интересоваться она.

— А об этом лучше спросить у журналистов, — холодно ответил Мадиба.

Кира все поняла. Дальше ехали молча.

Как только выехали за город, «Ситроен» прибавил скорость. Сзади пристроился массивный черный джип. Вскоре, миновав несколько развилок, машины свернули вглубь побережья.

За деревьями, тянувшимися по обочине, вспыхнули ослепительные блики. Присмотревшись, Кира разглядела дирижабль с зеркальной поверхностью. Машины подъехали к воротам небольшого частного аэропорта. Ворота отворились, «Ситроен» с джипом покатили к дирижаблю прямиком по разлинованной бетонке. На ее дальнем краю красовались несколько небольших самолетов и двухместный вертолет. Центр аэродрома — и, казалось, основательная часть небесной сферы — были отведены под дирижабль. Он висел у причальной мачты, принайтованный к ней толстыми канатами. Вблизи его огромное зеркальное тело, мерно покачивающееся на ветру, как корабль на волнах, представляло совершенно фантастическое зрелище: на зеркальной поверхности причудливым образом отражались небо и бетон, деревья и самолеты — одно перетекало в другое, распадалось на части и снова собиралось в фокус, рождая у Киры фантазии о невидимом живописце-волшебнике, рисующем свои чудесные миры поверх наскучившей ему реальности.

Пятно приближающегося автомобиля, то растекаясь, то схлопываясь в точку, протанцевало на выпуклом зеркале и замерло чуть правее надписи «Звезда Африки» и логотипа: черный африканский континент внутри испускающего разноцветные лучи звездообразного бриллианта. «Ситроен» остановился метрах в двадцати от трапа, ведущего во чрево воздушного корабля, рядом с несколькими дорогими лимузинами премиум-класса. Под переливчатым брюхом выстроились дюжие африканцы в пустынном камуфляже, высоких шнурованных ботинках на толстой подошве и черных беретах. Широко расставив ноги, и держа руки за спиной, они образовывали кольцо, прорваться через которое к трапу могло только хорошо подготовленное и вооруженное до зубов армейское подразделение. Кира обратила внимание, что все бойцы были в бронежилетах, с большими кобурами на поясе и короткими автоматами поперек груди.

Мадиба открыл дверцу, подал руку. «Черные леопарды» при появлении Киры синхронно подпрыгнули, оглушительно топнув по бетону сначала правой, а потом левой ногой, встали по стойке «смирно» и, приложив руку к беретам, гортанно выкрикнули что-то.

— Протокол для королевских особ, — пояснил Мадиба. И добавил в ответ на ее вопросительный взгляд:

— Вы ведь королева...

— Ах, да! Точно!

Кира не поняла — в шутку или всерьез он это сказал, но она была настроена на веселье. И надеялась, что день воздухоплавания поддержит этот настрой.

По трапу, похожему на самолетный, она поднялась в пассажирскую гондолу и оказалась в царстве роскоши. Полированное дерево, золотые барельефы на стеновых панелях, пружинящий под ногами ковер. Стюард в красивой серой форме с отороченными серебряным шитьем рукавами и воротом, почтительным жестом указал ей направление движения из посадочного тамбура, и двинулся первым, показывая дорогу.

Длинный коридор, с дверями нескольких кают, вывел в просторный салон с панорамным остеклением, в котором у овального прозрачного стола на львиных лапах из бронзы, в мягких белых кожаных диванчиках, удобно устроились двое солидных господ с женами — их Кира не раз видела в газетах и по телевизору, да и на Балу Андрей их показывал. Какие-то важные богачи, но имен она не помнила. Напротив сидели живописно выглядящие в национальных одеждах африканец и арабский шейх.

Бритоголового чернокожего атлета она узнала только тогда, когда он поднялся ей навстречу. Сегодня Афолаби был не в отливающем перламутром смокинге, а в яркой тунике с короткими широкими рукавами, из тканого материала, расшитого желто-красными геометрическими узорами. Туника доходила до середины икр, обнажая красные штанины и сандалии из ремешков крокодильей кожи. На плечах легкий красный платок, на голове желто-красная шапочка, за широким желтым кушаком, слева, заткнут кривой кинжал в усыпанных разноцветными камнями ножнах. Из-под платка выглядывало странное ожерелье: какие-то нанизанные на цепочку грубые желтые подвески неправильной формы. Кира не сразу поняла, что это золотые самородки. Ну, по крайней мере, хорошо, что не косточки фаланг человеческих пальцев...

— Благодарю за оказанную честь быть моей гостьей, мадемуазель Быстрова, — учтиво произнес он на французском.

Чернокожий референт, возникший за хозяином, как тень, перевел приветствие на русский, а затем, немного понизив голос, — на английский, для кого-то из гостей.

— Спасибо за приглашение, господин Афолаби, — ответила Кира по-французски. — Выглядит ваш дирижабль восхитительно. Я уже под большим впечатлением. А ваш наряд привел меня в полный восторг...

— Это цвета моего племени, — Афолаби вежливым кивком пригласил Киру присесть за стол возле себя. Она опустилась на очень удобный стул, как будто специально изготовленный под изгибы ее тела.

— Вы, как мы только что убедились, прекрасно говорите по-французски, — сказал хозяин. — Но если вдруг возникнут трудности с переводом — смело зовите Андре...

Афолаби кивнул на референта.

— Он знает восемь языков и наверняка вам поможет. А сейчас, позвольте представить моих гостей...

— Ахмед бен Касим, — хозяин почтительно указал на шейха в длинной белой джалабии и белом платке, перехваченном черным обручем. Лицо Ахмеда бен Касима не выражало никаких эмоций, как будто речь шла не о нем. Он даже не кивнул и не изобразил видимости какого-нибудь приветствия в ответ на вежливую улыбку Киры.

— Господин Вильям Вебер, банкир, руководитель международного валютного фонда, а это его супруга Маргарет...

Седой, полноватый, начинающий лысеть мужчина лет пятидесяти пяти, в строгом костюме, галантно привстал, поймал руку Киры и приложился к ней губами. Маргарет доброжелательно улыбнулась. У нее было гладкое, после подтяжки, лицо, серьги и кольца с огромными бриллиантами, испускающими лучи, освещающие все пространство салона.

— Мистер Джеймс Камински, заведующий правовым отделом Управления добычи полезных ископаемых Организации Объединенных Наций, — худой, будто вырезанный из фанеры джентльмен в массивных роговых очках повторил жест Вебера. Они были примерно одного возраста. Одинаковые деловые костюмы, одинаковые сдержанные манеры, одинаковые белоснежные зубы из металлокерамики. И жены у них были похожими.

— Его супруга Мария...

Мария повторила светскую, ни к чему не обязывающую улыбку Маргарет. Судя по почтенному возрасту, это были настоящие жены, а не взятые на бал любовницы. Их однотипные, скромные на вид, платья явно были куплены в дорогом универмаге типа «Хэроддса», но Мария не надела бриллиантов, хотя трудно было предположить, что их у нее нет.

Кира понимала, что в своих джинсах, босоножках и цветной шелковой маечке выглядит в этой компании белой вороной. Впрочем, и порванное платье от Готье, с поломанными лабутенами и прокатным колье в придачу, не изменили бы этого впечатления. Но тогда что она здесь делает? Впрочем, небольшой опыт светской жизни подсказывал: время покажет...

— А это Абиг Бонгани, мой вечный заместитель, — с улыбкой Афолаби показал на коренастого, изрядно поседевшего, коренастого африканца, с безразличным видом опирающегося на стену возле входной двери, так, что вошедший не мог его увидеть если, конечно, не крутил настороженно головой. Бонгани был в просторной рубашке цвета хаки, и таких же штанах — то ли это военная форма без знаков различия, то ли просто похожая на нее гражданская одежда.

Как только церемония знакомства закончилась, дирижабль качнуло, и он начал плавно подниматься. Серый бетон аэродрома, стоящие на приколе самолеты, выстроившиеся в ряд лимузины и цепь «Черных леопардов» остались внизу, за стеклами кабины разлилось яркое небо Южной Франции. Земля уходила вниз, самолеты и лимузины превратились в детские игрушки, а бойцы — в муравьев. В абсолютной тишине дирижабль продолжал набирать высоту. Никакие посторонние звуки не мешали беседе.

— А что, мне нравится, — сказал Вебер. — Может, заказать такой же? Как ты считаешь, дорогая?

Маргарет засмеялась.

— Когда я возражала против покупок, милый?

Камински покачал головой.

— Гибель «Гинденбурга» навсегда закрыла дорогу эре цеппелинов.

— Не могу с вами согласиться, — вмешался Джелани Афолаби. — «Гинденбург» сгорел из-за водорода. Теперь используется инертный гелий. Новые материалы, герметичные отсеки, запас сжатого газа, компьютерная регулировка давления... В любом случае, он плавно опустится на землю...

— Увы, не всегда катастрофы происходят по инженерным расчетам, — покачал головой Камински. — Форс-мажорные обстоятельства часто перечеркивают оптимистические прогнозы...

Афолаби рассмеялся.

— Сразу видно юриста мирового уровня! Хорошо, Джеймс, открою вам главный секрет: в случае форс-мажора пассажирская гондола отстреливается и опускается на парашютной системе! В общем, безопасность здесь приближается к ста процентам.

— Приближается? — остро глянул Вебер.

— Конечно. Стопроцентной безопасности еще никто не придумал...

— Что ж, я, наверное, рискну, — кивнул Вебер. — Сколько времени займет постройка?

— В полгода можно уложиться...

Мужчины обсуждали различные технические детали, а Киру удивляло, что никто не интересовался ценой такого аэростата и стоимостью его содержания. Наверное, для них это не имело значения...

Она с интересом наблюдала за происходящим — все-таки нечасто приходится оказаться в одной компании с сильными мира сего. Здесь существовала четкая иерархия — за столом сидят люди высшей касты, несмотря на все различия, они равны между собой, по крайней мере условно равны. И Кира тоже каким-то чудом оказалась в числе избранных. А все остальные — обслуга. Официант, переводчик, охрана... Они тоже условно равны — в рамках своей касты. Хотя этот, как его... Бонгани — он все же ближе к избранным: вот, подошел к столу, налил стакан «Перье», жадно выпил и остался здесь же, за спиной Афолаби. Очевидно, он имел на это право. Кире показалось, что он исподволь рассматривает ее испытующим взглядом. Так рассматривают людей, о которых что-то знают. С чего бы такой интерес?

Мужчины обсуждали достоинства той или иной двигательной установки для будущего дирижабля, женщины говорили о росте цен и падении нравов. Кира не имела намерений вступать в беседу, но пришлось. Супругу толстяка Вебера интересовало ее состояние после похищения. Кира ответила, что переживает смешанные эмоции — безусловную радость освобождения, и огромную психологическую усталость, вызванную перенесенным стрессом: Гастон Синяя Борода мерещится ей на каждом шагу и даже приходит к ней во снах...

— Вот, Абиг, оказывается, наша гостья никак не может успокоиться, — сказал Афолаби. — И мы за это в ответе!

Бонгани тут же переключил внимание с Киры на своего шефа, кивнул и, отойдя к дальней стеклянной стене, коротко переговорил по телефону.

— Я позвал вас совершить небесную прогулку как раз с мыслью о терапевтическом эффекте воздухоплавания, — продолжил Афолаби, обращаясь к Кире. — Недавние исследования подтверждают: дирижабли прекрасно лечат депрессии и последствия стрессов!

— Дайте угадаю, — вмешался Камински. — Исследования проводились в столице Борсханы?

Гости деликатно рассмеялись. Афолаби вежливо к ним присоединился, но, отсмеявшись, заметил:

— Уверен, Джеймс, в ближайшее время аналогичные данные опубликует кто-нибудь из русских исследователей, — и глянул на Киру.

Все снова дружно рассмеялись. После небольшой паузы, Мария внесла свой вклад в дружеское общение, спросив, каким все-таки образом ей удалось освободиться. Кира коротко, чтобы не запутаться, повторила официальную версию. Джелани внимательно выслушал ее и удовлетворенно кивнул. Даже Ахмед бен Касим, откровенно игнорировавший женщин, проявил интерес к теме: по его знаку Андре подробно перевел ответ. Кире показалось, что в брошенном на нее взгляде шейха промелькнул интерес. И тут же подумала, что при определенных обстоятельствах она могла оказаться именно в его гареме. Развивать эту мысль она не захотела, хотя для этого пришлось сделать над собой определенное усилие.

Стремясь уклониться от досужих разговоров, Кира старательно отводила взгляд от гостей и доброжелательного хозяина. За тонированными стеклами находилось то, что вызывало у нее настоящий восторг: живописная, плотно застроенная береговая полоса, безмятежное море, многочисленные заливы, забитые яхтами. Дирижабль медленно плыл над морем, напоминающим свое изображение на глобусах и картах: вдоль берега светло-синее, чем глубже, тем темнее. Фактически, она пронизывала море взглядом, как рентгеновскими лучами: вот серпообразная отмель, вот густо-голубая впадина, вот еще одна мель... И — никакого рева двигателей за бортом, так что чайки спокойно приближались и махали крыльями совсем рядом. В мягком бесшумном полете было что-то сказочное, напоминающее истории о джиннах и коврах-самолетах. От этого фантастического зрелища ее несколько отвлекал прожигающий взгляд Бонгани, который вновь стоял за спиной Афолаби. Но сделать она ничего не могла и постаралась просто не обращать на него внимания.

Белый стюарт ловко и умело сервировал стол, украсив его шипастыми раковинами крупных мясистых устриц, несколькими видами паштетов, обязательными сырами, фуа-гра с малиновым сиропом и свежайшим хлебом. Потом, в наступившей значительной паузе, он торжественно поставил на стол желтую баночку с надписью «ALMAS IRANIAN CAVIAR». Чуть выше располагался рисунок: в волнах резвится рыба, похожая на осетра.

Дамы захлопали в ладоши.

— Джелани всегда готовит замечательные сюрпризы!

Хозяин с достоинством покачал головой.

— Это все мой щедрый друг Ахмед!

На непроницаемом лице шейха мелькнула едва заметная улыбка, он что-то негромко сказал.

— «Бриллиантовая» икра для бриллиантового короля, — перевел Андре.

Руки в белых перчатках осторожно подняли желтую крышку, обнажив наполнявшие банку крупные золотистые икринки. Стюарт быстро сделал несколько бутербродов и, положив на фарфоровые тарелочки, подал дамам. Черный официант предлагал напитки: от шампанского и русской водки, до бурбона, скотча и джина. Кира выбрала шампанское и, по примеру Маргарет и Марии, надкусила бутерброд.

— Это не простая икра, — доверительно сообщила Маргарет, подкатив глаза, очевидно, в восторге от вкуса деликатеса. — Она из столетней белуги-альбиноса и стоит около десяти тысяч долларов за чайную ложечку...

— Тогда баночка для нее должна быть из золота, — пошутила Кира. Точнее, подумала, что пошутила.

Маргарет буднично кивнула.

— Конечно. Она и есть из золота.

Кира замолчала. Тут очень легко попасть впросак... Она медленно ела бутерброд, запивая шампанским, о цене которого предпочитала не думать, и наслаждалась панорамным видом Лазурного Берега. Вот на покрытой пятнами кустарника скале, показался замок Мон Дельмор. Кире вспомнился Бал цветов, скрипки, вальсовые вихри, выборы Королевы, почести и внимание, засыпанная цветами ванна... Она старательно отгоняла мысли о том, что последовало после. Шампанское ей в этом помогало.

— Как вам «бриллиантовая» икра, мисс? — спросил Камински.

Она подняла руку, и Андре немедленно оказался рядом.

— Я живу на Дону, вы слышали про такую реку? У нас нет «бриллиантовой» икры. Но черная икра осетров и серая севрюг, по-моему, ничуть не хуже. А стоят в сотни раз дешевле...

Андре перевел, Камински и Вебер снисходительно улыбнулись и несколько раз хлопнули в ладоши, их жены переглянулись и отвели взгляды. Ахмед бен Касим потребовал перевода на арабский, но как обычно не проявил никаких эмоций. Сам он «бриллиантовую» икру не ел: лениво бросал в рот специально для него поставленные орешки, финики и ломтики апельсинов. И к спиртному не притрагивался.

Зато Афолаби, выслушав речь Киры, одобрительно кивнул.

— Согласен с вами, мадемуазель. По-моему, ничего особенного. А серая икра у нас тоже очень ценится. Приятно встретить знатока!

Кира кивнула в ответ. Про разницу между черной и серой икрой она слышала в рассказах о ресторанных похождениях Наташки, так как сама не была избалована деликатесами. Но сейчас это знание сослужило ей добрую службу. «Надо купить какой-нибудь сувенир Аренде», — подумала она.

Ланч подходил к концу, когда Афолаби неожиданно серьезным тоном обратился к Камински. Было похоже, что все собравшиеся за столом мужчины ждали этого обращения. Больше того — может быть, они и собрались затем, чтобы его выслушать.

— Джеймс, я бы хотел вернуться к праву первооткрывателя. Вы помните наш прошлый разговор?

Камински кивнул и поставил пустой стакан из-под бурбона на стол, рядом с недоеденным бутербродом. В отличие от жен, они с Вебером не проявили интереса к бриллиантовой икре.

— Конечно, помню. Тогда я объяснил, что это право уходит в глубину веков, и является одним из столпов добычи полезных ископаемых.

— Несомненно. Именно в глубине веков путешественники, странствуя по свету, делали открытия и приобретали право на половину добычи того, что они нашли в чужой земле... Но все это осталось в далеком прошлом. Сегодня никто не бродит по миру в поисках залежей меди, золота или урановой руды. Сейчас правительства государств приглашают специалистов, и оплачивают их услуги по геологоразведке. Но права первооткрывателя никто не отменял.

Камински кивнул.

— Да. И это юридический факт.

— Скорее нонсенс! Геолог, выполнивший контракт и сделавший открытие, не может стать владельцем половины золотого прииска или алмазной шахты!

— Или нефтяного месторождения, — добавил Ахмед бен Касим на прекрасном английском, чем, похоже, никого особенно не удивил.

— С высказанными мнениями можно согласиться, — вмешался в разговор Вильям Вебер. — Я не знаю ни одного случая, когда первооткрыватель получал банковский кредит в размере пятидесяти процентов под залог своего открытия. Финансовая система фактически не признает права первооткрывателя. Было бы вполне естественно, привести юридическую сторону дела в соответствие с реальностью.

Разговор приобрел узкоспециальный характер и велся на разных языках, Кира бы ничего не поняла, если бы Андре не переводил все на русский. Причем она его об этом не просила. Но раз он переводил, значит, получил соответствующее указание. От кого? Тут и думать нечего: от непосредственного хозяина — Джелани Афолаби... Но почему алмазный магнат хочет, чтобы, по сути, обычная русская туристка, пусть даже с созданным вокруг радужным ореолом кратковременной славы, вникала в право первооткрывателя месторождений полезных ископаемых?

В конце концов Джеймс Камински согласился с необходимостью реформировать «право первооткрывателя». Возникшее было некоторое напряжение разрядилось, исчезнувший стюарт вновь материализовался и наполнил бокалы.

— За чудесную прогулку! — торжественно провозгласил тост банкир Вебер.

— За милых дам, терпение которых позволило обсудить наши скучные дела! — поднял бокал с бурбоном Камински.

— За хозяина, подарившего нам этот незабываемый день! — прощебетала Маргарет.

Тосты следовали один за другим, бокалы добросовестно осушались, даже Ахмед бен Касим позволил себе пригубить шампанское. И хотя этот жест выглядел символическим, но говорил о многом. Серьезная беседа длилась не более получаса, но Кире стало совершенно ясно, что она не ошиблась в первоначальном предположении — ради этих тридцати минут и было задумано замечательное воздушное путешествие!

Но все хорошее имеет обыкновение заканчиваться. Солнце стало клониться к закату, когда дирижабль плавно опустился к земле и был принайтован к причальной мачте. Но оказалось, что это еще не конец.

— Мы разделили компанию друг друга в небе, так неужели мы не продолжим общение на земле? — торжественно произнес Афолаби. — Прошу всех отобедать в моем новом доме. Отказы не принимаются!

Он вскинул черные руки светлыми ладонями вверх и добавил:

— Мои повара такого не прощают!

— О! Я слышал, что чрезвычайно опасно — дразнить африканского повара, — заметил Вебер. — Тем более если они набираются из «Черных леопардов»...

Снова раздался общий хохот и, перекидываясь шутками, гости спустились по трапу. Внизу, у самого дирижабля, уже ждали подогнанные заранее автомобили. Похоже, гостеприимство Афолаби действительно не признавало возражений и проволочек.

* * *

Роскошная вилла Афолаби, охраняемая «Черными леопардами», имела огромную территорию и была оформлена в африканских мотивах: узорные полы, разбросанные тут и там шкуры зебр и львов, стены, покрытые традиционными орнаментами.

Стол накрыли во дворе, на специальной площадке под навесом и с шатрами для отдыха рядом. Чернокожая прислуга, одетая в традиционные одежды Северной Африки, предлагала гостям яства из мяса антилоп, крокодилов и слонов, которое запекалось, вперемешку с раскаленными камнями, в яме под горящим костром. Угощали также «приготовленными по традиционным рецептам» кашасой и пивом. Желающих пить африканское спиртное, впрочем, не нашлось. Гостей, надо полагать, насторожило упоминание о традиционном рецепте — было время, когда тростник пережевывали всем племенем прежде, чем отправлять бродить. Кто знает, когда закончились эти традиции. И закончились ли вообще... Впрочем, и европейского алкоголя имелось в изобилии.

Маргарет и Мария с любопытством пробовали крокодилятину и слонятину, Кира, которая даже голубя не могла есть, ограничилась кусочком стейка из антилопы. Как только наполнились тарелки и были разлиты напитки, Афолаби с бокалом в руке поднялся и, дождавшись, когда стихнут голоса, произнес с таким пафосом, что Кира моментально вспомнила витиеватое приглашение на тонком листе золота.

— Предлагаю в лице нашей очаровательной гостьи, Королевы Бала цветов, — он учтиво указал рукой в сторону Киры. — Выпить за прекрасную и непобедимую Россию, надежного друга Борсханы. За Россию и дружбу между нашими странами!

«Ух, ты! — думала Кира, осушая очередной, неизвестно какой бокал шампанского. — Я прям как посол доброй воли, честное слово. Вот бы мама удивилась».

Потом Вильям Вебер вспомнил о каком-то металлургическом комбинате, строительство которого на юге Борсханы было заморожено несколько лет тому назад, Афолаби начал отвечать довольно пространно, подыскивая слова — как поняла Кира, для политкорректных формулировок, описывающих некий финансовый скандал — и она снова переключилась в энергосберегающий режим вежливого присутствия. Судьба металлургического комбината ее не интересовала. Интересовали ее блики и складки на крокодильей шкуре, растянутой возле стола, вкус терпкого соуса, которым был полит ее фруктовый салат, ветка пальмы, покачивающаяся над головой.

Обед закончился довольно быстро. Первым незаметно исчез Ахмед бен Касим, потом откланялись Вебер с Маргарет, потом неизвестная пара. Камински с Марией тоже стали собираться.

— Подвезете меня? — спросила Кира у Марии. Та кивнула.

— Мадемуазель, не беспокойтесь, вас доставят в отель, — услышала Кира сзади знакомый голос.

Она оглянулась. Перед ней стоял Мадиба. На этот раз он был в боевом черном комбинезоне и высоких ботинках. Эта одежда шла ему больше, чем наряд пляжного плейбоя.

— Господин Афолаби просит вас задержаться немного для важного разговора.

Кира задумалась. Оставаться наедине с африканским олигархом, было чревато... Но Мадиба, будто прочитав ее мысли, добавил:

— Здесь вам ничего не грозит. Ваше авто уже дожидается. Я лично доставлю вас до места.

Действительно, белый «Ситроен» с занавесками на окнах, ждал у выездных ворот.

— Ну, что ж, — сказала она. — Положусь на слово своего спасителя.

«Бентли» Вебера выехал за ворота. Афолаби помахал вслед рукой, потом согнал с лица улыбку и жестом пригласил Киру пройтись по широкой веранде, окаймлявшей здание. Пол здесь был стеклянным, под стеклом тянулись желтые песчаные дюны и барханы — в сравнении с настоящими крошечные, но выглядевшие вполне натурально.

— Песок Сахары, — пояснил Афолаби. — Если ходить достаточно долго, вы заметите, что рисунок на песке меняется. Совсем как в настоящей Сахаре... Там незаметные вентиляторы...

Тон его изменился — утратил театральный пафос владельца дирижабля, а может быть, и хозяина жизни.

— Боюсь, сегодня я не готова наблюдать за сменой рисунка под вашей верандой, — улыбнулась она. — Хотя замысел архитектора просто гениальный.

— Приятно, что вы оценили.

Они прошли вдоль фасада в молчании, хозяин жестом пригласил продолжить прогулку и, не дожидаясь Киру, свернул за угол. Она поискала глазами Мадиба. Тот прохаживался возле «Ситроена». Она догнала хозяина.

— Так о чем вы хотели говорить, мсье Афолаби?

— О Дмитрии.

— Каком Дмитрии?

— О вашем отце...

— Что?!

Кира подошла, молча посмотрела в непроницаемые черные глаза с красными прожилками в белках. Африканец не отвел взгляда.

— Да, да, я его знал.

Они двинулись дальше по стеклянному полу веранды.

— Не скажу, что был знаком с ним близко, — Афолаби заложил руки за спину. — Он проводил в Борсхане разведку алмазных месторождений. А я в то время возглавлял нашу службу безопасности и курировал их экспедицию. А непосредственную работу: снабжение геологической партии всем необходимым, обеспечение безопасности, осуществлял мой заместитель Бонгани, с которым вы познакомились...

Пораженная неожиданным поворотом, Кира молчала. Этот разговор, по какой-то неясной причине, вызывал в ней нервное напряжение.

— Лично я виделся с Дмитрием только один раз. Экспедиция проходила в труднодоступных местах, к тому же, у нас как раз в те годы начались беспорядки. Как и у вас, впрочем... В общем, потом экспедиция пропала, и судьба Дмитрия осталась для меня неизвестной...

— Он вернулся домой, — кивнула Кира. — И через несколько лет погиб при невыясненных обстоятельствах...

— Вот как? — удивился Афолаби. Или сделал вид, что удивился. Он даже остановился и сочувственно покачал головой. Но тут же вернулся к сути разговора.

— Дело в том, что ваш отец увез в Россию документы экспедиции, — Афолаби двинулся дальше по веранде, Кира последовала за ним. — Карты в тот момент казались ненужными... Честно говоря, было просто не до них... Но теперь они представляют значительную ценность...

— А что изменилось? — спросила Кира. — Как так: были ненужными, а теперь вдруг стали ценными...

Афолаби замолчал. В тишине, нарушаемой лишь поскрипыванием подошв по стеклянному покрытию, они дошли до следующего угла и завернули за него.

— Времена меняются, меняются обстоятельства, — наконец, продолжил он. — Сейчас эти карты нам очень нужны. Ведь повторный поиск алмазного месторождения повлечет большие расходы и потерю времени. К тому же его могут вообще не найти!

Что-то в плавной и логичной речи Афолаби слегка царапало Кирино сознание — так царапают шероховатости нуждающихся в шлифовке ступней, втирающую крем ладонь. И педикюром тут дела не исправишь...

— Но я ничего не знаю, ни о каких картах. Отец не рассказывал про свою работу... У них с мамой тогда начался разлад, в стране начался разлад, я вообще была ребенком...

Они обошли дом по периметру, и Кира вновь увидела белый «Ситроен» и ожидающего ее Мадиба. Почему-то ей стало немного спокойней.

Афолаби остановился.

— Дело не только в картах. Вы же слышали наш разговор об устаревшем, но действующем «праве первооткрывателя»? Раньше мы могли не придерживаться международных законов, но теперь с ними приходится считаться. Даже если вы не найдете карт, все равно вы наследница первооткрывателя, и мы хотим с вами дружить. Мы готовы предложить вам благоустроенное жилье и пожизненное содержание. В Борсхане не принято мелочиться, мадемуазель.

Брови Киры поползли на лоб от удивления. С одной стороны, она была впечатлена такими щедрыми обычаями Борсханы. Но с другой — Джелани Афолаби, как будто вступил в соревнование с Пьером Фуке в аукционе заманчивых предложений для Золушки. И было очевидно, что эти предложения тесно связаны между собой.

— Сейчас я хочу показать, как мы ценим ваше расположение, а возможно, и дружбу, — продолжил хозяин. — А так же продемонстрировать наши возможности в решении всяких щепетильных вопросов. Пройдемте со мной...

Он сделал учтивый приглашающий жест, и повел Киру по бетонной дорожке вглубь участка, в район, густо заросший пальмами, африканскими деревьями и кустарником. Дорожка оборвалась, они шли по неровной тропинке среди настоящих джунглей. Теперь их окружал тропический лес, казалось, что это кусок дикой Борсханы, каким-то чудом перенесенный на Лазурный Берег. Или наоборот — это ее первобытным колдовством перенесли в настоящие африканские джунгли.

Над головой кричали незнакомые птицы, в овальном пруду искали пищу красноногие фламинго, плавали белые и черные лебеди, возможно, там жили и крокодилы... Кира подумала, что хозяин хочет ей показать свой зоопарк. Но за прудом находилось бетонное здание типа сарая или конюшни, с узкими горизонтальными окнами под самой крышей. Они были зарешечены.

У железной двери стояли два «леопарда», перед ними прогуливался по дорожке Абиг Бонгани. При виде шефа он взмахнул рукой, «леопарды» отперли дверь и выволокли наружу худощавого белого мужчину в джинсах, синей шведке, и такого же цвета кроссовках. Узкое холеное лицо и аккуратная бородка делали его похожим на какого-то актера. Судя по тому, что «актер» отчаянно вырывался из крепко держащих его рук, и изрыгал град угроз и ругательств, в данный момент он играл роль опасного гангстера.

— Вы знаете, кто я, черномазые обезьяны?! Да я вам головы поотрезаю!

У Киры захолодело внутри от скверного предчувствия, и оно оправдалось.

— Это Гастон-Синяя Борода, — сообщил Афолаби. — Он умрет на ваших глазах и больше никогда не появится в снах и мыслях. Будет лучше, если вы сами пристрелите этого пса.

— Так это из-за тебя все?! — вопил бандит. — Да кто ты такая?!

Бонгани протянул ей большой черный пистолет. Кира, в ужасе, спрятала руки за спину.

— Нет, нет, что вы! Я не могу!

— Хорошо, — Афолаби кивнул и вынул из ножен свой кинжал. Изогнутый клинок зловеще отсверкивал голубым оттенком. — Тогда я отрежу ему голову, как он хотел...

— Нет, так нельзя! Его надо сдать полиции!

— Французская полиция бессильна, она ничего не может с ним сделать уже много лет. Наши методы гораздо более эффективны.

— Все равно! Убийство — это не метод! Прошу передать его властям!

— Ваше желание — закон! — Афолаби кивнул и нетерпеливо поигрывающий пистолетом Бонгани, разочарованно спрятал его под рубашку. Притихшего Гастона затолкали обратно в частную тюрьму африканского магната.

Учтивый хозяин провел девушку обратно к вилле.

— У Бонгани была трудная судьба, — рассказывал он по дороге. — В Борсхане пылали революции, власть переходила из одних рук в другие, а он всегда держался одной стороны. Потому много раз сидел в тюрьме. Но в конце концов его заслуги оценили: сейчас он начальник БББ.

— Это что такое? — отстраненно спросила Кира, мысли которой были в бетонном сарае с решетками и железной дверью, за которой томился ее кошмар — Гастон Синяя Борода. Сейчас он не казался страшным, скорей жалким, она даже испытывала к нему сочувствие.

— Бюро Безопасности Борсханы, — объяснил Афолаби.

Они подошли к «Ситроену» и попрощались.

— Подумайте над моим предложением, мадемуазель, — улыбнулся напоследок Афолаби. — Мы еще поговорим на эту тему.

И Кира ясно поняла, что тема у Афолаби и Фуке одна. Только решают они свои проблемы по-разному. А может, и совершенно одинаково...

# Глава 3
## Этот коварный буйабес

*Ницца, наши дни*

> *В действительности все совершенно иначе,*
> *чем на самом деле*

Мадиба быстро довез Киру до отеля. Из стоящего в вестибюле кресла навстречу ей поднялся поджарый мужчина в синем, основательно мятом костюме. Седые коротко стриженные волосы, уверенные манеры, пронзительный взгляд. Кира узнала его: полицейский комиссар Густав Перье, он допрашивал ее и руководил расследованием, объявленные результаты которого оказались прямо противоположными действительным событиям. Она невольно усмехнулась. Густав Перье заметил это.

— У вас хорошее настроение? — сказал он. — Рад, что удается избежать депрессии.

Кира кивнула в ответ.

— Надеюсь, вы не собираетесь его испортить?

— Мадемуазель Быстрова, я был чертовски встревожен, — комиссар пожал плечами в той живой манере, которая присуща жителям южной Франции, привыкшим оживленной мимикой и жестикуляцией утилизировать избыток эмоционального заряда. — Скажу точнее, вся городская полиция встревожена вашим таинственным исчезновением.

Он вложил в слово «таинственное» столько осуждения, что Кира почувствовала себя студенткой на разносе у декана. Она молчала с полуулыбкой, за которой вполне мог последовать и вежливый ответ, и жесткая отповедь. Последние были не в характере Киры. Но за последнее время она многому научилась. Да и характер, похоже, в этом режиме курортного экстрима начал меняться.

— Скажите, вы обо всех туристах так заботитесь?

Комиссар замялся.

— Полиция Франции заботится обо всех без исключений. А вы стали известной фигурой, поэтому и внимание к вам несколько повышенное...

— Настолько, что ко мне, обычной туристке, приходит не патрульный полицейский, не младший инспектор, и даже не старший, а целый комиссар, который, оставив все дела, терпеливо дежурит в вестибюле?

— Но мы опасались, что вас опять похитили!

— Вы меня пугаете, — сказала Кира и двинулась к лифту, бросив напоследок. — Неужели во Франции так часто похищают приезжих?

Комиссар Перье двинулся следом.

— Нет, разумеется. Но полиция города особенно заботится о безопасности королевских особ, — он был настолько озабочен, что даже решил пошутить. — Отсюда вопросы: где все-таки была мадемуазель? Все ли у нее в порядке?

— Все в порядке, — ответила Кира, нажимая кнопку вызова. — Передайте полиции города — она может спать спокойно... Что до меня, то я как раз собираюсь это сделать.

— Вам следует дать дополнительные показания по факту похищения...

— Хорошо. Но не сейчас. Обещаю быть у вас в участке завтра ровно в одиннадцать.

Двери лифта приветливо открылись. Кира вошла, комиссар хотел последовать за ней, но она остановила его решительным жестом.

— Прошу меня простить, комиссар. Но вы меня утомляете. И это весьма неожиданно для представителя французской полиции. Прошу вас, не нарушайте стереотипы поклонницы романов Жоржа Сименона.

— Обожаю Сименона! — крикнул Перье в закрывающиеся створки лифта.

В номере Кира скинула обувь, одежду, выключила телефон, и рухнула, как подкошенная, на кровать. «Самое подозрительное, его уверенность, что меня собираются похитить», — мелькнула мысль перед тем, как она провалилась в глубокий сон.

Проснулась Кира от ярких лучей высоко поднявшегося солнца. Золотистый свет падал сквозь неплотно задернутые шторы на пол, на стены, на кровать, на ее разбросанные по постели руки. В памяти начали восстанавливаться события вчерашнего дня... Дирижабль, важные персоны, разговоры о делах, ценой в миллиарды долларов, непроницаемое черное лицо мсье Афолаби, какие-то допущенные им оговорки...

«Карты вашего отца тогда не имели ценности, а сейчас они очень важны...»

Что же изменилось? И как он узнал о происшедшем изменении, если отец увез карты с собой?

И еще: «...ведь повторный поиск алмазного месторождения повлечет большие расходы и потерю времени. К тому же его могут вообще не найти!»

Значит, отец нашел алмазы? Но откуда Афолаби об этом узнал, если экспедиция пропала?!

— К черту! — Она энергично смахнула одеяло на пол. — Идем-ка, Кира, завтракать. Думать на голодный желудок вредно для здоровья!

Она по привычке включила телевизор, приняла душ, подошла к шкафу и стала одеваться: льняные кремовые брюки до половины икр, льняной желтый жакет, желтые балетки на плоской подошве, светлый газовый шарфик на шею. Покрутившись перед зеркалом, она осталась довольна собой. Нормально! После завтрака — в участок, и сразу на море... Бросила в пляжную сумку купальник, сланцы, полотенце, крема, добавила широкополую немнущуюся шляпу.

— Сегодня утром на трассе Антиб — Ницца обнаружен обезглавленный труп известного гангстера Гастона Кошто по прозвищу Синяя Борода, — сказал диктор, и на экране появилась группа полицейских в форме и штатском, окруживших страшную находку. — По слухам, Синяя Борода занимался похищением девушек и продажей их в зарубежные бордели. По версии полиции, ему отомстили родственники похищенных...

«Вот так, значит», — отстраненно подумала Кира. Никаких эмоций она не испытывала. В конце концов, бандит заслужил такой конец. И раз она не имела к этому отношения, то и задумываться не о чем! Она выключила телевизор и быстрым шагом вышла в коридор.

Сразу заметила, что охрана возле номера отсутствует. Муниципальное ведомство господина Фуке утратило к ней интерес? Впрочем, им видней.

Проходя через вестибюль, ощутила на себе чьи-то внимательные взгляды — но чьи? Оглянувшись, не увидела никого, кто бы ее разглядывал. Все как обычно: гости входят и выходят, менеджер за стойкой оформляет заселяющихся, портье разгружает тележку с багажом. В креслах сидят какие-то люди. Но и они либо ковыряются в своих гаджетах, либо разговаривают друг с другом. Хотя профессионального наблюдателя ей не вычислить: они невидимки, которые растворяются среди обычных людей...

Время было позднее и в ресторане людей меньше, чем обычно. Стоя возле стола с фруктами, Кира решала, какой именно смузи больше подходит к этому нервному утру — из гуавы или клубнично-шоколадный, — когда услышала у себя за спиной приятный мягкий баритон.

— Лично я считаю, что в отпуске следует начинать день шампанским.

Кира обернулась. Андрей?! Нет. Молодой человек, которому принадлежал баритон — судя по произношению и самоуверенному мужскому обаянию — француз, и внешне весьма приятный. Правильные черты лица, нос с небольшой горбинкой, плотно сжатые губы, волевой подбородок с милой ямочкой... Располагающие к общению манеры. Спортивная фигура: широкие плечи, плоский живот. Чем-то действительно похож на Андрея. Чуть выше ростом, пожалуй.

— Уже несколько лет придерживаюсь этого правила. И вы знаете, ни разу не пожалел, — закончил он и улыбнулся, со сдержанным пробным натиском, приглашая поддержать тон и развить предложенную тему.

— Я тоже пробовала, — ответила Кира после недолгого раздумья, осторожно поддаваясь его ненавязчивой улыбке. — Поначалу все шло как по маслу. Но вчера приключился сбой. Поэтому теперь к завтраку — только фруктовый коктейль.

— Позволите ли поинтересоваться, что же случилось вчера? Неужели вы пели «калинку»? Или танцевали на столе? Тогда очень жаль, что я пропустил такое замечательное зрелище...

— Хуже. Я отправилась на прогулку в компании с африканским алмазным магнатом. На дирижабле.

— О! — покачал головой парень. — Я вас понимаю. Боюсь, после дирижабля и я перешел бы на соки.

Он выдержал небольшую паузу, умело закрепляясь на занятом плацдарме. Непринужденно представился:

— Жак. Ни разу не был в Африке, не причастен к алмазодобывающей промышленности. И жутко боюсь высоты.

Весь он был чрезвычайно складный. Синяя шведка в белую полоску сидела, как влитая, так же, впрочем, как и джинсы, в цвет которых были подобраны легкие мокасины на босу ногу. Только дурацкая черная набрюшная сумочка портила впечатление, но не сильно. В целом, это был отлитый из нержавеющей стали кусок обаяния. Кира не нашла причины уклониться от нового знакомства.

— Кира, — представилась она. — Выкроила две недели отпуска и перенеслась в сказку Лазурного Берега. Давно мечтала, и вот, наконец...

— Черт! — Жак неожиданно перешел на довольно уверенный русский. — А я думаю: что за знакомый акцент?

— Вы прекрасно говорите по-русски, Жак.

— Учил в институте. И работал пять лет в посольстве в Москве. Весной срок истек, решил не продлевать. Впрочем, вру. Начальство расторгло мой контракт. Посчитали меня недостаточно серьезным для дипломатической работы.

Разговор явно переходил к следующей, более основательной фазе.

Жак поставил на поднос блюдо с фруктовым салатом, бокал шампанского, Кира взяла сразу два полюбившихся коктейля — из агавы и клубнично-шоколадный, и они двинулись к столикам.

— Живу в Париже, — закончил Жак свое краткое представление. — В Ницце, как и вы, отдыхаю впервые. Сегодня приехал.

Все говорило о том, что Жак не подозревает о «звездности» Киры. Ничего удивительного. Ажиотаж вокруг ее персоны немного улегся, журналисты перестали дежурить перед отелем, выпуски новостей больше не начинались с ее портретов во весь экран. Неведение нового знакомого показалось особенно приятным: это знакомство обещало отвлечь от ужаса похищения и вернуть отпуску легкость, которая закончилась, едва начавшись...

Жак был остроумен и умел вести увлекательный разговор. Банального обсуждения погоды и прелестей Лазурного побережья они избежали. Вместо этого потенциальный кавалер рассказал Кире уморительную историю, как агент по недвижимости в Малаге спутал адрес и отправил его в дом, уже снятый накануне парой молодоженов.

— Я был уставший, принял душ и завалился спать. Кровать огромная. Не кровать, а Елисейские Поля. Почему-то не убранная. Но белье выглядело чистым, я решил не делать проблемы. Улегся на краю по привычке. Представьте мое удивление, когда я проснулся посреди ночи от тряски и страстных вздохов. Представьте также удивление молодого мужа, когда в непосредственной близости от его прекрасной супруги из-под одеяла вынырнул заспанный мужик со словами: «Простите, но что вы тут делаете?»

Дав Кире отсмеяться и допив шампанское, Жак все в той же ненавязчивой, но последовательной манере пригласил ее на морскую прогулку.

— Новенькая, маневренная яхта. Ослепительно белая...

И вновь Кира не нашла причин для отказа. Кроме одной.

— Но мне нужно заехать ненадолго в полицейский участок. — Она пожала плечами с таким видом, с каким обычно девушки сообщают о запланированном визите к маникюрше. — Вчера обещала комиссару.

— Ого! У вас уже есть дела с полицией... Ох, уж эти русские!

Кира рассмеялась.

— Ничего предосудительного. Небольшие формальности с визой.

— А-а-а, ну это еще ничего. Лишь бы не какой-нибудь запутанный сюжет с русской мафией. В любом случае позвольте вас подвезти в участок и подождать. А оттуда сразу на море. Идет?

— Идет! — рассмеялась Кира. С новым знакомым ей было легко и комфортно.

У Жака оказалась двухместная «Альфа-Ромео», ярко-красная с откидным верхом. Кира попросила крышу не убирать, сославшись на легкую простуду. На самом деле она опасалась быть замеченной каким-нибудь шальным папарацци, который кинется ее фотографировать и тем самым раскроет ее инкогнито. Этого ей очень не хотелось. Правда, потом подумала, что выдуманная причина выглядит глупо: с простудой не собираются на морскую прогулку. Как мог Жак не заметить такой несуразности? Хотя, не заметил — и хорошо!

Не успела завязаться новая куртуазная беседа, как они добрались до участка. Хотя Жак приехал только сегодня, но прекрасно ориентировался в городе. Как и положено образцово-показательному французу — а на этот статус Жак претендовал со всей очевидностью — он открыл Кире дверцу авто, галантно подал руку.

— Буду ждать вас в том кафе, — он махнул в сторону столиков, разместившихся неподалеку на возвышенной открытой веранде. — Или лучше назначить конспиративную встречу в каких-то древних развалинах? Как считаете?

— Ни в коем случае, — скривилась Кира. — Я терпеть не могу экстрима...

— Как скажете, королева!

— Почему «королева»? — встрепенулась Кира.

— Ну, принцесса, — Жак состроил уморительную гримаску, и вприпрыжку направился к кафе.

Веселый симпатичный француз казался прекрасной находкой, способной заполнить одиночество. С ним было легко и весело. Словно подкрепляя это впечатление, Жак по-мальчишечьи перемахнул через ограждение веранды и, обернувшись, помахал ей рукой.

* * *

В участке праздник возвращающейся спасительной безвестности продолжился: дежурный полицейский — малый с длинными волосами, собранными в хвост на манер байкера, или поклонника тяжелого рока — не узнал ее. «Из отпуска, видимо, только что вернулся», — усмехнулась она про себя, и попросила проводить в кабинет к комиссару.

— Он меня ждет.

Полицейский-байкер проводил Киру к кабинету, попросил подождать, зашел туда сам и через секунду вышел.

— Вас ожидают.

За дверью Киру ожидал очередной сюрприз.

— Комиссар Перье любезно согласился предоставить мне свой кабинет, чтобы мы могли поговорить, — улыбнулся Пьер Фуке, выходя из-за стола, чтобы встретить гостью. — Присаживайтесь, прошу вас.

Кира села на предложенный стул. Фуке вернулся на комиссарское место.

— Меня просили что-то дополнить про похищение, — начала Кира. — И интересовались, как прошел вчерашний день...

— Простите, что перебиваю, но предлагаю сэкономить время. Я сам расскажу вам, как вы провели вчера день, а вы поправите, если я где-то ошибусь.

Не дожидаясь согласия, Фуке потер руки и заговорщически подмигнул.

— Капитан «Черных леопардов», Мадиба Окпара отвез вас... Скажем так... Тайком отвез на частный аэродром, с прошлого года арендуемый корпорацией «Алмазы Борсханы». Там, на дирижабле «Звезда Африки», вас встретил мсье Джелани Афолаби, де-факто исполняющий функции генерального директора этой корпорации, которая, собственно, является становым хребтом государства Борсхана. Вы провели день, сначала на дирижабле, а потом на вилле мсье Афолаби, в компании его и его гостей — Ахмеда бен Касима, Вильяма Вебера и Джеймса Камински с супругами. Это очень богатые, а что еще важнее — очень влиятельные люди. И угощение было под стать, вплоть до иранской желтой икры Алмас, которой вы, надо сказать, не увлеклись, в отличие от Маргарет Вебер и Марии Камински...

— Откуда вы все это знаете? — изумилась Кира. Муниципальный чиновник едва заметно улыбнулся, но отвечать не стал, продолжая демонстрировать свою осведомленность.

— Между делом обсуждался недостроенный металлургический комбинат в Борсхане, за которым стоят финансовые интересы Тома Ферроуза — совладельца международного инвестиционного фонда «Норд» и Бернара Неккера — основателя и единственного владельца «Голден Пасифик»... Впрочем, в этом небольшом мире финансовые интересы часто тесно переплетаются, особенно, если это крупные интересы... Так что и Касим, и Вебер, и Камински, и Афолаби были заинтересованы в комбинате тоже...

— Откуда вы все это знаете? — повторила Кира, но Фуке властным жестом остановил ее.

— Должен отметить, что вы вели себя с достоинством, очень независимо и свободно. Вас не интересовала магия власти, фантастические деликатесы, разговоры о судьбах отдельных стран и всего мира... Больше всего вы увлеклись видом с высоты, и это было вполне естественное желание, а не рисовка!

Фуке смотрел на нее многозначительно, со снисходительным выражением, отбросив ненужную уже личину мелкого чиновника-балагура. Казалось, он стал выше ростом и шире в плечах. Возможно, это было отражением его новой роли.

— Мадам Войтова не зря отмечала ваше всезнайство, — сказала Кира. — Теперь и мне ясно, что вы не муниципальный служащий...

— Верно.

— Но и не полицейский.

— Тоже верно! — казалось, он забавляется с ней, как кошка с мышкой, чувствуя себя хозяином положения и получая от этого удовольствие.

— Скорей всего, вы из специальных служб, — торжествуя, сказала Кира, словно Фуке играл с ней в «Кто хочет стать миллионером» и она уверенно отвечала на финальный вопрос.

— Майор DRM. Управление военной разведки, — кивнул он. — Не сомневался в вашей сообразительности.

— Но не представляю, какой интерес у военной разведки могу вызывать я — обычная туристка из России, которой зачем-то создали ореол известности?! Причем интерес немалый, если учесть, что вы раскрыли свою принадлежность к секретным структурам!

— Сейчас я постараюсь вам это объяснить, мадемуазель! — Фуке, если это было его настоящее имя, сплел пальцы, слегка откинулся на спинку кресла и хрустнул ими.

— Борсхана была нашей колонией достаточно долго для того, чтобы Франция успела вложить в нее немалые средства. Речь идет о миллиардах евро... Но, увы... все инвестиции сгорели, говоря высоким стилем, в огне национально-освободительной борьбы за независимость. А попросту говоря, в ходе хаоса и беспорядков, которые устроили американцы и Советы. Внешне это выглядело, как освободительная борьба племен и национально-политических группировок за власть в Борсхане, а на самом деле американцы и Советский Союз боролись за сферы влияния на добычу урана, золота, алмазов. Надо сказать, что мы эту борьбу проиграли уже на первом этапе — даже наш Иностранный Легион в этот раз не справился с поставленной задачей!

— Неужели? — изобразила изумление Кира, которой вовсе не хотелось казаться неблагодарной слушательницей. Правда, зачем ей все это рассказывают, она не понимала. Хотя и догадывалась, к чему приведет эта кружащая окольными путями история.

Фуке скорбно покивал: «Мол, да, уважаемая мадемуазель, хотя это и невероятно, но это так!» И продолжил, упрямо, как идущая к цели магнитная торпеда.

— Как бы то ни было, единственное, что оставалось нашим бизнесменам — спешно покинуть страну, бросив все на произвол революции. И считать убытки... Некоторым, особо упрямым инвесторам, к слову, пришлось спасать свои жизни, эвакуируясь под прикрытием Группы вмешательства Национальной жандармерии, — есть у нас такое антитеррористическое подразделение... И слабое утешение в том, что американцы и ваши соотечественники тоже не удержались в этой нашпигованной природными богатствами стране...

Фуке расцепил руки и наклонился в сторону Киры.

— И вдруг, совсем недавно, мы узнали, что наш... гм, не очень достойный гражданин, в паре с русским геологом, как раз в тот период занимался разведкой алмазных трубок, причем, довольно успешно: их экспедиция обнаружила очень богатое месторождение! Они заканчивали работу, когда гражданская война была в разгаре. Гибли целые деревни, иностранцы пропадали без вести, никакие законы и договоренности не действовали... Хаос и кровавый водоворот событий разбросали их во времени и пространстве, карта алмазных копий у француза не сохранилась, но русский сумел унести ноги. У него осталась и карта нового месторождения и связанные с геологоразведкой записи...

«Так я и знала!» — подумала Кира.

Фуке сделал драматическую паузу.

— И вдруг неожиданный поворот, благоприятная случайность: туристка из России оказывается дочерью того самого русского геолога! Наследницей его прав! К тому же, она ближе всех находится к пропавшей драгоценной карте! Ведь недаром этот проходимец Афолаби так старался вырвать вас из лап похитителей, недаром вчера целый день обрабатывал вас и сулил золотые горы! И недаром вашего обидчика нашли сегодня с отрезанной головой! Ведь так? Кстати, отрезанная голова — это классический почерк «Черных леопардов». Их визитная карточка. И это сигнал вам.

— Но я объяснила, что...

Фуке нахмурился, привычно вскинул руку в запрещающем жесте и процедил ледяным тоном:

— Никого не интересует, что вы кому объяснили, милочка! Интересы Франции и Борсханы столкнулись, и вы оказались между ними! Вот это единственно важный факт! Обладая вашей картой, Франция сможет получить концессию на разработку алмазов, чем возместит расходы, понесенные в свое время в стране с непредсказуемым политическим будущим. Либо сумеет продать карту правительству Борсханы, и опять-таки возместить часть расходов. Поэтому меня и уполномочили предложить вам то, что я и предложил за чашкой кофе в «Шантеклере»!

Кира почувствовала, как пол уходит из-под ног. До сих пор причастность к событиям большой истории сводилась для нее к детству, прошедшему в мусорные, голодные и разнузданные девяностые. Самое яркое событие тех лет, не считая возвращения отца из Африки, — бандитская разборка в сауне на соседней улице. Были слышны выстрелы, и в новостях потом показали три трупа, накрытых простынями. Юной Кире запомнились огромные золотые цепи на них и татуировки — купола церквей. И вот сейчас, сидя в кабинете полицейского участка Ниццы, слушая этого вовсе не комичного, а страшного в своей беспощадной откровенности господина, она вдруг ощутила себя песчинкой, попавшей между двумя остановившимися на миг огромными жерновами, разменной картой в игре двух гигантов, поставивших на кон огромные деньги. И она, жалкая и беззащитная, может сгинуть в любой момент, и никто ее больше не спасет, никакие «Черные леопарды» и никакая полиция — потому что и те и другие, будут выполнять задачи прямо противоположные спасению... Каждая — своим почерком...

Ей стало страшно. Очень страшно.

— Простите, но... Я ведь уже объясняла господину Афолаби, что и понятия не имею ни о какой карте...

Фуке дружески улыбнулся, сразу перестав быть страшным и циничным. Напротив, перед Кирой сидел человек, который искренне желает ей добра, и готов для этого сделать все возможное. И невозможное — тоже.

— Дело не в карте. Точнее, не только в карте. Дело в выборе. Вам надо выбрать — с кем иметь дело? Выбрать между Францией и Борсханой. Между цивилизацией и дикарством. Между высокой гастрономией и каннибализмом...

Песчинка не может ничего растолковать жерновам. И разменная карта не в состоянии объяснить игрокам свою значимость и уговорить, не сбрасывать ее в отбой. Кира была начитанной девушкой и знала поговорку: «Не отказывайся от пряника, если не хочешь увидеть кнут». Поэтому она с усилием улыбнулась.

— Конечно, я выбираю цивилизацию!

Фуке улыбнулся еще шире.

— Иного ответа я и не ожидал. Тогда вам надо держаться подальше от Афолаби и его прихвостней. Никаких контактов, никаких разговоров, никаких обещаний.

— Но меня могут и не спросить... «Черные леопарды» — очень серьезные парни...

Майор перестал улыбаться.

— В Борсхане всегда было тяжело работать, именно из-за царящей там жестокости. Но мы работали и добивались успеха. Каким образом, как вы думаете?

Кира пожала плечами.

— Мне трудно ответить на столь специфический вопрос. Неужели, вы стали такими же, как они?

— Вы мне нравитесь все больше и больше! — кивнул Фуке. — Ибо мыслите в правильном направлении. С небольшой поправкой: не **такими же**! Намного более жесткими! Скажу вам без подробностей, мало подходящих для дамских ушек — из-за этого в Европе у DRM самая плохая репутация среди всех спецслужб! Но зато с нами все считаются, и даже «Черные леопарды». Тем более сейчас не мы работаем на их территории, а они на нашей! Поэтому ничего не бойтесь. Вы будете под постоянным прикрытием. А завтра с утра, я заберу вас из отеля, и мы продолжим нашу совместную работу. Согласны?

Кира развела руками.

— А у меня есть выбор?

* * *

Выйдя на улицу, Кира глубоко вдохнула, как ныряльщик, вынырнувший на поверхность из безжизненной мути глубин. Она словно оказалась в другом мире. Ярко светило солнце, дул легкий ветерок, две женщины, оживленно беседуя, прошли мимо, по мостовой проехал мотоциклист и белый «Рено». Огромные жернова, азартные игроки, сумасшедшие ставки, пропитавшая жизнь угроза, — все это осталось там, откуда она только что вынырнула.

Жак по-прежнему томился за столиком, с неизвестно какой по счету чашкой кофе в руках и неизменной для француза утренней газетой. Но обстановку он контролировал. Едва заметив переходившую дорогу Киру, вскочил и двинулся навстречу.

— Формальности с визой? — Он развел руками. — Я уже решил, что вас заперли в подвал, чтобы подвергнуть насильственной депортации!

Она предпочла промолчать. Но не заметить, что настроение у Киры изменилось, было невозможно. Жак встревоженно всмотрелся в ее лицо.

— Что случилось? Ты напугана?

— Да так... Ничего.

— Может, нужна помощь?

— А чем ты мне поможешь?

Жак с удовлетворением отметил, что они незаметно перешли на «ты».

— Отвези меня, пожалуйста, в отель, — попросила Кира.

— Зачем в отель? Нас ведь ждет морская прогулка! Белоснежная яхта, голубая вода, чайки...

— Боюсь, я не настроена.

— Oh mon dieu! — он вскинул руки к небу. — Настроение у нее меняется, как ветер в сезон дождей. Но что случилось?

— Ничего особенного. Но я лучше поеду в отель.

Но Жак оказался настойчив.

— Кира, — он взял ее за руку. — Что бы ни случилось и если это не требует немедленного выезда из страны, экстренного посещения банка или срочной госпитализации, предлагаю лучший рецепт парижан на все иные случаи жизни — нужно развеяться.

Ему не потребовалось прилагать слишком много усилий: Кира не потеряла способности логически мыслить. Ну, забьется она в номер, и что дальше? Улучшится настроение? Развеются все невзгоды? Или наоборот — накатит волна беспросветного отчаяния и тоски, а все страхи только многократно усилятся?

Она махнула рукой.

— Ладно, давай развеемся!

— Вот это другое дело!

Через десять минут красная «Альфа-Ромео» запарковалась на гостевой стоянке располагавшейся неподалеку марины — искусственного залива с обустроенной стоянкой для яхт. Жак помог Кире выбраться из машины, подхватил сумку с пляжными принадлежностями, и быстро провел ее к зафрахтованному суденышку. Яхта и впрямь была красива. Небольшая, остроносая, она весело поблескивала на солнце белым лаком и вся была устремлена в море, к золотисто-синему горизонту.

— Рад приветствовать вас на борту моей прекрасной «Снежинки», — басом сказал капитан — довольно грузный мужчина со старомодными бакенбардами и киношной трубкой в руке. «Это его подлинный образ, или подгонка под устойчивый стереотип? — подумала Кира. — На городском празднике вполне мог бы выступать в роли морского волка...»

— Зовите меня Старый Шарль! У нас все запросто, не выношу официоза, — сказал он и затянулся трубкой.

Помощник капитана, точнее, единственный матрос на судне, — был не менее колоритен. Молодой парень, молчаливый и обветренный, загоревший до шоколадного цвета, — так и напрашивалось сказать — «просоленный ветрами, — приветствовал пассажиров сдержанным кивком и без лишних слов принялся крутить ручку якорного подъемника. Кира не могла отделаться от чувства, что угодила на съемки подросткового фильма.

Сохраняя целостность стереотипа, яхтой Шарль управлял виртуозно. «Снежинка» легко отошла от причала, с упругим хлопком развернула один за другим два центральных паруса, и побежала по мягким лазурным волнам, весело плескавшим в ее борта.

В уютной, аккуратно прибранной каюте Кира переоделась в купальник и, вернувшись на палубу, застала Жака в купальных шортах. Он был в отличной форме. То ли следил за фигурой, посещая спортзал и считая калории, то ли был счастливым обладателем отменного метаболизма — как бы то ни было, живот был плосок, а плечи широки. Рельефная мускулатура, впрочем, выдавала регулярные тренировки.

Кира, не без удовольствия, и не особо скрываясь, оглядела его, не оставив без внимания ответный, весьма заинтересованный, взгляд. Воспоминания о том, другом — страшном мире, незаметно развеялись. Она почувствовала в себе уверенность и легкость, каких не чувствовала прежде никогда, даже на балу. Главное, — исчезла зажатость, перманентное напряжение, охватывавшее под излишне откровенными мужскими взглядами.

«И чего я их боялась? — усмехнулась она про себя. — Ничего-то страшного и нет, наоборот...»

Мельком вспомнилась Наташка, матерая коллекционерша мужских сердец — но тут же ее образ развеял и унес за горизонт веселый средиземноморский ветерок. Наташка больше не годилась на роль учительницы: Кира сама может ее учить!

Они сели в шезлонги, стоявшие на носу, матрос поставил рядом переносной столик с шампанским и фруктами. Кира надела темные очки и блаженно вытянулась.

— Ой, я же не намазалась! — спохватилась она, копаясь в сумке.

— Позвольте мне выполнить эту миссию, — Жак выхватил у нее тюбик и с ловкостью профессионального массажиста принялся натирать солнцезащитным кремом ее шею, плечи, руки.

Грудь, живот и бедра Кира намазала сама, зато Жак завладел коленями, потом икрами... Как ни странно, она не испытывала неловкости, наоборот — ей нравились сильные, но осторожные движения, нравились прикосновения грубоватых ладоней... Вдруг она подумала, что у нее уже отрасли волосы, но не ужаснулась, как было бы совсем недавно — напротив, отнеслась к этому, словно к обычной бытовой мелочи.

— Колются волосы? — буднично поинтересовалась она. — Пора брить ноги...

— Можно не торопиться, — так же естественно ответил он. — Почти не чувствуются... Даже приятно!

Жак стал натирать ступни: пятки, подошвы, пальцы... Эти места не обгорают и солнцезащитный крем им совершенно не нужен, но Кира его не останавливала. Ей никто и никогда не делал такой массаж, сейчас она вдруг испытала неведомое чувство: приятное тепло поднималось выше и выше, охватывая все тело, оно заметно усиливалось, нижняя часть уже горела, словно в огне, аромат крема, в соединении с запахом морской воды создавал волшебное благовоние, меняющее отношение к окружающей жизни — как в «Парфюмере»... Закружилась голова, она словно провалилась в огромную яму и летела вниз, ощущая бешеное биение сердца, а в следующее мгновение волна наслаждения накрыла ее целиком, не удержавшись, она застонала...

Некоторое время она лежала с закрытыми глазами, постепенно приходя в чувство. Подобное ощущение было ей неведомо до встречи с Андреем, но то, что произошло сейчас, было на порядок сильнее, и оказалось следующим уровнем познания самое себя...

Кира приоткрыла глаза и встретила откровенный взгляд Жака.

— У тебя чувствительные пальчики, — сказал он.

И опять ей не было стыдно.

— Разве такое бывает? — спросила она.

— Бывает, — кивнул Жак и добавил. — Нечасто.

Киру кольнуло острое, тоже неизвестное ранее чувство. Ревность! Она не знала, что сказать, но Жак пришел на помощь.

— Предлагаю расслабиться, забыть о проблемах с визой, что бы ты ни называла таким образом, и просто погрузиться в этот безмятежный лазурный день, — произнес Жак, разливая шампанское по бокалам.

— О, я уже погрузилась в такую пучину...

Она осеклась, по одной подняла и осмотрела блестящие от крема ноги и, потянувшись, приняла протянутый бокал. Яхта, море, чайки, неожиданный пик наслаждения, учтивый и красивый спутник... Кажется, средство для лечения стрессов, найдено. По крайней мере на сегодняшний день. А стоит ли загадывать дальше, когда все меняется так неожиданно и стремительно?

— Твое здоровье! — она чокнулась с Жаком и залпом осушила бокал. Потом второй, третий...

Не успели оглянуться, как бутылка закончилась, но матрос принес новую. Время летело быстро. Жак то и дело придумывал какой-нибудь смешной повод поцеловать ей ручку, погладить ножку, обнять за плечи, и неустанно развлекал занятными историями то из своей московской жизни, то из парижской, то привезенными из какого-нибудь путешествия — а поездил он, судя по всему, немало. В перерывах между шампанским и беседами они купались в море — Кира даже решилась один раз прыгнуть с высоченного, как ей казалось, борта «Снежинки». Почему-то вспомнилась «Бегущая по волнам»: ее борт был гораздо выше — раза в три... Но она отогнала это воспоминание. Кира больше загорала, а Жак долго бултыхался в воде. Свою дурацкую, и оказавшуюся тяжелой сумочку, он повесил на никелированный поручень — Кира обнаружила это, когда поправляла, чтобы она так громко не билась о рубку. Что он там носит? Связку из ста ключей от комнат замка Синей Бороды? Впрочем, эта ассоциация тоже несла негативный заряд и была развеяна так же, как образ Наташки.

В какой-то момент, взглянув в сторону Ниццы, Кира обнаружила, что яхта ушла далеко в море. Береговая линия вытянулась линией разнокалиберных зданий, и напоминающих спички пальм, машины превратились в мошек, а людей и вовсе видно не было.

— Сорваться бы вот так и уплыть в кругосветное плавание, — вздохнула она.

— Можно, — согласился Жак. — Захватить «Снежинку» ничего не стоит, но она не годится для дальних путешествий. Правда, я могу захватить и «Ориент»...

— А дирижабль? Про «Звезду Африки» слышал?

— Слышал. И его могу. Только надо позвать на помощь несколько товарищей...

— Дипломатов? — Кира весело рассмеялась. Жизнь снова налаживалась. Гигантские жернова крутились где-то в другом мире, а все бандиты, магнаты, полицейские и майоры DRM, — все они, развеянными, уносились за горизонт по проторенному уже пути.

«В конце концов, я действительно не знаю ничего про эту дурацкую карту, а на «нет» и суда нет», — заключила Кира к исходу дня. Она плохо разбиралась в судах, но настроение выправилось.

Солнце покатилось к закату, «Снежинка» плавно и незаметно сменила курс, берег стал приближаться — уже другой конфигурации, с другими зданиями, в других оттенках.

— Мы идем в Антиб, — сообщил Жак в ответ на ее вопрос. — Видишь здание на мысе, прямо над морем? Это рыбный ресторан высокой кухни «Де Бакон». Я заказал там стол. У окна, чтобы видеть море...

— Прекрасно, — ответила Кира. Она вдруг почувствовала, что порядком проголодалась.

\* \* \*

Виной всему, как Кира потом определила, был буйабес. Дородный, с усиками, повар готовил его на передвижной тележке, которую прикатил почти вплотную к их столу. Его высокий белый колпак, китель и фартук были безупречно чисты и тщательно отглажены, движения выверены и четки. Это был не просто рядовой поварского дела, нет — это был генерал высокой кухни. А все происходящее воспринималось Кирой то ли, как представление факира на карнавале, то ли, как немая, но чрезвычайно важная сцена в драматическом спектакле, а то ли и вовсе — как таинственная магическая церемония...

Куски рыбы нескольких сортов, мидии, морские гребешки, тигровые креветки, скампии, маленькие осьминоги и кальмары, вымытые и, видимо, подсушенные салфетками, чтобы под ними не натекали лужи, выглядели именно так, как на фотографиях в глянцевых гастрономических журналах, с рецептами деликатесных блюд. Кира зачарованно смотрела на колючую морду какого-то морского монстра с выпученными глазами и красно-серой чешуей, а та, в свою очередь смотрела на нее, пока генерал-повар не отправил все это великолепие в начищенную до теплого мягкого блеска медную кастрюлю и не включил газовую горелку.

Потом, как опытный дирижер, он добавлял в кипящую кулинарную симфонию необходимые нотки приправы: шафран, лавровый лист, чеснок, перец, лук, соль... А Жак переключился на соответствующую моменту тему и рассказывал, что буйабес когда-то придумали бедные марсельские рыбаки, вечерами варившие непроданные остатки утреннего улова, а потому его еще называют марсельским супом, который может включать до сорока видов рыбы и морепродуктов...

Все происходящее действовало на Киру успокаивающе, неутомимый Жак старательно развлекал ее на прекрасном русском языке с приятным акцентом, в открытом окне переливалось и поблескивало море, снизу доносились смешки и голоса подвыпивших немцев. Все было прекрасно, страхи и переживания развеялись и растворились в морском воздухе, вслед за недавними негативными образами... Свою роль сыграло и выпитое шампанское, которое автопилотом выправляло зигзаги Кириной мысли, возвращая ее на оптимистический курс. Она вдруг вспомнила о глупых картах, которые ей предлагалось каким-то неведомым образом разыскать в далеком, почти нереальном уже Тиходонске — и это предложение показалась ей совершенно нелепой. «Да отстаньте вы от меня с этими картами! — мысленно возмутилась она. — Не видите, у человека отпуск!»

Когда блюдо было готово, повар поклонился и ушел, как отыгравший свою партию скрипач, а на сцену вернулся официант, который принес длинные фартуки с надписью «буйабес», чтобы гости не боялись запачкать одежду, подсушенные гренки, чесночный майонез и принялся блестящим медным половником разливать по тарелкам густой, пряно пахнущий суп.

Буйабес Кира, конечно же, ела впервые в жизни. Произведение высокой рыбной кухни оказалось очень наваристым и сытным, нейтрализующим воздействие алкоголя. За одной бутылкой белого вина последовала вторая.

— Вижу, твои «формальности с визой» очень тебя нервируют? — спросил Жак, явно для проформы, чтобы произвести впечатление заботливого мужчины.

Но разомлевшая от еды и вина Кира, в лучших русских традициях давать развернутые ответы на вопрос «как дела?», неожиданно для самой себя, сделала глубокий вдох и принялась рассказывать все, как есть, — всю свою историю с удивительными переменами и невероятными совпадениями, которые, конечно же, не могут иметь никакого продолжения, но в которых ей хочется когда-нибудь разобраться.

Жак слушал, открыв рот. Он пил вино, не забывая подливать Кире, и изумленно качал головой.

— Надо же! Прямо, как в кино! Неужели такое может быть?

— Может, — сказала Кира, отодвигая тарелку, которую уже опустошила дважды. И вдруг, неожиданно для себя, выплеснула на собеседника свою новую способность — анализировать, сопоставлять и критически оценивать вроде бы очевидные факты.

— Может же человек, только-только приехав первый раз в Ниццу, хорошо знать город, его полицейские участки, яхтенные стоянки, лучшие рестораны? Может он предугадывать будущее и заранее резервировать яхты и заказывать столы? Наверное, он может и носить дурацкую, но тяжелую сумочку? Например, с пистолетом? Как ты считаешь, Жак?

— Конечно, может! — бодро кивнул он. — Я, например, всегда изучаю справочник по городу, в который собираюсь. А мобильные телефоны и интернет позволяют все заказывать заранее, причем за несколько минут... Что ты еще спрашивала? А, пистолет... Во французской республике частным лицам разрешено владение оружием. Но я не очень люблю пистолеты.

Жак зевнул.

— Хочешь еще чего-нибудь? Или поедем обратно?

Потом — это Кира помнила твердо, было такси до Ниццы, был кофе с коньяком в баре отеля. Последующее память сохранила фрагментарно, причем, скорее всего, основное место занимали не реальные события, а сон: страстные поцелуи с Жаком, кувыркание в постели, его нежные прикосновения к чувствительным местам ступней и всевозможные изысканные ласки от которых Кира проваливалась в бездонную пропасть полуобморочных наслаждений. Совершенно очевидно, что такое не могло происходить в первый день знакомства с незнакомым мужчиной!

Такое, безупречное с логической точки зрения, объяснение придумалось само собой, как только Кира проснулась ранним утром. Оно было безупречным во всем, кроме одного: это замечательное объяснение опровергалось самим фактом нахождения того самого знакомого-незнакомого мужчины в постели рядом с совершенно голой Кирой!

«Какой ужас! — подумала она. — Я опустилась до аморализма Наташки!»

Просто так неожиданного грехопадения с ней произойти, естественно, не могло, надо было найти причину, чтобы впредь подобное не повторялось! Собрав в кучу все свои аналитические способности, Кира мучительно перебирала факты вчерашнего дня. Посещение полиции? Но оно не было первым и раньше не давало такого эффекта... Прогулка на яхте? Тоже нет — она как-то каталась по Дону на весельной лодке, но сексуальных последствий это не возымело... Шампанское? Так здесь она пьет его каждый день, так же, как и сухое вино... Кофе с коньяком? Даже думать смешно! Может быть, буйабес?!

А ведь действительно — это был единственный продукт, который она отведала впервые! Значит, точно: буйабес — это мощный афродизиак, который напрочь подавляет волю порядочной женщины, и выпускает наружу низменные инстинкты!

Кира с облегчением вздохнула: «Предупрежден — значит, вооружен!»

А кстати... Она тихонько встала, на цыпочках подошла к креслу в котором вперемешку лежала женская и мужская одежда, вытащила из-под низа дурацкую набрюшную сумочку, осторожно расстегнула одну «молнию», потом вторую... В первом отделении лежали ключи от машины, паспорт, несколько кредитных карточек, немного наличных денег и жевательная резинка. Во втором, как она и подозревала, действительно оказался пистолет!

— Что ты там ищешь? — раздался сзади ленивый голос Жака.

— Свои трусики.

— Нашла?

— Пока нет.

— Ну, и хорошо. Иди сюда.

Кира покорно вернулась в постель. Оказывается, действие буйабеса продолжалось.

* * *

Они с трудом успели до окончания завтрака. Ели молча, заговорщически поглядывая друг на друга, и иногда чему-то улыбаясь. Потом разошлись по номерам, не договариваясь о встрече, но уверенные, что она состоится. Потому, что их как-то незаметно связал невидимый, но прочный канат... Во всяком случае, Кира ощущала эту связь очень отчетливо — мысли о Жаке не выходили у нее из головы. А вот про всех остальных она совсем забыла. И когда Пьер Фуке позвонил с ресепшен и сказал, что ждет в вестибюле, она даже хотела отказаться: грозная военная разведка Франции отошла на второй план, так же, как и все ее представители. Но, это было бы неразумно и, сделав над собой усилие, она спустилась вниз.

Майор DRM был, как всегда, в недорогом деловом костюме, и как обычно, с приветливой улыбкой, проводил на парковку и усадил в неброский черный «Рено».

— Куда мы направляемся? — поинтересовалась Кира, когда они отъехали от отеля.

— К специалисту, пробуждающему память.

— Разве такие есть?

— Есть, но мало, и это лучший. Настолько, что мы сделали ему гражданство и обустроили жизнь. Несмотря на серьезные препятствия в его биографии...

— Препятствия в биографии?

— Да, наш эксперт в молодые годы работал на штази.

— И кому он пробуждал память?

— Блестяще добывал нужную информацию у иностранных дипломатов, засланных в страну нелегалов, диссидентов. Заведет с объектом знакомство на каком-нибудь приеме, потом напросится с ним в такси, или пригласит в гости... Кодовое слово, пристальный взгляд — и тот рассказывает все, о чем ни спроси — причем с подробностями, которых и не вспомнил бы в состоянии бодрствования!

— Гипноз? — Кира, откинулась на спинку сиденья. — Прямо, как в голливудском кино...

— Я сам, своими глазами, наблюдал его в деле. Можете называть это как угодно, но он действительно может вытащить из памяти давно забытые, даже детские воспоминания.

— Меня еще никогда не гипнотизировали.

— Ну, что вы теряете? В крайнем случае — час времени. Прокатитесь в офис к нашему доктору, посидите в удобном кресле. А взаимные выгоды в случае успеха очевидны.

— У вашего доктора официальный офис?!

— Представьте! Никаких фальшивых вывесок, подземных бункеров, стальных дверей... Обычная частная практика в уютной клинике. Вот и она, — Фуке подрулил к небольшому особняку с красивым фасадом и припарковался у входа.

Из офиса, расположенного на одном из холмов восточной Ниццы, открывался вид на местную архитектурную достопримечательность — здание библиотеки Тет Карре — так называемую «Кубическую голову». Набитый книгами куб на человеческой шее, очень символично характеризовал ситуацию. Сам мастер гипноза, читающий книги знаний в чужих головах, оказался улыбчив и моложав.

— Карл Вольфсберг, — представился он, протягивая руку, и одарил ее улыбкой постаревшей кинозвезды — уже растратившей страсть к самолюбованию, но все еще владеющей всем арсеналом завоевания симпатии.

Кира назвала только имя, разглядывая идеально белые фарфоровые зубы доктора.

— Прошу! — Он махнул в сторону глубокого массивного кресла. Кира села, откинулась на спинку. Доктор Вольфсберг задернул плотные шторы, погрузив кабинет в полумрак.

— Напоминаю, что господин Фуке с вашего согласия присутствует в соседней комнате и наблюдает за сеансом на экране монитора. Запись беседы не ведется. Обязательство сохранять в тайне полученную информацию действует в этом кабинете без каких бы то ни было исключений.

Кира кивнула.

Вольфсберг уселся на стул напротив Киры.

— Я начну задавать вам вопросы, вы будете на них отвечать.

— Хорошо.

— Если какие-то вопросы покажутся вам странными, скажите мне об этом. Или не говорите. Если вы вдруг решите, что мои вопросы вас утомили, дайте знать. Все наши усилия направлены на то, чтобы добраться до ваших детских воспоминаний об отце... Вы ведь не против освежить детские воспоминания? Хотите лучше вспомнить об отце?

Кира пожала плечами.

— Ответ очевиден. Разумеется, хочу.

— Прекрасно.

Вольфсберг переплел пальцы рук, поднятых к груди.

— Тогда ничто не помешает нам это сделать. А дерево в вашем дворе помните?

— Что?

— Дерево. Оно росло во дворе.

Дальнейший разговор с Карлом Вольфсбергом не удержался в памяти Киры. Картинка обрывалась. Между фразой о дереве, которое росло во дворе, и моментом, когда Кира, поднявшись с кресла, прощалась с Вольфсбергом, была пустота — абсолютная и непреодолимая, как открытый космос. Зато в памяти ее всплыли красочные воспоминания детства — когда-то затерявшиеся неведомо куда и вот теперь открытые заново, обнаруженные в целости и сохранности на своих местах. Словно кто-то подобрал игрушки, потерянные ребенком на прогулке, и аккуратно разложил их в детской, пока тот спал: книжки на полку, мячик под стол, кукол в шкаф. Или просто прочитал вслух несколько книг, хранившихся в «квадратной голове».

Судя по всему, отцу необходимо было выговориться — поделиться с кем-нибудь своим африканскими страшилками. С матерью отношения были испорчены вконец. Друзьями он, как и многие геологи, не обзавелся. В вопросах воспитания детей и бережного отношения к детской психике не преуспел. Так и явились на свет борсханские байки, населенные дикими зверями, удавами и змеями. То был мир, в котором из непроходимых джунглей приходили безжалостные дикари, чтобы пронзить стрелами осквернителей священного леса, изжарить их на костре и съесть, как какого-нибудь поросенка или цыпленка.

— А у тамошних племен так уж заведено, — рассказывал отец, подкидывая дрова в дачную буржуйку. — Любой чужак, забредший в их владения, должен быть изловлен и предан в руки шамана — живым или мертвым. Так велит кровожадный демон Юка. В тех краях водится невиданное множество алмазов, которые стоят огромных денег в далеких странах, где люди живут в каменных домах и покупают еду в магазинах. Люди из этих стран приезжают на земли туземцев, чтобы отыскать алмазы и забрать их себе. Но Юка запрещает делиться с пришлыми. Алмазы — его глаза, и с каждым алмазом, вывезенным в дальние страны, он слепнет. Перестает видеть прошлое и будущее. А шаманы перестают получать ответы на свои вопросы, которые задают Юке каждый раз, когда в их племени что-нибудь случается — хорошее или плохое. Поэтому каждый путешественник знает: земли Юки лучше обходить стороной. Но охотники за алмазами тянутся туда вереницами. Многие из них оканчивают там свои жизни...

Отец рассказывал, а девочка Кира жалась к его руке, и в углу тесного дачного домика ей мерещились тусклые глаза ненасытного идола, который всматривался в нее пристальным страшным взглядом.

Из кабинета доктора она вышла под большим впечатлением. Пьер Фуке не стал торопить события, наседая на нее с расспросами. Молча, они сели в машину, молча доехали до отеля.

— Завтра я за вами заеду в одиннадцать, — на прощание сказал майор. Согласием Киры на этот раз он не интересовался.

А перед ее мысленным взором всплывало и наплывало, будто кто-то изменял фокус объектива, незнакомое черное лицо с узнаваемыми чертами...

# Часть 3
# ЖУТКАЯ СКАЗКА

## Глава 1
## Глаза идола Юки

*Ретроспекция. Борсхана, 1990 год*

>*Если человек не верит в случайности,*
>*они с ним и не происходят.*

**Ч**ерное лицо временами наплывало на него, как будто невидимый оператор укрупнял кадр, и монотонный голос становился неразборчивым. Может, из-за усталости, а может, ему что-то подмешали в воду — тут такое практикуется. Хотя... Какой в этом смысл?

— Богатства наших недр — золото и алмазы. Но их месторождения надо разведывать. У нас нет хороших геологов, и мы нанимаем их за большие деньги. Некоторые страны предлагали нам свои услуги, но это очень щепетильное дело...

Переводчик закончил и, дожидаясь продолжения, переставил стул к окну. От вертевшегося под потолком вентилятора толку было мало. Похоже, этот светлокожий полукровка, исполнявший при здешнем Бюро Безопасности роль толмача, тяжело переносил духоту. Маялся, искал хоть какой-нибудь сквознячок. Еще один человек — коренастый, с мощной шеей, одетый как и Афолаби в военную форму, стоял, прислонившись к стене и в разговоре не участвовал.

Двинувшись от распахнутой двери до стены, Афолаби продолжил свою речь. Хлипкие полы отчаянно скрипели под тяжелыми армейскими ботинками. Песочная армейская рубашка на спине темнела от пота. Он говорил на фульбе — языке, распространенном в Сенегале, Гвинее и Борсхане. Слушая его негромкую скороговорку, разомлевший, придавленный жарой белый в который раз ловил себя на ощущении, что сидит на инструктаже в парткоме. Тут главное время от времени кивать и сохранять более-менее осмысленный вид, чтобы не раздражать инструктора — себе же дороже: затаит обиду, не оберешься. Советского человека нравоучительным бубнежом не испугать. Впрочем, если не страх, то некоторая настороженность не оставляла Дмитрия Быстрова с той самой минуты, когда он переступил порог кабинета, в котором его встретил этот африканец с глазами голодного льва. Казалось, не понравится ему, как ты слушаешь, как смотришь, как локоть почесал — да что угодно — вынет пистолет из кобуры, болтающейся на боку, и всадит тебе пулю в лоб. Кто их тут знает, в этой Борсхане, где до недавнего времени ели себе подобных... Да и сейчас, наверное, едят, только тщательно скрывают...

Жара. Нужно привыкать. Африка, как ни крути. Знал, куда ехал. Кондиционер, сказали ему, сломался, а мастер, который чинит кондиционеры, пропал в джунглях. Отправился охотиться на кабанов и пропал. Скорей всего его самого убили местные. Племя юка-юка кочует неподалеку. Они любят сожрать кого-нибудь из городских — считается, что это приносит удачу. По их меркам все городские везунчики, живут как у Великого Юки за пазухой.

Афолаби умолк, переводчик принялся переводить, в паузах шумно втягивая воздух.

— СССР помогал нам освободиться от колониальной зависимости, поэтому мы вам доверяем. Французы, хотя много лет держали нас под своим протекторатом, вовремя ушли. Мы остались друзьями. Сохранили доверие. Поэтому вы будете работать в паре с французским специалистом. И американцы наши друзья, но им мы доверяем меньше. Они могут не только разведать месторождения алмазов, но и присвоить их. Поэтому их предложение мы мягко отклонили. Это не значит, что они не попытаются помешать вам, или опередить, или еще что...

Все это советский геолог уже знал — и про французов, и про американцев. На родине его инструктировали, да не где-нибудь — вызывали в органы. Особист, или правильней сказать, чекист, — Быстров в этих тонкостях никогда не был силен, — прочел ему целую политинформацию и поставил главные задачи: снять копию с карты геологоразведки и держать американцев подальше от всех сведений об алмазах. А в конце обронил, вроде бы себе под нос, но Быстров хорошо расслышал: «Куда только наш человек не полезет в поисках приключений на свою задницу». И головой неопределенно так качнул. Дмитрий Быстров понимал, конечно, что Борсхана — жуткое место. Но другого шанса вырваться в загранку с такой высокой оплатой у него не было.

Скрип досок под рифлеными подошвами прекратился, Афолаби замолчал и остановился у окна. Это был сигнал переводчику, тот вдохнул поглубже, и принялся говорить.

— За успешное выполнение контракта вы получите пятьдесят тысяч долларов. Это немалые деньги. Но в случае, если кто-то из вас злоупотребит нашим доверием, вы не выедете из Борсханы. Живыми во всяком случае.

Афолаби обернулся и упер в Быстрова холодный, недобрый взгляд.

«Ну вот, началось, — подумал Дмитрий Быстров. — Как они все-таки любят пугать по старой людоедской привычке. Хотя и изображают демократическую страну».

А вслух сказал:

— Что ж, все ясно. Мне бы все-таки в душ, с дороги-то...

Переводчик посмотрел на него с некоторым удивлением, но, про душ, похоже, перевел. Афолаби смерил его таким неподъемно тяжелым взглядом, что Быстров тут же внес коррективы в суждение о борсханцах. Пожалуй, в их поведении старых, «додемократических» привычек и впрямь немало. Но ведь может оказаться, что грань между показным и настоящим эти незамутненные цивилизацией люди различают плохо. Увлечется игрой — и забудет, что пистолет настоящий, а пулю в лоб уже не переиграешь...

— Гостиница где-то рядом, да? — Быстров постарался изобразить дружелюбие.

Этого переводчик уже не стал переводить — то ли поленился, то ли решил дать понять белому, что лучше бы ему помолчать.

Афолаби прошелся по комнате — сначала до двери, потом до стены, подошел к своему огромному столу и, помедлив, поманил гостя.

Тот, с некоторой опаской, приблизился.

Розовато-молочный ноготь на иссиня-черном пальце ткнулся в покрытую французским текстом бумагу. Афолаби вынул из кармана толстую ручку с золотым пером, положил на контракт.

Быстров расписался на каждой странице, свой экземпляр отделил от стопки и свернул трубочкой.

— Вечером вас познакомят с напарником, — бросил ему Афолаби по-французски, глядя в стол. — Мой помощник Бонгани сейчас сопроводит вас в гостиницу. Он и будет непосредственно руководить вашей экспедицией.

Как бы подтверждая его слова, молчаливый человек отделился от стены, щелкнул каблуками и, подчиняясь знаку Афолаби, подошел к столу и стал рядом. От него сильно пахло потом.

Быстров удивился, что Афолаби разговаривал через переводчика: его французский был вполне приличный. Не положено по протоколу? Может же в молодом, но гордом государстве действовать запрет на иностранный язык в официальных беседах? Или инструктаж записывался на диктофон для тех, кто французским не владеет?

Но он предпочел не высказывать своего удивления, и не задавать лишних вопросов. Обозначив поклон, в сопровождении молчаливого Бонгани, он направился к выходу.

* * *

Борсхана, а точнее ее столица Хараре, произвела на Быстрова странное впечатление уже в момент посадки самолета. В полете пассажирам показали ознакомительный фильм о «самой развитой стране Африки». На экране плыли десятки блочных пяти- и девятиэтажек. Кварталы не отличались разнообразием, напоминая московские новостройки семидесятых годов но, по крайней мере, показывали, что Борсхана действительно ушла от соломенно-глиняных хижин, подтверждая красноречивый рассказ темнокожего диктора в легком европейском костюме и белой сорочке с галстуком. Но когда лайнер закончил пробег, оказалось, что домов было ровно три, они вплотную примыкали к летному полю, два имели явно нежилой вид. Похоже, что гостям Борсханы прокручивали ленту, действительно отснятую в Москве, нимало не смущаясь тем обстоятельством, что через несколько минут обман раскроется.

Встречающие отвезли его в Бюро безопасности Борсханы, располагавшееся в комплексе правительственных зданий, которые имели вполне пристойный вид, высокий забор и вымуштрованную охрану. Но по дороге он увидел, что таких зданий единицы. В основном, вдоль ведущей из аэропорта дороги стояли двухэтажные деревянные дома, а за ними проглядывали те самые соломенно-глиняные хижины, которые, якобы, остались в далеком прошлом бурно развивающейся и процветающей страны.

Сейчас впечатления Быстрова укрепились. Когда Бонгани вывел его из Бюро безопасности, было очень жарко, белое солнце раскалило бейсболку и голову под ней, все тело вспотело, и он понял, что потом здесь пахнет ото всех. В машине — старом джипе без верха, с матерчатым тентом, растянутым на четырех металлических штырях, его повезли обедать. За рулем сидел подчиненный Бонгани — Абрафо Траоле, тоже в военной форме, только судя по погонам, меньшего звания, чем его шеф. Да и сложением пожиже. Оба были в черных беретах, чем отличались от многочисленных военных, встречающихся на улицах — те носили зеленые береты. И оба неплохо владели французским.

— В Борсхане живут разные народы, — развернувшись вполоборота, просвещал гостя Бонгани. — Например, фулари более цивилизованные, более развитые, они легко поддаются обучению, а потому не желают жить в джунглях и перебираются в города. Они работают в государственных учреждениях, занимают командные должности в армии и полиции. Кстати, я из фулари...

Бонгани чему-то рассмеялся и свысока посмотрел на водителя.

— А вот мой помощник — из донго. Они на втором месте по уровню развития, где-то рядом с бхуту и тутси, но, конечно, гораздо опережают юка-юка, которые до сих пор практикуют каннибализм. Правда, Абрафо?

Водитель нехотя кивнул. Вряд ли он расценил сравнение с людоедами, как комплимент. Но возражать не осмелился.

Джип остановился на небольшой площади, у невзрачной забегаловки с громким названием «Саванна», стоявшей напротив двух каменных и трех деревянных домов. На веранде несколько человек торопливо ели из глиняных мисок какое-то сильно пахнущее зеленое варево, явно растительного происхождения. Даже проголодавшийся Быстров не был уверен, что оно ему понравится. Но его провели во внутреннее помещение, где несмотря на вращающийся под потолком вентилятор, было невыносимо душно. Здесь посетителей не было, толстый, лоснящийся от пота хозяин с почтением встретил гостя и с трепетом — его спутников.

К удивлению Быстрова, накормили их хорошо: «Боботи» из говяжьего фарша с сухофруктами оказалось очень вкусным, так же, как и апельсиновый кекс «Мскута», который подали с крепким чаем. Бонгани разделил с ним трапезу, а Траоле стоял в стороне, прислонившись к стене и наблюдая за входной дверью, — точно так же, как стоял сам Бонгани в кабинете Афолаби. Советский геолог понял, что здесь действует строгая субординация, нарушать которую чревато серьезными последствиями. И еще он понял, что для них обед приготовили отдельно, вряд ли обычные посетители могут получить здесь что-то подобное. Как гостеприимный хозяин, за едой Бонгани занимал его познавательными рассказами о местной жизни.

— Большая часть населения живет в деревнях, ближайшие начинаются сразу у границы Хараре, жители там пользуются всеми благами цивилизации, они приезжают в город работать или просто выпить пива, — рассказывал он, с аппетитом поедая «боботи». — Они могут учиться в городе, поступать на службу в армию... Далекие деревни не поддерживают связей с цивилизованным миром, у них своя жизнь, дикие, первобытные обычаи... Скажу вам по секрету, кое-где даже еще существует людоедство, хотя мы с этим боремся...

После обеда Бонгани уехал, передав Дмитрия на попечение Траоле, тот поселил его в гостинице «Сова» — одном из деревянных домов, располагающихся напротив, с трудом объяснив на плохом французском, что в шесть часов он зайдет за ним, и в «Саванне» познакомит его с напарником.

Устроившись в маленькой комнате без вентилятора, с узкой скрипящей кроватью, и с трудом приняв вяло текущий душ — единственный на этаже, Дмитрий, как убитый, проспал до начала седьмого. Траоле не было, и он сам отправился на важную встречу. Путь был коротким: перейдя через немощёную площадь, по которой бродили раздражённые бездомные собаки, он оказался у цели.

Смеркалось, над почти полностью заполненной верандой «Саванны» горели несколько лампочек. Посетители курили, пили местное пиво и тростниковую водку, шумно разговаривали и громко смеялись. Чёрные лица сливались с подступающей темнотой, и вызывали у него какое-то тревожное чувство. Преодолев смутные опасения, под внимательными взглядами завсегдатаев, он сел за свободный столик и тоже заказал пиво.

Между тем на площадь упала густая тропическая ночь. В чёрном небе горели яркие звёзды с незнакомым рисунком созвездий, совсем рядом кричали обезьяны и зловещие ночные птицы — казалось, что джунгли начинаются сразу за деревянными домами. Возможно, так оно и было. Дмитрий понюхал пиво и отодвинул кружку. Собаки грызлись между собой, визжали и громко лаяли. Потом одна начала протяжно выть. Плохая примета...

Напарник появился через десять минут, он вошёл так уверенно, будто являлся одним из постоянных посетителей. Высокий, широкоплечий, в пробковом шлеме, полувоенной рубашке цвета хаки навыпуск, широких штанах такого же цвета, заправленных в высокие ботинки, — он был похож на угнетающего свободолюбивые народы Африки, колонизатора с советских карикатур. Только тощий рюкзак портил впечатление — у колонизатора он должен быть под завязку набит долларами.

Траоле для знакомства не понадобился: они легко узнали друг друга — немудрено: двое белых среди десятков африканцев. Подойдя к столику, за которым томился Быстров, он протянул широкую крепкую ладонь:

— Я Антуан Вильре, — и с усмешкой кивнул на кружку. — Надеюсь, эту гадость вы не попробовали? Она делается на протухшей воде, кишащей паразитами.

— Быстров, Дмитрий, — представился геолог.

— Имена можно не запоминать — мы будем работать под псевдонимами, — сказал Антуан, подзывая официанта. — Абиг приказал их придумать, и я придумал.

— Какой Абиг? И зачем?

— Абиг Бонгани. А зачем... Так спокойней. Мало ли как дело обернется, — он перебил сам себя, резко меняя тему. — Виски выпьете?

— А разве здесь есть виски? — спросил Быстров, отметив, что его напарник на короткой ноге с куратором экспедиции.

— Конечно. Его не заказывают из-за дороговизны и отсутствия привычки, но нам принесут.

— Выпью.

Подошедшему официанту Антуан сделал заказ на фульбе, которым, как оказалось, владеет свободно. Или почти свободно. Официант стал гораздо приветливее, чего нельзя было сказать о посетителях, которые в упор рассматривали белых пришельцев. А когда у них на столе появилось полбутылки «Джонни Уокера» и стаканы с толстым дном, когда они выпили — раз, другой, третий, — улыбок на лицах африканцев стало меньше, а напряжения и злости в голосах — больше.

— Они что, завидуют? — спросил Быстров.

— Не обращай внимания, — сказал Антуан, заметив, что Дмитрий нервничает. — С местными нужно ухо держать востро. Но они боятся палки, как эти псы.

Он кивнул на собак, собравшихся полукругом у веранды, словно в ожидании обещанного угощения.

— Как будто хотят нас сожрать, — поежился Быстров.

— Здесь много желающих нас сожрать. Но не волнуйся, я умею с ними обращаться...

Он допил и неожиданно с силой бросил стакан в стаю. Псы с визгом разбежались. Антуан встал и стал внимательно осматривать зал. Вспыхнувший было возмущенный ропот тут же стих, но он продолжал стоять до тех пор, пока все не отвели от них взгляды, и не занялись своими делами. Официант быстро принес новый стакан и даже почтительно разлил виски.

— Вот то-то! — удовлетворенно сказал Антуан, и сел.

Алкоголь начал действовать — еще несколько порций и Дмитрий расслабился: окружающие уже не внушали ему опасений — люди, как люди, только черные. И собаки, как собаки...

Антуан полез в рюкзак, извлек карту и разложил на столе. Поскольку тусклая лампочка не позволяла рассмотреть детали, он подсветил себе маленьким, но мощным фонариком, дающим яркий бело-голубой свет. Взгляды окружающих вновь обратились в их сторону.

— Смотри: год назад здесь проводили магнитную разведку с легкомоторного самолета, — сказал Антуан. — И вот где обнаружены аномалии. Видишь, я обвел красным карандашом. Вот здесь, вдоль реки, и вот тут, в горах...

Он показал пальцем — где именно.

— Подожди, подожди! — остановил его Быстров. — Если предварительная разведка оказалась успешной, почему работа не продолжена? Почему не получен результат?

Антуан развел руками.

— Экспедиция была прервана.

— Но почему?

— Полковник Афолаби говорил тебе что-то о злоупотреблении доверием?

Дмитрий кивнул.

— Наши предшественники злоупотребили доверием. Во всяком случае, он так посчитал.

— А кто были «наши предшественники»?!

— Американцы, — коротко и, по его мнению исчерпывающе, ответил француз.

— И что с ними стало?

Антуан повторил жест неопределенности.

— Кто знает? Может, съели крокодилы, может туземцы юки-юки... Они пропали бесследно.

— Афолаби сказал, что они мягко отклонили предложение американцев. Если это мягкое отклонение, то каково жесткое? Что-то мне это не нравится!

— Нравится, не нравится, надо выполнять контракт. Иначе получится злоупотребление доверием. Со всеми вытекающими последствиями.

Дмитрий ошарашенно молчал.

— Давай лучше перейдем к делу, — сказал Антуан, тыча пальцем в карту. — Предлагаю высадиться вот здесь. И пойдем вниз по течению.

Быстров удивился.

— Как так?! Надо идти не сверху, а снизу, от устья!

— Почему? — вяло спросил Антуан.

— Как почему? — еще больше удивился Дмитрий. — Это общепринятая методика! Так находят зерна пиропа и ильменита — сначала редкие и мелкие, потом все более многочисленные и крупные... А потом они исчезают. Значит, их источник остался ниже по течению. Промежуточными пробами определяется верхняя граница перспективного района! А если идти вниз, то можно до устья находить сопутствующие минералы снесенные течением...

— Какие минералы?

— Сказал же — пироп и ильменит!

— Зачем тебе этот пироп?

Быстров резко отодвинул стакан, чуть не расплескав его содержимое.

— Ты что?! Это же минералы-спутники алмазов! По ореолу их рассеяния находится выход рудного тела! И тогда уже устанавливается расположение кимберлитовой трубки! Ты что, шутишь? Или меня проверяешь? Спрашиваешь элементарные вещи, которые знает любой геолог!

— Ладно, ладно, — примирительно сказал Антуан. — Я учился давно, и не доучился. Так что, по геологической линии ты будешь главным...

Дмитрий удивленно покрутил головой и принялся внимательнее рассматривать карту.

— А кроки, легенды есть?

— Какие еще кроки? А легенды нам не понадобятся — в джунглях только звери и каннибалы...

Быстров внимательно посмотрел на напарника.

— Кроки — это наброски местности с привязкой к ориентирам. А легенды — дополнительные данные на обороте! Ты что, совсем не в теме?!

Антуан разлил остатки виски и придвинул стакан опять ближе к Дмитрию.

— Я же сказал — в университете окончил только три курса! Чего ты мне экзамен устраиваешь? Давай лучше выпьем за удачу!

Не дожидаясь напарника, он одним махом опрокинул стакан.

— Мне обещали, что ты геолог, — растерянно сказал Быстров, крутя в руках стакан.

— Не может быть, — покачал головой Антуан. — Никто не мог такого обещать!

— Афолаби сказал, что я буду работать в паре с французским специалистом, — настаивал Дмитрий.

— Вот это правильно, — кивнул напарник.

— Но если ты не геолог, то в какой сфере специалист?!

Ответить Антуан не успел.

— Вы, белые свиньи, опять пришли красть глаза Великого Юки?! — раздался трубный голос над их головами.

Голос принадлежал двухметровому, по пояс голому африканцу, весившему не менее двух центнеров. Могучий торс был расписан ритуальной татуировкой, на огромной голове чудом держалась маленькая красная шапочка, похожая на тюбетейку. За ним стояли еще трое, в национальных одеждах, не такие крупные, но тоже мощного телосложения. Все четверо охватывали стол полукругом, как недавно собаки веранду «Саванны».

«Может, они каннибалы, и в сговоре с собаками?» — мелькнула мысль в голове Быстрова. Мысль совершенно невероятная в Тиходонске, но в республике, где процветает шаманство, колдовство и тайный каннибализм, она таковой отнюдь не кажется — здесь можно предположить все что угодно!

— Джунгли неприкосновенны, но они не могут себя защитить! — на смеси плохого французского и фульбе ревел великан, угрожающе нависая над чужаками.

Даже Быстров, разбирающий только смысл этого рева, понимал, что дело принимает плохой оборот. Он не привык к подобным переделкам, выстоять против четверых здоровенных мужиков у них не было шансов, а наличие вокруг только чернокожих сводило шансы белых даже не к нулю, а к отрицательной величине... Но Антуан, который, несомненно, правильно воспринимал каждое слово, сидел совершенно спокойно, с безразличным лицом, — будто ничего особенного у него за спиной не происходило.

— Но у джунглей есть защитники! — богатырь потряс кулаком, а его спутники воинственно закричали, будто перед атакой. И было совершенно очевидно, что сейчас атака последует.

Антуан меланхолично взял бутылку, под удивленными взглядами агрессивных африканцев, попытался налить себе очередную порцию, но бутылка была пуста. Впрочем, он об этом знал, и вовсе не собирался допивать отсутствующий виски. Просто, на несколько секунд отвлек внимание нападающих, вскочил, держа за горлышко, ударил бутылкой о край стола, так что во все стороны полетели осколки, а иззубренным стеклом полоснул по лоснящимся лицам великана и еще двоих, до которых смог дотянуться. На этом нападение вроде бы прекратилось — трое грозных силачей схватились за лица и, скорчившись, повалились на пол, между черными пальцами текла черная в тусклом свете кровь, воинственные крики сменились жалобными стонами. Все произошло так быстро, что осколки еще продолжали со звоном падать на бетон.

Четвертый отскочил в сторону и что-то требовательно прокричал, обращаясь к остальным посетителям. Быстров разобрал несколько раз повторенное имя Нгвама. Как ни странно, но на этот раз посетителей «Саванны» не остановил вид разъяренного Антуана, выставившего перед собой окровавленную «шведскую розочку» — словно подчиняясь приказу, два десятка нетрезвых африканцев поднялись из-за столов и, угрожающе ворча, направились к возмутителям местного миропорядка. Антуан отшвырнул «розочку», задрал рубашку и выхватил из-за пояса большой никелированный пистолет.

«Ничего себе!» — обмер Быстров.

Наставив ствол на надвигающуюся толпу, Антуан повел им справа налево и что-то сказал. Не очень громко. Но его услышали и остановились. Антуан обернулся и, увидев собак, на свою беду вернувшихся к веранде, быстро выстрелил два раза — один за другим. Самый большой — рыжий широкогрудый пес перекувыркнулся через голову, второй, подпрыгнув, повалился на бок. Оба остались лежать неподвижно, остальные с воем разбежались. Пример чужой смерти — самая убедительная вещь на свете, даже если это смерть собаки! Но толпа рассерженных завсегдатаев не стала расходиться — только отступила назад, бросая на белых злобные взгляды. В руках у нескольких блеснули большие складные ножи.

Антуан хищно оскалился, вытащил из брючного кармана вторую обойму и положил на стол, чтоб была под рукой.

— Разбегайтесь, псы! — рявкнул он, но никто его не послушал.

Неизвестно, чем бы дело кончилось, но в это время раздался приближающийся звук мотора, и к «Саванне» подкатил знакомый джип с тентом на четырех металлических штырях. За рулем сидел Траоле. Он быстро сориентировался в ситуации — с пистолетом в руке выскочил на веранду и ворвался в толпу, гортанно крича что-то на своем языке. Как ни странно, это подействовало: толпа дрогнула, ножи со стуком упали на бетон, африканцы шарахнулись в разные стороны и разбежались, как только что бежали прочь напуганные собаки. Траоле спрятал пистолет и принялся что-то собирать с пола. Веранда почти опустела, официанта тоже видно не было. Только единственный уцелевший из агрессивной четверки, стоял на прежнем месте, исполненный значимости и гордости. Ноздри его раздувались, глаза метали молнии.

— Ну, ты получил ответ на свой вопрос? — спросил Антуан, пряча пистолет под рубашку. Сидящий неподвижно Быстров ответил не сразу — он был в ступоре.

— На какой вопрос? — наконец, ожил он.

— В какой сфере я специалист, — криво улыбнулся француз.

— О да, это я понял! — кивнул Дмитрий. — Очень хорошо понял!

— А почему ты не добил этого? — Антуан кивнул на четвертого африканца, который стоял столбом и что-то бормотал сквозь зубы.

— Потому, что я специалист только в геологии...

— Ладно, думаю, мы сработаемся, — сказал Антуан. — Ты займешься геологией, а я — безопасностью.

К ним подошел Траоле, положил на стол подобранные ножи, и заговорил с Антуаном. При этом он кивал на окровавленную троицу, и в голосе чувствовался то ли страх, то ли укоризна.

— Это Нгвама — главный адепт секты Великого Юки, — перевел, наконец, француз, указывая на поверженного великана. — А это его свита. Они наделены шаманским даром и неприкосновенны. Аборигены боятся их и подчиняются беспрекословно.

— А почему же они подчинились этому... Траоле?

— Потому, что Абрафо принадлежит к «Черным леопардам».

— Значит, «Черных леопардов» они боятся больше?

Антуан сделал неопределенный жест, который можно было истолковать, как угодно.

— Аборигенов трудно понять. Они говорят одно, думают другое, а делают третье. Полагаю, что все зависит от конкретных обстоятельств. Но и мы действовали в конкретных обстоятельствах. Хотя Абрафо говорит, что их не стоило калечить, но у нас не было выбора. Теперь нам придется уехать из этой гостиницы туда, где нас не найдут. Кстати, он предложил тебе взять себе нож по вкусу. Но тут нет ничего стоящего, согласен?

— Согласен, — кивнул Быстров. Он был готов согласиться на что угодно, лишь бы скорей оказаться подальше от этого страшного места.

Они сели в машину. Траоле попросил не говорить никому о том, что он опоздал. И о драке не говорить тоже. Как поняли европейцы, в противном случае вина за инцидент ляжет на него.

— Ну, и хрен с ним, — сказал Антуан. — Не скажем!

Обрадованный Траоле отвез их на ночлег в общежитие Бюро безопасности. За высоким забором, под вооруженной охраной Дмитрий успокоился. Они по очереди приняли душ, и в одних плавках развалились в креслах под крутящимися лопастями вентилятора. Напарник закурил сигарету.

— Что это значит? — Дмитрий кивнул на татуировку, украшающую его плечо: круглую гранату, похожую на старинное ядро, испускающую семь остроконечных языков пламени и расположенную ниже полукругом надпись: «Legio Patria Nostra»[1].

— Символ Иностранного Легиона, — пояснил Антуан, глубоко затягиваясь. По комнате расползался пряный запах гашиша.

— Ты служил в Легионе? — удивился Дмитрий. — Разве французов туда принимают? Я думал — только иностранцев...

— Как правило, да... Но у меня случилась неприятность, пришлось заметать следы. А из Легиона выдачи нет, — Антуан запрокинул голову и расслабленно выпустил в потолок ровное кольцо дыма. — К тому же там можно поменять фамилию и получить новые документы...

Кольцо дыма, сохраняя форму, поднялось на метр с лишним, а потом было деформировано и рассеяно потоком воздуха от вентилятора.

— А что за неприятность? — бестактно спросил Быстров, хотя понял, что разговаривать на эту тему, напарник не настроен. И действительно — тот кольнул его острым взглядом, но расслабленность сделала свое дело: колючесть тут же исчезла.

— Ерунда. Подрались в баре с каким-то арабом, он стал меня душить, пришлось использовать нож... Благодаря этому арабу, я и не стал дипломированным геологом... Впрочем, мне понравилось то, кем я стал...

— Но сейчас ты, похоже, не служишь в Легионе?

— Верно. Однако, ты задаешь слишком много вопросов! — колючий взгляд снова кольнул Дмитрия. — Может, это Бонгани поручил меня прощупать?

Дмитрий покачал головой. Он уже был не рад своему любопытству.

— Нет, конечно. Я не так близок с этими людьми.

— А я, считаешь, близок? — прищурился Антуан, бросив взгляд на лежащий под рукой, и еще пахнущий сгоревшим порохом, пистолет.

Дмитрий так и думал. Но поспешно затряс головой.

— Ничего я не считаю. Просто мы напарники и должны лучше узнать друг друга.

---

[1] Легион — наше Отечество.

— Узнаем еще, время будет... Мы с тобой проходим под псевдо «Архангелы». И зовут тебя Самуил, а меня Рафаил, — как настоящих архангелов. А сейчас давай спать.

До утра они спали спокойным глубоким сном. Но когда через три дня Архангелы грузились в вертолет, Бонгани между делом сказал, что в ту ночь гостиница «Сова» сгорела, и двое белых постояльцев были убиты. А Траоле, хотя и держался в стороне, но все равно Самуил и Рафаил заметили, что нос у него опух, а из-под темных очков выглядывает огромный синяк.

* * *

*Борсхана, джунгли, 1991 г.*

Двенадцать человек, стараясь не производить шума, растянулись метров на тридцать. Самуил шел в середине цепочки, Рафаил — перед ним. Прокладывал путь старший из туземцев — Кобэ, замыкал шествие Отино. Эти двое держали наготове копья и луки со стрелами, чтобы отбить возможное нападение дикарей или опасных животных, а Кобэ еще и разрубал переплетение лиан и закрывающие дорогу ветки. Благодаря этому, они несли только половину груза. Все остальные, кроме белых, были загружены по полной. И женщины не составляли исключения — они несли столько же, а ширококостная, коренастая Амбала — даже больше мужчин.

Джунгли жили своей жизнью. Кричали и прыгали с ветки на ветку обезьяны, пели птицы. При приближении людей лес настороженно затихал, чтобы через несколько минут снова ожить за спиной. Иногда с дороги уходили крупные звери, с шумом продираясь сквозь плотные заросли. То и дело попадались змеи. Вот толстый удав поспешно уполз в сторону. Брызнули из-под тяжелых ботинок Рафаила лесные ужи. Древесный полоз неожиданно свесился над плечом Чакайда, и идущий следом Отино ножом рассек его пополам.

Экспедиция длилась уже больше года. Поиск в горах не дал положительных результатов — кимберлитовые трубки там имелись, но неудобное расположение и большая глубина залегания делали разработку экономически нерентабельной. Теперь они шли к реке Кванзе, чтобы повторить геологический поиск. Все уже устали, к тому же за прошедшее время они потеряли двоих, и по одной причине: из-за Великого Юки.

Племя юки-юки пользовалось самой дурной репутацией. Не только из-за воинственности и агрессивности, но и из-за стойкой приверженности к поеданию себе подобных. Однажды, правительство Борсханы решило стереть позорное пятно с репутации страны, и покончить с каннибализмом. Заслали в джунгли принявших цивилизованный образ жизни выходцев из племен, те — откормленные, причесанные, в европейских костюмах, с часами на запястьях и авторучками в нагрудных карманах, принялись разъяснять первобытное зло людоедства, которое позорит страну в глазах всего мира. Но что такое абстрактный «весь мир» для племени Самаки-Рофу, если рыба ушла из их владений и надо либо умирать от голода, либо ловить кого-нибудь из племени Имбузи, и набивать животы вкусным сладковатым мясом?

Пропагандисты доставали из кожаных папок распечатки строгих законов и громогласно перечисляли жестокие наказания, грозящие за людоедство... Но разве могут бумаги, пусть даже с внушительными синими, и красными печатями, заменить легко добываемую пищу? И испугают ли туземцев, живущих среди ядовитых змей, крокодилов и враждебных племен, слова о серьезных карах, вылетающие из сытых ртов забывших законы предков перебежчиков? Для них это простое сотрясение воздуха, за которым ничего не стоит...

Словом, убеждение не помогло. Тогда — как это случалось в случае любых затруднений, а без них в Борсхане не обходилось ни одно дело — вместо беспомощных пропагандистов, в джунгли пришли наемники из Иностранного Легиона, солдаты регулярной армии и «Черные леопарды». Показательные казни за людоедство значительно оздоровили ситуацию. Самаки-Рофу, Имбузи и Буру отказались от людоедства, во всяком случае, официально. И только юки-юки, потомки длинноголовой женщины, выданной замуж за говорящего крокодила — упорно, под страхом тотального уничтожения, придерживались каннибальских традиций.

Экспедиция наткнулась на капище Юки совершенно случайно. На фоне черной вогнутой стены из колючего кустарника и сухих веток стояла огромная, в полтора человеческих роста фигура, с угрожающе расставленными лапами. Изготовленная из таких же веток, она имела вид страшного косматого чудовища, готового поймать и сожрать всякого, кто неосторожно подойдет поближе.

Неосторожность проявил Бозед. Может, потому, что был самым молодым, а может оттого, что шел первым и оказался ближе других. По хрустящему настилу из таких же веток, как и все вокруг, он подошел к идолу, обошел его кругом и вернулся с улыбкой на лице и небольшой статуэткой в руке, стоявшей на столбике за охраняющей его огромной фигурой. Ясновидец Коджо закричал и замахал руками, да и его соплеменники испуганно отпрянули — юный Бозед проявил невиданное святотатство. Такими капищами племена юка-юка обозначают пределы своих территорий, а поскольку сама фигура Великого Юки не всегда может сразу же покарать нарушителя своего покоя, ему в помощь поселяют в ветках пятнистых гадюк... Поэтому Бозед был немедленно наказан: вскрикнув, он выбежал к остальным и принялся что-то горячечно говорить Рафаилу, указывая на две обильно кровоточащие ранки в районе щиколотки. Каждому стало ясно, что он просит спасти его, но Антуан рассматривал не роковой след на ноге, а статуэтку в его руке. Потом бросил беглый взгляд на укус и отрицательно покачал головой, что-то объяснив столпившимся вокруг африканцам. Те опечалились, а женщины стали плакать и раздирать себе ногтями лица, как обычно делают на похоронах.

— Яд попал в вену, прививка не поможет, — равнодушно пояснил Антуан на вопрос Быстрова.

— Но можно попробовать! — возмутился тот.

— Бесполезно. И зачем зря тратить вакцину?

Через десять минут жизнь действительно покинула несчастного Бозеда и соплеменники приступили к траурной церемонии. Выпавшая из его руки статуэтка лежала в стороне, и африканцы избегали к ней приближаться. Не привлекая внимания, Антуан поднял ее и сунул в рюкзак. Поймав осуждающий взгляд напарника, он подмигнул:

— Не бойся, все будет по-честному, мы ее разыграем!

— Я не боюсь. Я думаю: что ты сказал его друзьям? Что не хочешь тратить сыворотку?

Антуан скривился.

— Для них это слишком сложно. Я объяснил, что Бозед совершил святотатство и теперь боги не позволят спасти его — никакое лекарство не поможет. Это вполне понятно простым натурам.

Вечером, в палатке, они разыграли статуэтку в кости — у Дмитрия выпало «семь», у Антуана — «пять». Он с сожалением передал трофей напарнику. Тот взял, испытывая неловкость.

— Дочери привезу, — словно оправдываясь, пояснил Быстров.

— У тебя есть дочь? Сколько ей?

— Около года. Она должна была родиться уже после моего отъезда...

— Вряд ли малышке понравится этот страшный идол!

Быстров, подсвечивая себе фонарем, осмотрел статуэтку. Сантиметров двадцать в высоту, вырезанная из черного дерева, угрожающее выражение морды, похожей на крокодилью и жуткий взгляд тусклых глаз.

— Что у него там?

— Алмазы, — буднично ответил Антуан.

— А сыворотка действительно не могла помочь?

— При чем здесь сыворотка? — раздраженно произнес напарник. — Давай спать.

Через день Гвалу сразила стрела, выпущенная из чащи неизвестно кем.

Ответный огонь выстриг коридор в окружающей листве, но достиг ли он цели, осталось неизвестным. Однако, нападения не повторялись.

— Мы еще дешево отделались, — сказал Антуан. — Я хорошо знаю юка-юка...

Быстров не считал, что две жизни за маленькую статуэтку — дешевая плата. Но возражать не стал.

* * *

Переход в африканских джунглях — совсем не то, что прогулка в российском лесу. Здесь постоянно приходится подныривать под низкие ветки или прорубаться через переплетение лиан, иногда местность становилась практически непроходимой, и тогда экспедиция искала обходной путь. Помимо удушливой влажной духоты Самуила мучила мошкара, густо облеплявшая открытые участки тела. Прокладывавший путь Кобэ постоянно отплевывался, отхаркивался и ругался: полчища гнуса залетали ему в рот, нос и глаза. К тому же следовало смотреть под ноги, чтобы не наступить на змею, которые, впрочем, свисали и сверху, грозя в любой момент свалиться на потных усталых людей.

Идущий впереди сменялся через каждые десять минут, и переходил в хвост, чтобы отдохнуть, постепенно вновь продвигаясь вперед. Это было справедливо, хотя безопасность, практически, не повышало: хорошо поставленная засада одновременно расстреляет всю колонну... Хотя туземцы мало смыслят в военной тактике, к тому же здесь вряд ли можно было нарваться на засаду, а вот змея вполне способна ударить в колено или свалиться на голову любого...

В одиночку, без напарника, Самуил с чернокожим персоналом не справился бы. Каждый день он, как мантру, гонял в голове строчку из детского стишка: «Не ходите, дети, в Африку гулять!» И жалел, что нарушил эту разумную рекомендацию. Не для него Борсхана, как выяснилось. Слишком уж все зыбко и ненадежно в ней — современная техника вторглась в каменный век — к исходной точке Архангелов и груз доставили вертолетом, вспомогательный персонал выдвинулся сюда самостоятельно, правда, с минимальной поклажей — местные умеют обеспечить себя всем необходимым прямо на месте. Но техника не успела осовременить человека. Вот как прикажете реагировать, когда с вечера располагаетесь на ночлег в русле высохшего ручья, а с утра обнаруживаете, что чернокожие спутники снялись и ушли дальше в джунгли?

А все потому, что любимчик технического персонала Коджо, который, видимо, исполняет функции походного колдуна, во время гадания на сон грядущий, вычитал в рассыпанных по земле костях, послание от какого-то из многочисленных местных духов — мол, нельзя тут спать, здесь обитают мозговые черви, которые заползают в голову спящему человеку и начинают жить вместо него. Белых не жалко, у них и так мозговых червяков — полные головы. Поднялись и ушли. Благо, даже палатки не пришлось собирать — они спят на настилах из листьев и травянистых растений, которые сооружают за несколько минут посредством мачете.

При этом консервы и запас чистой воды, доставленный на вертолете, прихватить не забыли. А инструменты, лотки для промывки грунта, рацию и тяжеленные аккумуляторные батареи оставили. Окажись Самуил один на один с этим непостижимым вудуистским сознанием, он в лучшем случае, плюнул бы и отправился в столичный град Хараре. Чтобы в кабинете Афолаби со скрипучими полами просить — требовать он вряд ли рискнул бы — другой персонал, освобожденный от гнета насаждаемых шаманами правил. Который, хотя бы, находишь поутру там же, где оставил с вечера. А не на холме в двух километрах от лагеря. Который не затягивает экспедицию на три дня, потому что крокодилье мясо не доедено, а тащить тяжело. Который, прежде чем перейти из одной части джунглей в другую, точно такую же — не испрашивает разрешения у духов.

Но скорей всего, и этот «лучший случай» закончился бы для него плохо — лишь Великий Юка знает, что бы сделал с ним не любящий шутить Афолаби, понимающий под «мягким отказом» уничтожение просителя. Да и Бонгани с Траоле не большие любители шуток... А скорей всего, до Хараре он бы не добрался, и вообще не вышел из джунглей: вон у Нкозано какая физиономия — настоящий людоед!

Но Рафаил на все злоключения, связанные со спецификой «местного контингента», как он это называл, умудрялся смотреть философски.

— Брось нервничать, — говорил он. — Других работников нам все равно не добыть... Будем этих воспитывать!

Оставшись брошенным в непроходимом тропическом лесу он спокойно извлек из кобуры свой никелированный «кольт» и выстрелил в воздух, переполошив живущих в округе птиц, которые с шумом взлетели в воздух.

Эти звуки и привлекли ушедших африканцев обратно в лагерь — вернулись посмотреть, все ли в порядке с белыми. Иначе ждали бы терпеливо, пока хозяева сами их не найдут. Почему-то они были уверены в таком исходе: ясно же, что от мозговых червей спасает ближайшая возвышенность! Правда, выполняя обещание, Рафаил иногда отводил туземцев по одному в лес, и проводил воспитательные беседы, которые обычно мало эффективны, но в данном случае действительно повышали дисциплину. Однажды Самуил подсмотрел, что чудодейственный эффект достигается с помощью взведенного пистолета, который в самом начале беседы с силой упирался воспитуемому под подбородок, а потом с силой опускался на голову и другие части тела. Поэтому Рафаила уважали больше, чем Самуила. Хотя в этих краях уважение есть синоним страха.

Каждый день Антуан курил гашиш, часто уводил в лес молодую и симпатичную повариху Зэмбу, но вместо проведения «воспитательных бесед» и использования кулинарных способностей, употреблял ее как женщину. Впрочем, девушку это только радовало, и Дмитрий не обращал внимания на привычки напарника.

Уже на подходе к Кванзе, Самуил на ровном месте будто бы зацепился ногой за стелющийся по земле корень. На привале он обнаружил на своем ботинке две небольшие дырочки и позвал напарника. Тот деловито осматривал лианы, некоторые рубил, и пил из них воду. Выглядел он достаточно свежим. Вот что значит легионерская закалка...

Биографические подробности напарника Самуил узнавал по частям, а сложив крупицы информации, утвердился во мнении: из Легиона напарник в конце концов дезертировал и стал сотрудничать с Бюро безопасности Борсханы. Но тему эту они не развивали.

— В чем дело, Дмитрий? Зачем звал? — подошел Рафаил.

— Змея ударила, зараза! Смотри, хорошо до тела не достала!

— Повезло тебе, дружище! — Рафаил похлопал напарника по плечу. — А ты ее видел?

— Метнулось что-то из-под ноги, и все... Я их боюсь до ужаса! Лучше с гранатой на танк...

— А приходилось? — криво улыбаясь, спросил Рафаил.

Самуил растерялся.

— Да, нет... Я вообще говорю...

Напарник покачал головой.

— На танк лучше с базукой. Я так сжег один. А граната ему, как слону дробинка. Второй меня потом полчаса в окопе утюжил. Ребята еле откопали. А змея, что... Большинство вообще неядовитые. А если и ядовитая — ничего страшного. Сыворотка есть, пусть кусает. Разрубил лопаткой — и дело с концом. Или каблуком растоптал. Если что, ее и съесть можно. Если поджарить, так даже вкусно!

Самуил поморщился.

— Пока есть нормальная еда, я воздержусь от такой экзотики...

Самуил вздохнул и, размотав циновку, служившую ему одновременно и матрацем, и укрытием от захватившего врасплох ливня, принялся чистить устаревший, но достаточно надежный французский карабин MAS-49/56 — магазин на 10 патронов, прицельная дальность до 1000 метров.

Напарник научил его пользоваться оружием: заряжать, носить так, чтобы можно было быстро вскинуть и выстрелить, а главное — научил попадать в цель.

— Выстрелишь двести раз — и будешь средним стрелком, — улыбаясь, открыл секрет он. — После двух тысяч выстрелов станешь мастером!

До двух тысяч выстрелов дело не дошло, но вертолет трижды привозил по две сотни патронов, Всевышний удивлялся — с кем они тут воюют... Но Дмитрий действительно научился неплохо стрелять.

Провернув затвор, Дмитрий вынул его и принялся протирать затвор маслянистой ветошью. Карабин был хорош. Дмитрий, питавший слабость к любого рода механизмам, испытывал эстетическое наслаждение от ладно пригнанных деталей, от эргономичности и удобной балансировки, от этих особых винтов, которые не открутишь обычной отверткой. Да и в деле MAS показал себя отлично.

Занимаясь карабином, Быстров не забывает время от времени нажимать на кнопку вызова стоящей рядом рации. По щелчкам, в эфире, человек на той стороне связи, понимает, что экспедиция готова к сеансу. И зовет Всевышнего к аппарату. Но в последнее время так не происходит. Это настораживает Архангелов.

Смазав и вновь собрав карабин, Дмитрий дозарядил два патрона в неполную запасную обойму и положил MAS рядом с собой. Так верней! Оружием пришлось воспользоваться трижды, причем не для охоты. Африканцы сами охотились, и весьма успешно, с помощью копий и луков. Добывали крокодилов, антилоп, кабанов. Но стрелой, убившей Гвалу, конфликт с юка-юка, вопреки ожиданиям, не закончился.

Во время очередного перехода, из зарослей ротанга в плечо Антуану прилетела стрела. Хотя острие наткнулось на ремень рюкзака и прошло вскользь, рана долго заживала, но в аптечке было достаточно бинтов и антисептиков, справились. Вторая стрела пролетела мимо. Положение выправило то, что Быстров успел разглядеть стрелявшего за полусгнившим стволом — и уложил его метким выстрелом. Второй воин сбежал.

Возможно, это была месть за разоренное капище, а возможно, они уже зашли на территорию другого племени юка-юка, и их воины просто охотились. Ведь для них, что антилопа, что человек — добыча. Человек, особенно белый, даже предпочтительней: правильно зажаренный, он передает едокам собственную смелость и хитрость, а также покровительство своих духов.

Уже через пару дней туземцы повторили попытку. Подкрались ночью, подошли довольно близко. Спасительным в этот раз оказался чуткий сон одного из носильщиков — худосочного паренька по имени Одхиамбо. Даже сквозь сон он умудрился различить в еженощном оре тропической живности осторожную поступь босых ног. Приполз в палатку, растолкал француза и русского за несколько секунда до того, как любители белой человечинки выскочили из зарослей с копьями наперевес. Антуан всегда ночевал с «кольтом» под головой и напарника приучил спать в обнимку с карабином, стволом направленным ко входу. Отстреливались, стоя у палатки в полный рост, — как в лихих голливудских фильмах.

Преимущество огнестрельного оружия над метательным, в очередной раз сыграло свою роль: ураганный огонь уложил двух воинов, а чужие копья и стрелы не нашли целей среди веток ночного леса...

После этого Антуан приказал ввести ночные дежурства. Африканцы вроде как поддержали идею, но только на словах: когда юка-юка в третий раз решили попытать ночного охотничьего счастья, караульный Иму мирно спал. Его бесшумно закололи, но всех спас Чакайд — точно так же услышал врага и разбудил лагерь, вспыхнула стрельба, нападающие отошли, захватив с собой тело незадачливого часового. Разжившись, правда не белой, но хоть черной плотью одного из нарушителей Закона джунглей, нагло и беззаконно топчущих их угодья, юка-юка оставили экспедицию в покое. Но приходилось постоянно оставаться начеку.

\* \* \*

Кванза оказалась неширокой мутной рекой, которая причудливо петляла по джунглям, подмывая почву и обнажая корни деревьев. Неровный обрывистый берег имел буро-красный оттенок. Наверное, такой цвет имела и земля джунглей, только под деревьями она была покрыта травой и плотным ковром прелых листьев. Здесь же вода вымывала лесную подстилку и приобретала такой же грязно-красный оттенок.

На второй день к ним пришли посланцы племени Самаки-Рофу — поклоняющиеся духам реки. Три высоких, раскрашенных красной глиной туземца, в знак мира и дружбы принесли связку свежей рыбы, которую Рафаил распорядился завернуть в листья и испечь, закопав в угли. Это угощение стало деликатесом, неожиданно внеся разнообразие в изрядно надоевший рацион. В ответ подарили мачете, которому «духи реки» тоже были очень довольны. Но такая обоюдно приятная дружба продолжалась недолго — всего несколько дней.

Самуил, с карабином на коленях, составлял кроки местности и наблюдал за тем, как Рафаил, стоя по колено в воде,

кишащей разнообразной опасной живностью, проводит с Чакайда и Нкозано воспитательную беседу. Антуан давал такие
уроки, наверное, в сотый раз. Сам брал в руки лоток, зачер-
пывал, показывал как надо. Африканцы кивали, принима-
лись повторять правильные движения, но хватало их ненадолго. Куда лучше получалось совершать переходы, продираясь сквозь живую зеленую стену.

— Не так, ослы! Не так! — орал француз, раздавая зубо-
тычины.

«Им сложно осваивать незнакомую деятельность, — примирительно думал Самуил. — Организм, приученный экономить энергию в агрессивной среде, приспособлен под определенный набор навыков и действий, а другие попросту оттор-
гает как не имеющие отношения к выживанию, а стало быть,
попусту растрачивающее ценную энергию». Правда, если бы
про его мысли узнали Афолаби, Бонгани или даже Антуан,
то только бы посмеялись над ним. Их прагматичный подход
сводился к одному — рабочую силу надо заставлять работать!
Поэтому он не вмешивался.

Справедливости ради, промывка и просыпка грунта — тест
на терпеливость для любого, хоть черного, хоть белого. Изо
дня в день, уже почти месяц, они переходят с места на место,
зачерпывают речной ил, размокшую под ливнем грязь и, болтая в воде исцарапанной пластиковой кюветой, дают уплыть
всему, что может уплыть, чтобы оставить на дне только тяжелое и твердое. Или ковыряются в сухой рыжей почве: зачерпнут и развеют по ветру, зачерпнут и развеют. Как ни
объясняй, что именно так выглядят поиски месторождений
алмазов — камней, которые в мире белых олицетворяют бо-
гатство и роскошь, по лицам африканцев видно — объяснение работает слабо. Держит их договоренность с Бонгани —
тот обещал каждому по завершении экспедиции красавицу
жену и десяток коров. А тому, кто сбежит раньше срока, —
быструю смерть. Это международная альтернатива — кнут
и пряник. Если кнут страшен, а пряник сладок, то в паре они
прекрасно работают!

— Двигай быстро, но осторожно, — на повышенных то-
нах объясняет Антуан, согнувшись параллельно речной по-

верхности и орудуя кюветой. Теперь он перешел к Коджо и Отино. — Не нужно сильно трясти, вы вымываете породу, а без нее ваша обезьянья возня никому не нужна!

Коджо кивает, Антуан отдает ему лоток, и резко разгибается.

— Давай, давай, вот так! — приговаривает он, глядя, как Отино старается повторять его движения. — Старайтесь, скоро вы получите своих коров!

Антуан, выбрался из реки. С его волосатых ног стекает мутная красноватая вода.

— Бараны! Они не понимают, что от них требуется! Или не хотят понимать!

— Старайся аккуратно, они ведь не виноваты... Надо терпеливей...

— Я и так сдерживаюсь, — ответил Рафаил. — Конфликт не нужен: или мы их перестреляем или они нас прирежут...

И тихо, но уверенно, добавил:

— Скорее, первое...

Самуил пропустил это замечание мимо ушей.

— Месторождение где-то поблизости, — обычным тоном сказал Рафаил.

Быстров молча кивнул. Не зря они топчут джунгли, опасаются змей, крокодилов, отстреливаются от юка-юка. Среди частиц, остающихся в осадке на дне кюветы, все чаще попадаются зеленоватые кристаллики кимберлита, верного спутника алмазов. Несколько месяцев геологический демон, в которого полушутливо полусерьезно верят и француз, и русский, таскал их кругами, уводил от алмазов. Пробы показывали нарастающие объемы кимберлита в каком-нибудь направлении, экспедиция бросалась туда в предвкушении успеха — но через несколько переходов пробы пустели, кимберлит пропадал. Но теперь Архангелы чувствовали — удача близка. Объемы нарастают уже не первую неделю, и абсолютные показатели радуют, как никогда.

Антуан заглянул в кювету для просушки образцов, удовлетворенно хмыкнул.

— Давайте, обезьяны, мы уже близко! — крикнул он весело. — Эти камешки всем нам подарят новую жизнь! У меня будет столько еды, коров и женщин, что мне хватит до самой смерти — лет эдак в восемьдесят пять, в объятиях очередной красавицы, накормившей меня слишком жирным творогом, приготовленным из молока моих собственных коров!

Черные работники вряд ли поняли все, что сказал Антуан, хотя суть наверняка ухватили — работа пошла бодрей, по крайней мере на какое-то время.

Но что это? Какое-то движение в реке привлекло внимание Дмитрия. Он всмотрелся внимательней. Вода морщится, остаются длинные «усы», похоже, нечто быстро и с опасной целеустремленностью плывет к берегу...

Блокнот и карандаш полетели на землю, Самуил вскочил, подхватывая карабин. Не разобравшись до конца в ситуации, он понял одно: в глубине буро-красных вод к чернокожим работникам стремительно двигалось большое и опасное существо! Он вскинул оружие.

— Бах! Бах! Бах! Бах!

У MAS высокая скорострельность и сейчас она пригодилась.

— Бах! Бах! Бах! Бах!

Карабин нервно дергался, выбрасывая быстрые злые пули. Фонтанчики взметнули грязную воду в круге радиусом не больше полуметра, как раз в том месте, откуда отходили назад непонятные «усы». И тут же река вздыбилась: совсем рядом с берегом вдруг вскипел водоворот, мелькнуло сильное чешуйчатое тело, вокруг сгустился красный тон воды... Потом, словно смерч пронесся к середине реки, метнулся в одну сторону, в другую, и помчался вниз по течению. И все успокоилось. Буро-красная река вновь спокойно катила свои грязные воды. Только африканцы с испуганными криками выскочили на берег и замерли, показывая пальцами вслед неизвестному существу.

— Что это было?! — встрепенулся Антуан.

Но Дмитрий только пожал плечами.

— Не знаю, не рассмотрел!

Африканцы продолжали что-то кричать.

— Что они говорят?

— Кто-то видел огромного крокодила, кто-то дракона с головой на длинной шее...

Разгадку принес Кобэ, который не поленился пройти вниз по течению, а потом позвал туда и всех остальных. Оказалось, что на кромке воды, у берега, лежит огромная, метров семи, анаконда. Толстое чешуйчатое тело слабо шевелилось, но при подробном рассмотрении оказалось, что это течение колышет мертвую рептилию. Выброшенная на бурый песок огромная страшная голова была изрешечена пулями.

— Хорошо отстрелялся, напарник! — похвалил Антуан. Хотя вообще-то был скуп на похвалы.

А к вечеру, на куст возле палатки Архангелов, кто-то вновь повесил связку свежей рыбы.

— Это наши друзья из Самаки-Рофу! — воскликнул Самуил. Он радовался укреплению мирных отношений с местным населением, да и разнообразию стола.

— Только почему они сами не показались? Мы могли вместе поужинать...

— Да? — остро глянул напарник. — Могли, могли... Только без моей команды эту рыбу не ешь!

Самуил удивился, но виду не подал. Он уже привык полагаться на более опытного партнера. И не зря. Рафаил приказал вначале попробовать рыбу Кобине. Под нетерпеливыми взглядами голодных сотоварищей, тот с аппетитом съел рыбу и довольный развалился на песке. Но через десять минут вдруг начал биться в судорогах, и вскоре умер. Африканцы вскочили на ноги, приготовили луки и копья, и испуганно озирались по сторонам, высматривая невидимого врага.

— Отравление! — констатировал Рафаил. — Я так и думал...

— Но почему?! Что мы им сделали?!

— Сущий пустяк! — хмыкнул тот. — Ты убил духа реки, которому они поклоняются!

— Эту анаконду?!

— Ну, да.

— Как ты догадался?

— Интуиция... Они не принесли свои дары, как в прошлый раз, а тайком подбросили их... И произошло это после того, как ты застрелил эту тварь...

— И что теперь делать?

— Найти гадов, и перестрелять все племя! Заодно заберем алмазы — они часто находят камни на отмели...

Самуил покачал головой.

— Да нет! У нас ведь своя задача! К тому же мы и не справимся...

Рафаил задумался.

— Да, оружия мало, и патронов в обрез... Как только Всевышний выйдет на связь, я попрошу вооружить нас основательней!

Самуил вздохнул.

— Только связь стала нерегулярной! И это меня беспокоит!

— Ничего, это обычные рабочие моменты...

Рафаил приказал сжечь оставшуюся рыбу и усилить охрану лагеря.

\* \* \*

Через два дня, за ужином, неожиданно ожила рация.

— Всевышний вызывает Архангелов! Всевышний вызывает Архангелов!

Позывной «Всевышний» придумал Антуан — это Бонгани, именно он обеспечивает им тылы и связь с большим миром: новости, перечисление гонорара на счета — а главное, вертолеты, скидывающие посылки со всем необходимым вовремя, и в том самом месте, которое обозначено на карте маршрута.

— Архангелы слушают тебя, Всевышний! — отозвался Самуил. «Архангелов» тоже придумал Антуан, и дал им имена.

Рафаил подошел, сел рядом на корточки.

— Живы?

— Всевышний, ты забыл: Архангелы бессмертны! Хотя водяной удав пытался опровергнуть эту истину. И племя Самаки-Рофу тоже. Но никому это не удалось.

— Всевышний рад их неудачам, — последовал ответ. — И рад вас слышать.

Антуан взял рацию, нажал на кнопку вызова.

— Куда вы пропали, Абиг? — по-свойски спросил он. — На связь не выходите, вертолеты не присылаете... Нам нужны батареи, еда. А с учетом осложнившейся обстановки, необходимы два автомата FA MAS, патроны, штук шесть ручных гранат и огнемет...

— Так, может, прислать и роту «Черных леопардов» с минометами? — помехи эфира не могли скрыть сарказма в голосе Бонгани. — Вас послали не воевать с местными! Как продвигается поиск? Вы нашли, что искали?

— Похоже, да! Но работу надо продолжать...

— Вот и продолжайте!

— Но батареи, еда и патроны нам необходимы! Когда пришлете посылку?

Бонгани помедлил с ответом. Это было ново и неприятно: он всегда отвечал четко и уверенно, как человек, контролирующий обстановку.

— На днях постараемся, но не обещаю... Прием.

Архангелы переглянулись. В ответе Всевышнего было много странного — неопределенность, неуверенная интонация, и эти нарушения графика связи... Да и посылки стали приходить с перебоями...

— Снова летчик на свадьбе загулял? Прием. — Антуан попытался расспросить куратора в своей обычной шутливой манере.

— Нет, есть проблемы серьезней. Президент Мулай Джуба свергнут восставшим народом. Прием.

По эту сторону радиоэфира русский и француз молча смотрели друг на друга. Новость была ошеломляющей. Из новостных сообщений радиостанций, которые в часы досуга Антуан ловил на свой неубиваемый приемник «Грюндик», они знали, что в Хараре неспокойно — оппозиция, возглавляемая бывшим зятем президента Джубы раскачивает лодку, готовит переворот. Но, во-первых, в джунглях поди еще, поймай волну. А во-вторых, некоторая политическая нервозность, сопровождаемая отставками, разоблачениями, казнями, была для Борсханы состоянием перманентным.

— Архангелы, как поняли? Прием, — настаивал Всевышний. — Мулай Джуба свергнут. В стране новое революционное правительство. Прием.

— Да поняли мы! — отозвался Быстров. — И что теперь? Как меняется наша работа?

— Новых указаний нет, значит, работаете по утвержденному плану. Джуба казнен. В его дворце нашли доказательства того, что он был людоедом. Прием.

Антуан крякнул, хлопнул себя по голой коленке.

— А раньше казнили тех, кто утверждал, что он людоед! — и внимательно посмотрел на напарника. — Что будем делать?

— Да все то же, — Быстров ткнул пальцем за спину, на реку. — Промывать, считать и картировать. Мы уже близки к цели.

— Да мы-то близко, — Антуан поморщился. — Но кто нам теперь заплатит?

— Борсхана. Диктаторы меняются, алмазы остаются.

Француз с сомнением покачал головой.

— Архангелы, прием! — прохрипела рация.

— Слышим тебя, Всевышний, — ответил Быстров. — Все ясно. Работаем по плану. Прием.

— Надеюсь, больше изменений не будет. Хотя с посылками могут быть задержки. Прием.

— Отлично. Выходи на связь почаще, и не забудь выслать нам аккумуляторы для раций и патроны.

Сеанс связи был окончен. Не сговариваясь, Архангелы посмотрели на своих чернокожих работников, согнувшихся у костра над едой.

— Надеюсь, до них эта новость не дойдет, — сказал Рафаил. — Неизвестно, как они себя поведут, когда узнают, что опорный столб хижины рухнул, и в любой момент может обвалиться крыша...

— Ну, приемника-то у них точно нет, — усмехнулся Быстров. — И телеграфа тут нет...

В палатке, устроившись на ночлег, они долго крутили ручку приемника, ловили новостные программы. Много говорили об СССР, о Горбачеве, о конфликтах в союзных республиках. Рекламировали новые модели автомобилей и туристические поездки в Азию. О Борсхане не слышно ни слова. Никому не было дела до революционного бардака в этой молодой африканской стране. Наконец в речи диктора какой-то итальянской станции промелькнуло знакомое слово. По-итальянски Быстров не понимал, Антуан послушал и перевел — в многонациональном Легионе он стал полиглотом.

— Этот сеньор только что сказал, что по имеющимся данным Джубу убили советские десантники, а с ним и американских советников, находившихся во дворце...

Он выключил свой «Грюндик» и натянул повыше антимоскитную сетку, которую использовал вместо одеяла — в основном от змей, которые, случалось, из любопытства забирались в палатку. Не говоря ни слова, Быстров повернулся на бок и закрыл глаза. Пора было спать. Завтра их ждал длительный переход за дальнюю излучину реки. Судя по всему, там должен был располагаться западный изгиб кимберлитовой трубки, ускользавший от них все это время.

— Если меняется хозяин казино, то меняются и правила игры, — вдруг сказал Антуан. — По старым играть, в таком случае, просто глупо!

— Что ты имеешь в виду?

— Надо позаботиться о себе, вот что! Я предлагаю набрать алмазов и уйти через Анголу или Намибию.

— Ты что?! Где ты наберешь алмазов?

— В племенах. Эх, попал бы я к юка-юка шаманом на пару лет, — мечтательно проговорил он. — Вот насосался бы этими стекляшками! На всю жизнь! Рокфеллером бы стал!

— Вряд ли они возьмут тебя к себе шаманом, — усмехнулся Самуил. — Сожрут — и дело с концом!

— Это верно. Лучше напасть на них. Они же на нас нападали! Конечно, без огнемета и гранат не получится... На худой конец, можно заняться промывкой верхнего слоя ила в реке...

— Безумие! А как ты думаешь «уйти через Намибию»?

— Захватим вертолет и улетим!

— Безумие! — повторил Самуил. — Это верный путь попасть на тот свет! Возможно, через подвал БББ!

— Не нагнетай!

— Я отказываюсь, — резко сказал Самуил. — Архангелы должны подчиняться Всевышнему. Я привык выполнять договоренности и держать слово. И я буду выполнять контракт!

— Что ж, похвально, — с сарказмом заметил Рафаил. — Посмотрим, что из этого получится!

* * *

*Джунгли Борсханы, 1992 г.*

Но ничего хорошего у них не получилось. Вертолет, который они вызвали по заданным координатам, не прилетел. Связь с Бюро безопасности прервана, Всевышний не выходит на связь. Какая обстановка в столице — неизвестно. Похоже, все снова пошло не так. Не так, как ожидал Бонгани: сложно поверить, что он по своей воле так резко решился выбыть из игры...

Что-то происходило в джунглях. Большое, непонятное и страшное. В последнее время западный ветер доносил горький дух гари — запах далекого пожара. Неподалеку от лагеря, Кобэ обнаружил двух убитых воинов юка-юка с распоротыми животами. Кто мог так обойтись с представителями самого агрессивного и жестокого племени?

Любознательный Отино хотел выяснить что происходит, никому ничего не сказал, просто исчез. Был — и нет. Ушел в джунгли. Даже свои не заметили. Среди ночи вернулся, разбудил белых. Объяснил жестами и с помощью нескольких французских слов, которые успел выучить: большие перемены в джунглях, нужно уходить.

— Идти дом. Нельзя здесь.

Не только в джунглях большие перемены. В Хараре власть сменилась как минимум дважды — а это значило, что все, кто участвовал в истории с геологоразведкой алмазов, скорей всего убиты или сбежали из перманентно революционной Борсханы. Да что там Хараре с Борсханой! Пока Самуил разгуливал по Африке в поисках алмазов, родины у него не стало. Издыхающая рация напоследок передала, что СССР распался. Вместо него образовалось что-то непонятное — какое-то СНГ...

Вот так шли дела. И новости глобального масштаба не радовали, и местные события оптимизма не прибавляли. Да тут еще отношения с африканцами неожиданно и страшно осложнились. Началось с того, что у Нкозано обнаружилась зашитая свежая рана на ноге. Рафаил учинил ему допрос, а поскольку тот путался и явно испугался, разрезал шов и выковырял из кровоточащей плоти камень, напоминающий спекшийся кусок бутылочного стекла.

— Где взял?

— Тут, — африканец указал на реку. — Здесь их много!

Рафаил умелой подсечкой сбил молодого человека с ног, схватив за волосы, поставил на колени. Самуил ожидал, что напарник прибегнет к своему обычному «воспитательному методу», но нет — в его руке мгновенно появился блестящий «кольт» и выстрел в упор разнес кучерявую голову... Нкозано повалился на песок, сотоварищи зароптали, Чакай и Отино схватились за мачете...

— Назад, скоты! — Рафаил выстрелил им под ноги, и африканцы отступили, бросая на своих жестокосердых хозяев злые взгляды.

Теперь Архангелам приходилось спать по очереди, не поворачиваться спиной к африканцам, и прикрывать друг друга. Начался очередной изнурительный сезон дождей, построить хижину, как в прошлый раз, было некому — рабочих рук не хватало, оставшиеся в живых занимались промывкой, да и заботиться о белых господах у них охота пропала. В одно, отнюдь не прекрасное утро, оказалось, что Чакай и Отино ушли вместе с женщинами. А ночью на лагерь в очередной раз напали.

Это раны в джунглях долго заживают, а ночная какофония возвращается мгновенно — как только стихнут прервавшие ее звуки. Через несколько минут после того, как Самуил перестал стрелять, то с одной, то с другой ветки послышались трели, мяуканья, пощелкивания, — и вот уже в ушах стоит привычный многоголосый шум. Живность, спасавшаяся от пальбы на деревьях, торопится вернуться к обычной ночной жизни. Ночь в Африке коротка и непредсказуема — нужно спешить.

Самуил опустил пахнущий пороховыми газами карабин и, стараясь ступать как можно тише, по зыбкой, сплошь покрытой травой и папоротниками земле, сместился немного вправо, к соседнему дереву. Сменил позицию на случай, если какой-нибудь коварный копьеносец пробирается к нему сквозь заросли. Если верить звукам удаляющихся шагов и треску веток, нападавшие отходят, прихватив добычу — убитых африканцев, ящик с консервами, инструменты и прочий экспедиционный скарб, который удалось захватить. Это, конечно, могло оказаться тактической уловкой — часть отряда отойдет, усыпит бдительность обороняющихся, и как только те решат, что все закончено, залегшие в траве воины нападут во второй раз...

— Сейчас бы парочку гранат и огнемет! — крикнул из темноты Рафаил.

По голосу было слышно: француз, как обычно, держит марку, но изрядно напуган. И не мудрено. В свете костра Самуил видел, как тот почти в упор застрелил двоих здоровенных аборигенов, вооруженных массивными мачете, под лезвиями которых стволы пальм крошились, как петрушка под ножом ловкой хозяйки.

— Прикрой меня! — Самуил вытащил из кармана фонарь, пытаясь с его помощью уточнить обстановку. Фонарь вспыхнул, выхватив из кромешной тьмы мешанину стволов и листьев — но вдруг заморгал и погас. Батарейки сели. А новых ждать не приходится.

Непонятно, и кто только что на них нападал. Судя по раскрасу убитых, оставшихся лежать среди папоротников, они не принадлежали к племени юка-юка. В дрожащем свете зажигалки «Зиппо» Самуил рассмотрел вытатуированные у них на лбу рога: символ племени Буру — быков. Но Буру не водились в этих местах, а теперь теснили здешних каннибалов, и пыталось прибрать к рукам их земли. Похоже, что их согнал с места тот самый дальний пожар. Пришлые были многочисленны. И могли вернуться. А боеприпасов оставалось в обрез — два магазина для Кольта и три десятка патронов для карабина...

Утром оказалось, что Одхиамбо, Кобэ и Коджо тоже растворились в джунглях. Архангелы остались одни. Куда бы они ушли от этой чертовой кимберлитовой трубки, за которой охотились почти два года! Нужно было намыть пробы, обработать, нанести результаты на карту. Да и куда идти? Выбраться живыми из Борсханы ничуть не проще, чем разыскать месторождение алмазов с риском быть съеденным если не каннибалами, то крокодилами или другими кровожадными тварями, которыми кишат здешние места...

— Ну, что делать будем? — напряженно спросил Рафаил. Он не снимал палец со спускового крючка, и не опускал взведенный курок своего Кольта. В таком смятении чувств Самуил напарника еще не видел. Если француз потеряет самоконтроль — дело плохо! От юку-юку и быков он в одиночку не отобьется, да и назад, на «Большую землю», не выберется...

— Надо закругляться. Здесь остались пробы, не все успели обработать... Закончим, я дооформлю карту, сделаем тебе копию. Это удвоит шансы. И пойдем к ангольской границе. До нее отсюда рукой подать, не то, что до Хараре...

— Да, через Анголу уходить надо, — согласился Рафаил. — Только почему тебе оригинал, а мне копию?

— Потому, что ты все равно в документах ничего не поймешь. И потом, я же не спрашиваю, почему у тебя алмазы, которые ты у Нкозано и других отбирал? А у меня даже копий нет?

— Все честно, всем поровну, — буркнул Рафаил, убрал пистолет в кобуру и направился к ящикам с высушенными пробами. Закинув карабин за спину, Быстров присоединился к напарнику.

— Не мешало бы, конечно, пройтись контрольным маршрутом в северо-западном направлении, — неожиданно сказал француз, показав, что не все геологические знания выветрились у него из головы.

— Не до жиру, быть бы живу, — махнул рукой Самуил.

— Как? — заинтересовался Рафаил. — Жиру, живу...

Самуил начал переводить, но словарного запаса явно не хватало, и передать суть никак не удавалось.

— Ладно, — сказал Рафаил. — Я запомню. В Париже у меня есть знакомый славист. Спрошу у него, он переведет.

«Если доберешься до Парижа», — подумал Самуил, слушая, как напарник, взвешивая промытые пробы и занося результаты в таблицу, бормочет себе под нос: «Не до жиру, быть бы живу, не до жиру, быть бы живу...» На всю оставшуюся жизнь Самуил запомнил, как звучала эта фраза, произносимая в жутких борсханских джунглях с французским прононсом хрипловатым голосом.

* * *

Через шесть дней пути — почти безостановочного, прерываемого на двух-трехчасовой сон, они вышли к северной границе Борсханы. Шли без оборудования, брошенного, чтобы не оставлять следов, в реку, без палатки, а последние два дня и без еды. Охотиться они были не мастаки, тем более «кольт» и MAS мало подходят для охоты. Опасаясь тропической инфекции, пили по утрам росу из конусообразных листьев тьеры, и затхлую дождевую воду из лиан. Выглядели после такого марш-броска соответственно: грязные бороды, впалые щеки, растрескавшиеся губы.

Топографическая карта показывала четко: прямо перед ними, от силы в полукилометре — Ангола, другая страна. Не самое уютное место в мире, но там, по крайней мере, закончится хаос каннибальской Борсханы. Там можно будет добраться до посольства или консульства какой-нибудь европейской страны, и выбраться, вырваться из этого хаоса обратно в цивилизованный мир с туалетами и поликлиниками, с булочными и метро.

Они стояли на невысоком гранитном выступе, нависшем над огибающим его безымянным ручьем, и устало улыбались. За пазухой у Быстрова, завернутая в непромокаемый пакет, лежала карта открытого алмазного месторождения с кроками и легендами, а в рюкзаке, вместе с сувенирами для дочери — металлические пробирки с пробами. Свою копию карты Антуан нес в полупустом вещмешке, вместе с остатками патронов, и всякой всячиной, среди которой, как полагал Дмитрий, прятались и несколько алмазов. Впрочем, его это не интересовало. Испытание, едва не стоившее им жизни, выжавшее из них силы до последних капель, осталось позади. И предстоящее расставание с напарником его совершенно не огорчало — скорее, наоборот.

Нужно было пройти вниз по ручью и перебраться через овраг, темным провалом тянувшийся вдоль границы. Никаких опознавательных знаков — ни пограничных столбов, как в детских фильмах, ни колючей проволоки, ни рыхлой контрольно-следовой полосы, ни пограничных нарядов. Но оба почти физически ощущали — джунгли по ту сторону оврага уже не такие, как по эту. Переберись через него — и начинай праздновать, благодарить ангела-хранителя за хорошую работу.

Слева выпирал каменный выступ, вдоль которого тянулась узкая полоска каменистого берега. Подошвы то и дело скользили на валунах.

Правый ботинок Антуана протекал. Пока шли без сна и отдыха, он не обращал на это внимания. Но сейчас, когда все тяжелые испытания остались вроде бы позади, мокрый хлюпающий ботинок стал доставлять неудобство. Он перепрыгнул на правый берег ручья — тот был пошире, и посуше.

— Давай сюда, — махнул он Быстрову.

— Ничего, так быстрей, — ответил тот. Это его и спасло.

Они прошли еще шагов двадцать, каждый своим маршрутом, когда правый берег вдруг взорвался треском сучьев и дикими криками. Засвистели стрелы, между деревьями мелькали полуголые татуированные фигуры, некоторые с рогами! Антуан успел выстрелить и рванул вниз по руслу ручья, шумно расплескивая воду. Несколько стрел цокнули наконечниками о гранит над головой Быстрова. От одной он умудрился уклониться. Похоже, меткому выстрелу лучникам мешали заросли на другом берегу.

— Уходим! Уходим! — кричал Антуан.

И без подсказок Быстров понимал: надо бежать, бежать из последних сил, улепетывать без оглядки. И он бежал изо всех сил. Выстрелы не охладили боевой пыл туземцев. С душераздирающими криками они бросились в погоню. После очередного изгиба, ручей стал шире, берега расходились, как и пути Самуила и Рафаила. Неразлучные Архангелы оказывались в разных мирах, и мир Самуила был дальше от рогатых туземцев, а потому безопасней.

Миновав гранитный выступ, русский все-таки остановился. Француз отставал. Присев на колено, Быстров сделал три прицельных выстрела. Результативным оказался только один — раскрашенный бело-желтыми полосами рогатый туземец рухнул в воду за спиной Антуана.

Быстров поднялся и рванул дальше. Метров через сто почувствовал: сзади что-то не так. Оглянулся — точно! Упавший

Антуан пытается вытащить стрелу из бедра. На него со всех сторон набегают рогатые фигуры.

— Черт!

В кино, в таких случаях, за напарником возвращаются и отгоняют превосходящие силы противника. Ну, или умирают вместе. В реальности у Самуила был только второй вариант. И он побежал дальше. Много раз впоследствии он анализировал эту ситуацию и всегда приходил к выводу, что Рафаил поступил бы также.

* * *

Условную границу он пересек через несколько минут. Его не преследовали, крики рогатых остались позади. Ниже по руслу ручья ему попался скальный выступ вроде того, на который они с Рафаилом поднимались совсем недавно — но с гораздо более крутыми склонами. Закинув за спину карабин, рискуя сорваться, Самуил полез по гранитным уступам, скользким от скопившейся в трещинах, и не успевшей испариться росы. С вершины, надеялся он, удастся разглядеть хоть что-нибудь, выдающее присутствие представителей ангольских властей: заставу, антенну, патрульную машину — хотя бы дорогу, которая должна же куда-то вести... Ничего! Только буйный, многоэтажный африканский лес, размежеванный полосами начинающейся саванны.

С тем же риском размозжить голову, он спустился вниз. Сообщить ангольским властям о захвате Антуана было невозможно. К тому же вряд ли они стали бы что-то предпринимать на территории чужого государства. И он двинулся вглубь Анголы. Шел по такому же тропическому лесу, как и раньше, иногда останавливался, чтобы прислушаться к звукам окружающего мира, но не слышал ничего кроме мирного дневного посвистывания и мурлыкания невидимых пернатых и шерстистых тварей. Беготня по джунглям, подъем на скалу, выгоревший в крови адреналин, который добавлял усталость, подавлял и сковывал, — все это навалилось разом, мешало идти, думать, дышать. В бешенстве он закричал и, вскинув карабин, дважды выстрелил в бездонное голубое небо с черточками парящих птиц. Возможно, стервятников.

Скорей всего стервятников — они знают, где искать поживу. Не удержавшись на ногах, он упал, обессиленно раскинув руки. И закрыл глаза.

Он пролежал так больше часа — если мерить полустертыми из сознания, оставшимися за гранью нынешней реальности, мерками привычного когда-то мира. Потом поднялся и пошел дальше. К ночи лес закончился окончательно, последние языки зеленых массивов, заметно поредевшие, оборвались и уступили место открытому до самого горизонта, затянутому сплошным травяным ворсом, пространству. Тут и там торчали кустарники и плосковерхие ажурные деревья, вдалеке темнели горные хребты.

Неделю он шел по саванне, ему удалось подстрелить антилопу, два дня он был сытым, но потом мясо испортилось. И он снова шел, считая каждый патрон, и каждую спичку в обернутой непромокаемой пленкой коробке. Ослабленного Самуила непуганое и любопытное зверье, подпускало близко, он добыл еще и небольшую козу. Ночевал, где одолевала усталость, подстилая сорванную траву и намотав на руку ремень карабина. Однажды проснулся от мерзкого запаха и щекотки — кто-то обнюхивал лицо. Инстинкты сработали раньше сознания — не успев проснуться, нащупал спусковой крючок, выстрелил гиене в распахнутую пасть, вскочил на ноги, глядя, как разбегается, зажимая хвосты между ног, остальная стая.

В тот день его одинокий поход по саванне закончился.

Обходя невысокий, но длинный пригорок, тянувшийся не меньше чем на два километра с запада на восток, Самуил услышал выстрелы. Стреляли из нескольких стволов. Следом ветер донес крики — множество голосов, в которых привычное ухо угадало здешние клокочущие наречия.

На ходу досылая патрон в патронник, он взбежал на пригорок, с северного склона которого ему открылась картина, которая одновременно испугала и обрадовала. Метрах в ста двое белых мужчин, заняв оборону за тушей слона, отстреливались от решительно наседавших туземцев, вооруженных длинными копьями и какими-то необычными луками. Почти инстинктивно, будто продолжая бой с юкка-юка или «рогатыми», Самуил занял позицию и открыл огонь. На этот раз бог войны был на его стороне, а может, просто сыграли роль неожиданность, доминирующая высота и слепящее противников солнце за спиной. Он успел уложить четверых, прежде чем нападающие решили отступить. Самуил проводил взглядом удаляющиеся фигуры с изогнутыми луками, спустился вниз и подошел к игравшему роль укрепленной огневой точки слону. В нем действительно торчал добрый десяток стрел и два копья. Мертвый слон спас жизни двум сильным мужчинам средних лет с рыжими, подстриженными бородами, которые приветствовали своего спасителя радостными криками и крепкими объятиями.

— Кто ты? — наперебой спрашивали они по-английски, с интересом разглядывая обросшего запущенной клочковатой бородой, одетого в изодранную, полуистлевшую одежду человека. — Откуда здесь? Вас тут много?

— Русский геолог. У нас была экспедиция. Я остался один, напарника захватили туземцы еще в Борсхане...

По одежде, — на одном спасенном была клетчатая рубашка и брезентовые брюки, на другом футболка с Микки-Маусом и песчаного оттенка шорты, — Самуил распознал европейцев. Африканеры предпочитают военный камуфляж или, хотя бы, его стилизации.

— Самуил, — представился он, тут же осознал, что спутал имя с позывным, но исправляться не стал. Подумал вдруг, что и псевдонимы придуманы не зря, и оговорка эта неспроста: слишком уж крепка, кровью скреплена его связь с борсханскими алмазами. Посмотрел себе под ноги и вздрогнул — он стоял в луже крови! Но тут же понял, что это не человеческая кровь, пролитая Архангелами, а слоновья, набежавшая из-под огромной головы... Переведя дух, он сделал шаг в сторону и обтер подошвы об траву.

— Рон, — улыбнулся тот, что был в клетчатой рубашке. — Гражданин мира, но в последние годы осел в Голландии.

Второго, с Микки-Маусом на груди, звали Луис, он был из Ирландии. Вид у них был всклокоченный, но оба довольно быстро приходили в себя. Было видно, что не в первый раз попали в передрягу. О том, чем они тут занимаются, можно было не спрашивать. Переносная болгарка, валявшаяся позади, выдавала их с потрохами. Контрабанду слоновой кости не удалось победить и в двадцать первом веке.

Рон внимательно оглядел Самуила и сказал:

— Надо бы поторапливаться. Выстрелы далеко слышны. Мало ли кто еще здесь шастает... Если появится природоохранная инспекция, то нам придется плохо!

Пока Луис отпиливал бивни, ловко орудуя болгаркой, Рон спросил:

— Ты с нами? — буднично спросил, как бы невзначай, выходя из бара, поинтересовался у приятеля, присоединится ли он к компании, собравшейся добавить в каком-нибудь более уютном месте:

Самуил кивнул.

— Если вы не против, то да.

— Мы не против, — крикнул Луис, сквозь надрывный рев инструмента. — И нам очень нужны руки.

— Куда едете?

— Собираемся через Лобиту в Европу.

Самуил кивнул.

— Устраивает.

В воздухе повис тошнотворный запах жженой кости. Один за другим отпиленные бивни свалились на землю.

Их потрепанный джип цвета хаки прятался за кустами. Рон с Луисом донесли отпиленные бивни до машины, связали их обычным канцелярским скотчем и бросили на несколько пар таких же, уже лежавших в багажнике под пыльной мешковиной. Туда же отправились снайперские винтовки браконьеров, огромное и тяжелое «слоновье ружье», да карабин геолога, с которым тот расстался не без колебаний.

Самуил устроился на заднем, тесноватом для взрослого мужчины, сиденье, Рон с Луисом впереди. Через минуту джип понесся по кочкам и рытвинам саванны, оставляя за собой клубы густой белесой пыли.

По дороге они поведали ему свою историю. Африка и им не отдавала бивни без испытаний и утрат. Вначале их было пятеро. Одного, поляка, выпивающего для смелости перед тем, как с нитроэкспрессом 700 калибра выйти один на один со слоном, давно растоптал крупный самец. Другой умер от укуса змеи. Третьего убила отравленная стрела, прилетевшая среди ночи из зарослей. Туземцы не любят, когда забирают то, что принадлежит им по праву рождения.

— Главное, так и не нашли никого, — рассказывал Луис. — Сели на джип, включили прожектор, около часа колесили. Ни души. Пусто.

— Сам понимаешь, тащить тела с собой через границу то еще удовольствие, — хмыкнул Рон. — Закопали. На всякий случай занесли отметки на карту. Вдруг родственники объявятся, захотят перезахоронить...

— Но это вряд ли. Не верится, что кто-то может потащиться за трупаком контрабандиста в такую даль, — Луис смотрел на свое занятие с неприкрытым цинизмом. — Особенно за трупаками вшивых неудачников, таких, как мы.

Чувствовалось, что нервов эти двое потратили немало, и сейчас им хочется выговориться.

— Я себя неудачником не считаю, — возразил Рон, выворачивая руль в сторону от осыпающегося края канавы.

— А кто ты? Нормальный белый человек в наши дни сидит в офисе и страдает от двух проблем: лишний вес и налоги. А ты шляешься по саванне с риском стать главным блюдом большого ритуального обеда у кучки чуваков, которые не носят штанов и добывают огонь трением.

— Это мой выбор, брат. Адреналин! Приключения!

Самуил слушал их вроде бы шутливую перепалку и вспоминал слышанную давно, парадоксально переиначенную пословицу: «В каждой шутке лишь доля шутки»! В разговоре новых знакомых шутки почти не было — только горечь.

Сам он примерялся к новому повороту судьбы. Все говорило о том, что эти парни на данный момент его единственный реальный шанс выбраться из того дерьма, в котором он оказался. А ведь как хорошо все начиналось! Поход в библиотеку за переводной книжкой «Борсхана — Африка, открытая дважды», инструктаж советского особиста, инструктаж его борсханского коллеги, выгодный контракт... Многообещающее начало настоящей большой работы, предвещавшей известность в профессиональных кругах, а, возможно, и больше, чем черт не шутит — новую жизнь... Но вместо всего этого, под стук слоновьих бивней в багажнике, он трясется в потрепанном джипе с парочкой контрабандистов, в надежде нелегально пересечь несколько границ и попасть не куда-нибудь, а в капиталистическую страну...

— Не ходите, дети, в Африку гулять, — произнес он задумчиво по-русски, пока Рон расписывал ему детали предстоящего путешествия.

— У нас все схвачено. Главное, чтобы какой-нибудь начальственный хрен не решил устроить внепланового патрулирования. Но это тоже не большая проблема. Нам позвонят. В худшем случае придется отсидеться в какой-нибудь берлоге на окраинах Лобиты.

— Документы у тебя с собой? — спросил Луис. — Лучше паспорт. С ним будет проще на границе.

— С собой.

— Не против отсидеться первые сутки в трюме, на мешках с товаром?

— Не против.

— Если что, мы тайком пробрались на судно в порту. Выкарабкиваться придется самим. Никто не будет прикрывать.

— Ну что ж, готов рискнуть.

— И на борту сухой закон.

— Не проблема.

Договариваться с ними было несложно.


* * *


То ли африканские духи, вредившие алмазной экспедиции, решили оставить упрямого русского в покое, то ли вернулся фарт к контрабандистам, но с того момента, как Самуил присоединился к Рону и Луису, все шло как по маслу. До окраины портового города Лобиту — одноэтажной, обшарпанной и замусоренной до состояния неотличимости от свалки. В металлическом ангаре, выходившем прямиком на пирс, под присмотром флегматичного воина картеля по имени Мистер Кок, посасывавшего огрызок толстенной сигары, они сгрузили бивни на компактный остроносый катер.

— Посудина еще жива? — весело крикнул Рон любителю сигар.

— Жива, — отозвался тот, смешно зажимая окурок уголком губ. — Не в первый раз.

Только теперь Самуил обратил внимание на множество отверстий в бортах, заделанных металлическими латками.

— Береговая охрана, — прокомментировал Луис, заметив взгляд Самуила. — Форс-мажор. Неожиданно сменилась команда, не успели наладить с ними контакт. Ну, и вот...

— Ничего, товарищ, на этот раз форс-мажоров не предвидится, — приободрил Рон. — Пойдем часов в десять утра, до полудня самое надежное окно в графике наших друзей-пограничников.

Ночевка — первая после ночевок в джунглях и саванне — показалась Самуилу роскошной. И ничего, что под щелястым полом в номере шумно, бесцеремонно разгуливали крысы — судя по звукам, размером не меньше чем со среднюю собаку. В экспедиции он и не к такому привык. Ничего, что сетка кровати проседала почти до пола. Мелочи!

Рон и Луис старались, как могли, авансом компенсировать сухой закон, ожидавший их на борту. Самуил нехотя, чтобы не выбиваться из компании, исполнял роль третьего. К выпивке он всегда был равнодушен. Под ром контрабандисты потчевали его историями из своей неправедной, но нескучной жизни. От рассказов рыбаков истории эти отличались — и весьма существенно — размерами дичи и перенесенными трудностями. Самуил слушал, из вежливости изображая живой интерес, но мысли его были далеко. В голове снова и снова вертелись мысли о Рафаиле: жив ли — и если нет, не слишком ли мучительной была его смерть...

После третьей бутылки рома Луис и Рон поддались натиску алкоголя и усталости и свалились спать. А Самуил долго еще лежал, терзаемый бессонницей, слушая похрапывание своих новых компаньонов. Пытался считать розовых овечек, перебирал в голове геометрические модели минералов — все впустую. Встал, сходил по малой нужде в туалет в конце коридора. На обратном пути прихватил свой карабин, небрежно сгруженный на пол в углу вместе с остальным оружием. Лег, сунув карабин рядом, под простыню, заменявшую одеяло — и моментально уснул.

\* \* \*

Солнце светило ярко и, казалось, отовсюду. Ленивые невысокие волны стреляли яркими бликами, черепичные крыши окраин Лобиту матово тлели вдалеке. Борт «Морской звезды» замаячил миль через пятнадцать прямо по курсу. Попыхивая новой здоровенной сигарой, Мистер Кок довольно умело управлял катером, на котором к сухогрузу направлялись охотники за бивнями со своим полуторатонным грузом и прибившийся к ним русский геолог, вся добыча которого — документы, обернутые пленкой, да тощий рюкзак с пробами и подарками подрастающей дочери.

— Все будет о'кей, — бубнил он себе под нос на еле различимом английском, и в его устах это звучало как заклинание.

И все действительно прошло о'кей. Внеурочные пограничники не свалились им на голову, погода не испортилась, латаная-перелатаная посудина, хоть и кашляла как в последний раз, дотянула до «Морской звезды», ни разу не заглохнув.

На судне их ждали. С правого борта, не просматривавшегося с берега в бинокли, был спущен грузовой лифт — сколоченная из досок платформа с веревочными поручнями. Рон перебрался на платформу и принимал товар, заблаговременно, на перевалочной базе обвязанный в несколько слоев мешковиной. Отдельным, более коротким, с ровными очертаниями, свертком — оружие. Потом поднялся наверх, вместе с двумя помогавшими ему матросами выгрузил бивни на палубу.

— Говорили, вас пятеро было, — поинтересовался один из матросов. — Где остальные?

— Остальным не повезло, — ответил Рон.

— Ну, Африка — она такая, — услышал Самуил то, что уже познал на собственной шкуре. — Ставь хоть на черное, хоть на красное, цена проигрыша всегда предельна, а выигрыш частенько неочевиден.

Лифт спустился за Луисом и Самуилом. Они пожали руку Мистеру Коку, перебрались на деревянную платформу и поднялись на борт «Морской звезды».

Матросы, принимавшие контрабандистов, с помощью канатов найтовали дощатую платформу к стойкам подъемника. Тот, что стоял лицом, сдержанно кивнул. Самуил ответил тем же, Луис решил не затрудняться. Вот и все приветствия. За стеклом возвышавшегося над палубой капитанского мостика, сквозь блики проступала человеческая фигура в фуражке и рубашке с коротким рукавом — видимо, капитан. Остальной команды видно не было. Им ясно давали понять: вы здесь люди до того случайные, что, считайте, невидимые, как какие-нибудь жучки или грызуны, пробравшиеся на борт во время стоянки.

— Ну что, взялись?

За две ходки они перетащили слоновью кость в трюм. Люк над ними захлопнулся. Недолюбливавший замкнутых техногенных пространств Самуил прислушивался, но звука закрывающегося замка не услышал. Уже легче. Опять же, оружие с ними.

«Морская звезда» везла семь тысяч тонн кофе. Спальные места представляли из себя мешки, сложенные в два ряда двумя слоями в закутках между забитыми под потолок стеллажами.

— Еще не все, — подмигнул Самуилу Луис. — Придется еще немного потаскать, — он кивнул на мешки. — Нужно спрятать товар.

Втроем они оборудовали тайник, надежно загородив мешками сгруженные к обшивке судна свертки.

— Жди нас, Антверпен, — пропел Рон, заваливаясь навзничь на спальное место под одним из фонарей, освещавших трюм.

Луис и Самуил последовали его примеру.

Примерно через час к ним спустился капитан. Худощавый усач с непроницаемым скуластым лицом.

— Еду вам будут приносить трижды в день, — обратился он сразу ко всем троим, остановившись в проходе между стеллажами и закинув руки за спину размашистым жестом хозяина. — В ночное время можете пользоваться туалетом и душевой наверху. Днем прошу на палубе не появляться. К вашим услугам гальюн в кормовой части трюма. Никаких выяснений отношений, пьянок и порчи имущества. За нарушение дисциплины вы будете лишены еды на срок от одного, до трех дней в зависимости от тяжести проступка и заперты в трюме до порта назначения.

Трое не включенных в судовую роль пассажиров слушала, не поднимаясь, и не издав ни малейшего звука в знак согласия или возражения.

Закончив, капитан развернулся на каблуках и подался в сторону трапа.

— Кэп! — весело окликнул его Рон. — В который раз все это излагаешь! Ну, не первый же год знакомы. Знаешь ведь, что мы ребята смирные.

— Добро пожаловать на «Морскую звезду», господа браконьеры, — бросил, не оборачиваясь, капитан.

— Кэп! — Рону, казалось, не хочется отпускать этого внешне неприветливого и сурового, но чем-то неуловимо симпатичного человека. — Нам бы газет каких-нибудь, что ли. И картишек.

Так и не обернувшись, капитан еле заметно кивнул.

На всем продолжении пути в трюм он больше не спустился.

Нелегальным пассажирам «Морской звезды» доводилось заметить капитана в рубке, когда с наступлением темноты они выбирались наверх, чтобы справить нужду в комфортных условиях или принять душ.

Объемную стопку французских и англоязычных газет, сравнительно свежих — а на сухогрузе, неспешно ковыляющем в открытом море, газеты месячной давности свежи и увлекательны — принесли с первым же завтраком. Тогда же в трюме появились карты — и начался бесконечный турнир в покер. Играли на вымышленные ценности — чем невероятней они были, тем веселей и азартней шла игра. Рон ставил на кон то свою виллу с бассейном над скалистым обрывом, которой у него никогда не было, то личный гарем в Дохе, который блюдут в целости и сохранности сорок евнухов-спецназовцев. Луис запросто проигрывал коллекции спортивных автомобилей и венгерские замки «с шаловливыми вампиршами». Самуил предпочитал ставки куда более серьезные — играл то на бывшие советские республики, то на новенькое алмазное месторождение в Борсхане.

Еду носил один и тот же матрос — краснолицый и большерукий немец Гюнтер с дыркой на месте левого верхнего резца. Кормили однообразно, но вполне сносно: каши, котлеты, омлет, овощные салаты. Самуил отъедался и отсыпался под бесконечные рассказы Рона и Луиса. Гюнтер принес ему одежду, почти не ношеную — джинсы, ковбойку, ботинки на толстой неубиваемой подошве.

— На, вот, — сказал он с грубоватым добродушием. — Команда собрала. А то, как тебя выпускать на люди? Выглядишь, как Робинзон Крузо.

С некоторой грустью распрощался Самуил со своими, еще советскими обносками — брезентовыми шортами и футболкой с вылинявшими до неразличимости олимпийскими кольцами. В них он так много прошел, побывал на краю жизни и смерти. Была даже мысль сохранить обноски на память — но лишний груз наверняка стал бы помехой в пути. Оставил только ремень со стертой армейской пряжкой. То, что Самуил вычитывал из газет о бывшем СССР, продираясь сквозь малопонятную журналистскую лексику, не радовало. Судя по всему, на родине начался апокалипсический раздрай и упадок. Если и ждала его дома новая жизнь, то легкости от нее ждать не приходилось.

Мысли о Рафаиле понемногу отдалялись.

«В церковь, что ли, сходить? Свечку поставить, помолиться? — подумал Самуил, до сих пор не проявлявший никакой религиозности». Но вслед за этим он понял, что не знает — жив Рафаил или погиб. А, значит, не знает, и как за него молиться — как за живого или как за мертвого. Да и Рафаил не стал бы за него молиться, ему бы это даже в голову не пришло!

* * *

Через две недели довольно однообразного плавания они приблизились к берегам Бельгии. Высадка на европейский континент прошла примерно так же, как отправка из Африки. Ночью в нейтральных водах Северного моря они перегрузили бивни и оружие на катер, в отличие от африканского — новейшей модели, только что со стапелей. Рон помахал на прощание рубке, в которой, как нарисованный, чернел силуэт капитана. Катер беспрепятственно пронизал темные и холодные территориальные воды, почти бесшумно, вошел в русло Шельды, и двинулся в сторону городских огней, освещенных трасс, чистых тротуаров и уютных многоэтажных домов.

Рон и Луис мгновенно посерьезнели, замкнулись, на их лицах проступило выражение сосредоточенной готовности к чему-то важному. Сбыт товара — дело ответственное, догадался Самуил.

Они высадились в каменистой бухте, оборудованной деревянной пристанью. Массивные свертки переместились в мощный пикап, за рулем которого сидел кубинец, перекрашенный в блондина. Самуил то и дело косился на эти крашенные волосы — казалось, чернокожий блондин стал для него проводником в тот мир, который до сих пор оставался запретным — тот самый мир кровожадного капитала и всеобщей вседозволенности, о которой ему дули в уши агитаторы разных мастей в вузе, в армии, в геологоразведке. Кубинец смешно мешал испанский с английским, рассказывая, как два часа назад обнаружил на трассе, что колесо пробито, а запаска осталась в гараже.

— Пришлось бежать к газолиновой станции, телефонить в автослужбу.

На подъезде к Антверпену Рон толкнул Самуила локтем в бок.

— Что, русский, может, останешься с нами? Будем возить бивни, алмазы, тем более ты в алмазной теме... Да и любую контрабанду вертеть выгодно. Заработки неплохие!

— Нет, — он покачал головой. — Устал я уже от всего этого. Да и домой надо — дочка там, я ее еще даже не видел.

— Ну, смотри, товарищ. Карабин заберешь?

— Нет. Как я его потащу через границы? Да и не нужен он мне больше...

Рон усмехнулся.

— Ошибаешься. Раз привык к стволу, уже не отвыкнешь... Не этот, так другой будет. И правильно!

В Антверпене их пути разошлись. Туда, куда отправлялись Рон и Луис, Самуилу ход был заказан. Чтобы ходить по их тайным тропам и конспиративным квартирам, знакомиться

с их связями, надо принадлежать к их стае. Иначе ты просто
опасный свидетель со всеми вытекающими последствиями.
Пожали друг другу руки, Рон сунул Самуилу вырванный из
блокнота листок с каким-то адресом.

— Это ближайшая гостиница. Прощай! Может, еще
и встретимся когда-нибудь в Африке...

Луис вложил в нагрудный карман Самуила несколько денежных купюр.

— Заработал. Странно, но даже честно заработал.

Пикап уехал, Самуил остался один в чужой стране.

\* \* \*

Гостиница оказалась чистая, но беспокойная — ее облю-
бовал разного рода перехожий люд, иммигранты всех цветов
кожи. То тут, то там вспыхивали ссоры на всех языках мира —
порой сразу на нескольких. Ссоры пресекались, как правило,
криками Хуго — дородного детины, стоявшего за стойкой на
входе. Может, его мускулатура внушала уважение, а может —
висящая на стене за спиной бейсбольная бита.

Приняв душ, сбрив бороду и провалявшись около часа
в бессмысленном наблюдении за оживленным перекрестком,
на который выходило единственное окно номера, Самуил
встал, покопался в своем рюкзаке и поставил на стол фигурку
Великого Юки. Помесь крокодила и людоеда имела устраша-
ющий вид, особенно страшен был холодный, безжалостный
взгляд, который, казалось, пронизывал его насквозь... Самуил достал из кармана швейцарский многофункциональ-
ный нож «Викторинокс», открыл отвертку, и по очереди выковырял оба глаза. После этого взгляд демона джунглей стал
еще страшнее: развороченные глазницы смотрели темными
дырами мертвеца. Но оставлять алмазы в номере было бы
глупо.

Спрятав статуэтку обратно в рюкзак, Самуил спустился
вниз.

— Мне нужен банк «Золото Африки», — сказал он здоро-
вяку на ресепшен.

— Какой банк?

Самуил повторил.

— Эй, Крак! — крикнул Хуго так, что у Самуила заложило уши. — Ты знаешь, где у нас банк «Золото Африки»?

— Кажется, на углу Пеликанов и Кейсерля, — донесся сверху скрипучий голос с восточным акцентом. — Но я не уверен.

Разжившись рукописной картой со стрелками, поясняющими, как дойти до нужного места на улице Пеликанов, Самуил отправился за деньгами. В банке «Золото Африки», отделения которого были разбросаны по всему миру, Бюро безопасности Борсханы открыло ему счет. Туда должны были поступать ежемесячные выплаты, а по завершении экспедиции — и основное вознаграждение. На основной куш рассчитывать, конечно, не приходилось, но за полтора года все равно должна была скопиться приличная сумма.

До нужного места он добрался быстро и без труда. Но отыскать банковскую вывеску на домах никак не получалось. Обошел дважды квартал — безрезультатно. Вернувшись на угол улицы Пеликанов и Кейсерля, подошел к странновато одетой пожилой даме с огромными, размером с елочные шары, бусами на дряблой шее.

— Я ищу банк «Золото Африки». Мне сказали, он где-то здесь.

Дама кивнула, махнула прямо перед собой и заговорила на не менее странном, чем ее бусы, языке. «Фламандский», — догадался Самуил. Он посмотрел туда, куда указывал ноготь в ярко-красном лаке и увидел булочную, мимо которой успел пройти не один раз.

— Нет, мне нужен банк, — улыбнулся он.

Дама энергично закивала, снабдив свой жест довольно плотным потоком фламандской речи, из которой Самуил ничего не смог понять. Наконец поток фламандского прервался куцей английской фразой, произнесенной с явным усилием:

— Закрылся. Банк закрылся. Банк — банкрот, — и дама в бусах всплеснула ручками, изображая то ли взрыв, то ли фейерверк.

Вот те на! Впрочем, чего-то подобного он ожидал...

Самуил побрел по улице, не выбирая направления, мимо бодрых, пестро и как-то легкомысленно одетых бельгийцев, стараясь поскорее взять себя в руки, удержаться от паники и негодования. Хотелось крушить все вокруг себя, разнести в пух и прах этот аккуратный сытый мир, за кулисами которого творится столько вранья и несправедливости. В какой-то момент он сорвался на бег. Так оказалось легче — включив природный механизм стресса, пережить нервное волнение: сжечь выплеснувшийся адреналин в топке работающих мышц, загасить стресс усталостью. Некоторые прохожие оглядывались на него с настороженным интересом. Самуил заметил, как шедший по противоположной стороне улицы полицейский посмотрел на него и потянулся к рации. Тогда он замедлился, перешел на шаг, осматриваясь в новом районе.

Город успел сменить облик. Дома стали выше, солидней. Дорогих машин попадалось все больше. Парные полицейские патрули передвигались на велосипедах. Современные здания с широкими окнами чередовались со старинными, украшенными вензелями и полуколоннами. Заметив впереди очередной патруль, он рефлекторно свернул в переулок и пошел мимо красивых блестящих витрин. Через некоторое время взгляд различил их содержимое: кольца, броши, ожерелья, колье, — Самуил шел по ювелирному кварталу. Золото и платина многообещающе поблескивали, идеально ограненные бриллианты испускали разноцветные колючие лучики, которые слепили глаза и заставляли щуриться.

Мастерски ограненные, отшлифованные, забранные в дорогие оправы, они были совершенно не похожи на невзрачные, тусклые, испачканные материнской породой или кровью, алмазы из реки Кванза. Сколько их, самых мелких, было выброшено под ноги, выплеснуто вместе с илом и песком из промывочного лотка, возвращено породившей их в порыве творческого куража матери-природе. Там у этих камней тоже была своя цена — и порой немалая, но совсем в другой валюте: за крупный алмаз, подходящий для глазницы Великого Юки, племя шло войной на племя, охотники за алмазами нещадно убивали друг друга, а завладевший им белый умирал мучительной смертью под ритуальным ножом шамана.

Но здесь, в цивилизованном чистеньком мире, эти камни расцветали, приобретали изысканность, респектабельность и лоск, как невзрачная периферийная девушка, переехавшая в Москву, обработанная в салонах красоты, и упакованная в фирменную одежду и драгоценности. Те самые драгоценности, которые выставлены здесь, за бронированными стеклами ювелирного квартала...

Самуил тяжело вздохнул. Как можно понять эту жизненную несправедливость? Добытые в странах, где один доллар — очень немалая сумма, обработанные мастерами, умеющими выпустить наружу скрытую под невзрачной оболочкой красоту, они преображались и приобретали совершенно невероятную для добывающих их аборигенов цену. А какое доказательство успеха и богатства весомей алмазов? Потомственные богачи и нахрапистые нувориши, ловкие политики, дельцы всех мастей, украшают ими периферийных красавиц, которыми, в свою очередь, украшают себя. Вишенками на торте, после роскошной недвижимости и дорогих машин, появляются алмазы, чтобы увенчать свершившееся благополучие. Самые разные люди, разной веры и убеждений тратят огромные суммы, чтобы обзавестись этими блестяшками, которые буйная европейская культура раз и навсегда назначила воплощением аристократизма и благородства... Самуил рассматривал бриллианты, и перед его глазами проносились будни борсханской экспедиции, кишащая опасной живностью Кванза, бесчисленные ручьи и километры непролазных джунглей...

Он нащупал в кармане шишковатые «глаза Юки», помял их, словно здороваясь.

— Ладно, — сказал он. — Ваше слово...

Пройдя несколько шагов, Самуил шагнул в один из ювелирных бутиков, напомнивший ему какую-то картинку из детской книжки. За стеклянной витриной стоял средних лет мужчина в строгом черном костюме.

— Добрый день, — приветствовал он вошедшего. — Господин присматривает что-то определенное?

В дальнем конце комнаты, другой продавец показывал что-то пожилой паре, склонившейся над настольной лампой.

Самуил вынул необработанные алмазы, протянул на раскрытой ладони.

Стоявший перед ним человек моментально изменился в лице, огляделся по сторонам, глянул настороженно.

— Есть документы? — поинтересовался он лаконично и, судя по тону, без всякой надежды услышать положительный ответ.

Самуил пожал плечами.

— Там, где я его нашел, документы не оформляли.

— Тогда простите, но мы не сможем вам помочь.

Он вышел, озираясь — вдруг подумал, что продавец сейчас нажмет на спрятанную под прилавком кнопку, и на него набросятся соткавшиеся из пустоты полицейские. Самуил прошел торопливым шагом до конца квартала, но никто за ним не гнался, переулок не блокировали машины с мигалками...

Следующая попытка закончилась с тем же результатом. Человек, встретивший его в магазине с блистающей витриной — на этот раз пожилой толстячок в смокинге, обильно присыпанном перхотью, даже замахал руками, нахмурив мохнатые брови.

Самуил побывал в пяти ювелирных лавках, и всюду его ждало разочарование.

— Да вы охренели тут все! — произнес он с досадой, рассматривая безукоризненно чистую булыжную мостовую.

В мрачном настроении он шагнул под вывеску, напоминавшую формой вытянутый и несколько приплющенный кабошон с замысловатой надписью. Покупателей в зале не было. В углу за журнальным столиком сидел продавец — субтильный китаец в деловом костюме. Самуил направился прямиком к нему, вынул алмазы.

— Продаю!

Помедлив несколько секунд, китаец жестом указал Самуилу на соседнее кресло. Самуил сел, положил «глаза Юки» на столик. Китаец вынул из внутреннего кармана лупу.

— Можно? — поинтересовался с подчеркнутой вежливостью.

— Ну конечно. Давай.

Оглядев камни, китаец убрал лупу в карман, достал небольшую каменную пластинку в металлической рамке, провел по ней алмазами. На пластине остались две царапины.

— Что ж, — улыбнулся он, пряча пластину. — Двадцать пять тысяч долларов.

— Чего? — возмущенно протянул Самуил. — Тогда я пойду дальше!

— Тридцать, но это предел. Только потому, что камни понравился, давно таких не брал.

Разразившись возмущенным «чего-о-о?» на предложение китайца, Самуил впервые в жизни снизошел до торга. Больше всего на свете он хотел сейчас встать и уйти — показать этим жрецам барыша, что добытое потом и кровью не продается за копейки. Но он устал, и был подкошен банкротством «Золота Африки».

В небольшой комнатке с двумя сейфами, вмурованными в стену, он расстался с «глазами Юки» в обмен на три пачки зеленовато-серых банкнот, и вышел на тенистую улицу.

На следующий день утренним рейсом, с пересадкой в Брюсселе, он вылетел в Москву, а оттуда прямым рейсом в Тиходонск.

# Глава 2
## Операция «Поиск Архангелов»

*Ретроспекция. Борсхана, 2012 год*

Бесконечное однообразие бытия бывшего всемогущего руководителя БББ Абига Бонгани было нарушено совершенно ничтожным событием, которое никогда раньше не привлекло бы его внимания: в камеру напротив заселился новенький — худосочный и сутулый, но вполне еще крепенький старик. В восточном крыле содержали пожизненников, поэтому про каждого вновь прибывшего главное всегда известно: на Ферме дядюшки Тома́ он прописан навсегда. Неофициальное, но известное каждому борсханцу название главной и старейшей в стране тюрьмы происходило от имени построившего ее Тома́ Рене, некогда всемирно признанного эксперта по тюрьмам. В конце семидесятых, по выходе на пенсию, дядюшка Тома́ перебрался жить в Борсхану — так и появилось на окраине Хараре столь необходимое любому государству исправительное заведение. Построено оно было на совесть, с соблюдением всех известных на тот момент мер безопасности. Успешных побегов история Фермы не знала со дня основания — не считая тех нескольких случаев, когда подкупленные охранники бежали вместе с заключенными в джунгли.

С тех пор много воды утекло. Система прошла отладку, стала хитрей и надежней. Нескольких охранников, за мзду носивших заключенным передачи, образцово-показательно повесили в тюремном дворе. Следующих, попавшихся на коррупции, закопали живьем — там же, в дальнем углу двора, предназначенного для прогулок арестантов.

Аман Кермес, назначенный лет десять тому назад начальником тюрьмы, нашел весьма элегантное решение: как укрепить дисциплину, не раскручивая маховик карательных мер среди персонала. Он стал назначать в рабочие смены выходцев из разных племен и культивировать взаимное доносительство, умудрившись придать ему дух соревнования: кто у кого выявит больше недостатков в службе, — тому премию и повышение в должности.

Непосвященный европеец пожал бы плечами — дескать, всегда же можно договориться ради общей выгоды. Но в том-то и дело, что пресловутая вражда племен, ужаснувшая когда-то весь цивилизованный мир резней между бхуту и тутси, никуда не делась. Сговориться одетым в одинаковую форму, говорящим на одном языке парням, чьи отцы и деды носили когда-то разный раскрас на лицах и разные побрякушки в ушах — было так же невозможно, как скрестить кабана и зебру. Мало того что эта вражда, помноженная на стукачество, исключала побег — от нее и тюремная жизнь была горька сверх установленной нормы: стремясь утопить и обскакать друг друга, охранники соревновались и в жесткости обращения с арестантами.

Досрочный выход отсюда возможен был только в случае какой-нибудь инфекционной болезни, кои в центральной Африке до сих пор собирают обильную жатву, или в результате самоубийства. Система великодушно оставляла такую лазейку — можно было распустить на лоскуты штаны или робу, сплести удавку и повиснуть на решетке. Удавки из тюремной одежды получаются прочные — еще никто из тех, кто решился закончить таким образом свое пребывание на

Ферме, не был разочарован их качеством и не подавал рекламаций.

Старик, поселившийся в камере напротив, наверняка все это знал. Не скулил, не метался от стены к стене. Как только затворилась решетка камеры и охранники двинулись по гулкому бетонному коридору к выходу, он молча сполз на пол, уронил руки между колен и сидел так неподвижно, с полуоткрытым ртом. Обреченность сочилась из его надломленной фигуры.

— Э! Новенький! — послышалось из смежной камеры. — Кто такой, за что?

Это Гвембеш, присоединившийся к узникам восточного крыла три года назад. Энергии у него еще достаточно — любит поиздеваться над новенькими.

Старик не отвечал.

— Эй, к тебе обращаются, старая кляча!

Никакой реакции. Сидящий на полу человек скорей всего не слышал, не хотел ничего слышать.

— Знаешь, что тут бывает с такими невежливыми задницами, старик?

Вообще-то Абиг Бонгани поддерживал с Гвембешем приятельские отношения. Хотя, кто он такой? Бывший староста родовой деревни нынешнего президента страны — Кинизела Бело, упрятанный в тюрьму за длинный язык — рассказал западному журналисту, что через деревню Фулаб проходит главная наркомагистраль всей Центральной Африки... Короче — никто, и звать его — никак! Многие арестанты предпочитают иметь его в числе друзей, а Абиг старался не выделяться из общей массы, чтобы не привлекать к себе внимания. Но тупая и властолюбивая скотина всегда раздражала его до колик в животе, и сегодня это раздражение сорвало предохранитель осмотрительности и открыло клапан, позволяющий «выпустить пар». Когда-то Бонгани мог добиться цели, собственноручно застрелив объект раздражения, а может, и нескольких идиотов...

— Таких, как ты, случается, отправляют с прогулки в лазарет с откушенным кадыком, — не унимался Гвембеш. — На нашей Ферме это фирменная услуга для невежд. «Поцелуй преисподней», слыхал?

— Хватит! — подал голос Абиг. — Он в прострации, все равно не ответит.

По укоренившейся тюремной привычке Абиг не допустил никакой грубости — за каждую грубость здесь можно было получить серьезную предъяву — но само его вмешательство было жестом неуважительным. Гвембеш от неожиданности умолк.

— Что это ты, друг Абиг? — наконец отозвался бывший староста. — Я тут пытаюсь с новеньким познакомиться...

— Говорю же, в прострации он. Познакомишься позже.

То, что он сделал, по прежним меркам было равносильно выстрелу Гвембешу в затылок, да еще паре выстрелам в его соседей, сидящих справа и слева... Но сейчас у Абига не было ни власти, ни оружия, ни телохранителей и это меняло дело коренным образом.

В тишине, разлившейся по коридорам восточного крыла, поплыло острое ожидание беды. На Ферме дядюшки Тома́ и за более невинные, на первый взгляд нарушения норм поведения, люди, случалось, отправлялись досрочно из мира живых к Усопшим Предкам. Терять-то сидельцам нечего — к пожизненному заключению срока не добавить, да и наказание за разборки с летальным исходом по африканским меркам не слишком страшное — темный карцер на месяц и урезанная вдвое пайка. Похоже, Гвембешу не понравилось, как Абиг его вразумлял. Тишина была зловещей.

«Да и хрен с тобой, — подумал Абиг. — Сколько можно мириться с этой мразью?!»

У Абига Бонгани, доросшего когда-то от рядового спецназовца до директора Бюро Безопасности Борсханы, это была не первая «ходка» на Ферму. В череде переворотов, мятежей и революций, он неоднократно оказывался в тюрьме, но спустя какое-то время возвращался на свой пост — чтобы на следующем историческом повороте особого борсханского пути вновь очутиться за решеткой. На перемещение из камеры обратно в свой кабинет, могло уйти от недели до года, в зависимости от того, как скоро очередная новая власть осознавала, что ей придется сложно без людей, которые были вхожи в закулисье власти предыдущей... Именно оттуда, из закулисья, и управлялась свободолюбивая африканская страна, бюджет которой напрямую зависел от транснациональных алмазных и золотодобывающих корпораций, а самые важные политические решения претворялись в жизнь посредством «Черных леопардов», которыми нужно было уметь командовать... А Бонгани умел и это. Причем, что особенно важно, избалованные своей элитарностью «Черные леопарды» охотно ему подчинялись.

Но последняя отсидка явно затянулась. Семь долгих лет Абиг Бонгани прозябает в бетонно-решетчатой камере. Правда, у него есть матрац, брошенный чьей-то заботливой рукой на холодный пол, иногда охранник протягивает через решетку связку ананасов или бананов, но это единственные льготы, которые хотя и вызывают злую зависть Гвембеша, однако, по существу, ничего не меняют. Семь лет без единого проблеска надежды. Из того, что он мог узнать о действующей власти — по тем крохам информации, которые докатывались до него, Абиг понял: нынешние руководители пришли надолго. То ли внешние силы научились наконец контролировать плохо сконструированный и криво собранный борсханский паровой котел, то ли сами «движущие силы» выдохлись на резвой революционной карусели, мчась по заколдованному кругу нищеты и кровопролитья — но президент Кинизела Бело, возглавивший страну семь лет тому назад, похоже, не собирается покидать свой пост, по крайней мере до окончания второго срока, начавшегося этой зимой. Еще семь лет на Ферме — это много, слишком много.

Абиг устал ждать. В молодости, в казарме БББ, они играли в «русскую рулетку» — один патрон в барабан «Тауруса», раскрутить, прижать ствол к виску и нажать спуск... Он любил рисковать, и ему всегда везло, хотя двое из постоянных игроков вышибли себе мозги прямо у него на глазах. Поэтому он и решил выйти через запасной выход — в прямом и переносном смысле. Имелась в виду пожарная лестница, ключ от которой висел в отдельной связке на поясе дежурного охранника.

День назначен: сегодня, в дежурство Тафари, который когда-то стоял на посту у входа в Бюро безопасности, и десятки раз в день принимал стойку «смирно» и отдавал честь проходящему мимо Бонгани. Рефлекс настолько въелся в его

плоть и кровь, что он и сейчас побаивался бывшего начальника и делал Абигу маленькие поблажки, которые были в его
власти. Теперь из-за этой преданности ему предстояло умереть, — сразу после того, как основной свет в коридоре будет погашен на ночь. Если Абиг подзовет его и пожалуется на
здоровье, Тафари, вопреки инструкции, подойдет к решетке
и позволит схватить себя за горло. Руки у Бонгани сильные,
и навыки рукопашного боя он не забыл: вырвать кадык не-
счастному охраннику — дело нескольких секунд, потом снять
с пояса ключи, открыть камеру, через пожарную лестницу
выскочить на задний двор, а там — как распорядится судьба...
Может, удастся по хозпостройкам подобраться к забору и,
перемахнув через него, уйти в джунгли, а может, придется
поймать пулю, выпущенную бдительным часовым с вышки...
В любом случае, неопределенность и ужас пожизненного
заключения закончатся уже сегодня. Как говорится: лучше
ужасный конец, чем ужас без конца!

После обеда их повели на прогулку. В бетонный дворик
выводили по десять человек из соседних камер, которые все
равно имеют возможность общаться между собой. Час на
свежем воздухе, хоть и под палящим солнцем, как-то разно-
образил бесконечность заключения, тем более что во время
прогулки наручников не надевали: два автоматчика сверху
наблюдали за каждым движением арестантов. Абиг вначале
хотел остаться в камере, но любое нарушение обычного порядка привлекает внимание, а это было ему совершенно ни
к чему, особенно сегодня!

Обиженный Гвембешем старик на прогулку не вышел, поэтому в прогулочном дворике оказалось девять заключенных.
Между собой они не разговаривали: молча разбрелись по тес-
ному дворику — кто-то ходил по периметру вдоль шершавых
стен, кто-то, тренируя атрофированные мышцы, делал физи-
ческие упражнения, кто-то просто смотрел сквозь проволоч-
ную сетку на небо, от вида которого уже успели отвыкнуть.
Бонгани приседал и отжимался — он тщательно поддерживал
себя в форме, так как не собирался провести за решеткой всю
жизнь. Несколько раз он ловил на себе ненавидящий взгляд
Гвембеша, но не обратил на это внимания — какое дело мате-
рому «черному леопарду» до селянина из захолустья!

Однако, через некоторое время бывший староста подошел вплотную.

— Ты много на себя берешь, друг Абиг! — процедил он, кривя толстые губы, и избегая смотреть в глаза. — Ты забыл, кто я!

Бонгани даже головы не повернул, будто рядом пролаяла собака.

— Я — друг президента, близкий друг! Меня оболгали, но господин Бело разберется во всем и меня выпустят, — Гвембеша трясло, будто в лихорадке, по лицу катились крупные капли пота, вытаращенные глаза с красными прожилками и расширенными зрачками были явно глазами психически нездорового человека. То, что он говорил, подтверждало это впечатление.

— А ты забыл об уважении, Абиг! Ты помешал мне наказать какого-то жалкого старика! Ты посмел оскорбить меня — друга президента!

Бонгани взглянул на противника в упор. Многих такой взгляд мгновенно приводил в чувство. Но не в этот раз. Гвембеш злобно скалил редкие зубы, а одну руку все время держал за спиной. Но главное — холодный взгляд «леопарда» не подействовал отрезвляюще: Гвембеш явно не владел собой и готов был в любую секунду наброситься на врага... А Бонгани никогда не ждал нападения, и всегда действовал на опережение.

— Раз! — челюсти Гвембеша клацнули — сокрушительный удар мощного кулака опрокинул сельского старосту на пол, звякнул о бетон выпавший из кулака гвоздь.

— Ах ты, жалкая мартышка! — Бонгани с силой ударил поверженного противника ногой в бок — раз, второй... Что-то хрустнуло, и он еле удержался от третьего. Обычная драка не будет иметь никаких последствий, а убив наглеца, он окажется в карцере, что сегодня никак не входило в его планы...

Он отошел от распростертого тела, оглянулся по сторонам. Внимательно наблюдавшие за происходящим арестанты заискивающе улыбались и показывали знак одобрения — сжатые кулаки. Посмотрел наверх: автоматчики весело скалились и тоже показывали кулаки. Что ж, если даже начнут служебную проверку, то претензий к нему не будет: Гвембеш первым начал эту ссору.

Когда прогулка закончилась, арестанты вышли в зарешеченный коридор, ведущий к корпусу. Гвембеш остался лежать на бетонном полу — значит, его унесут в лазарет.

* * *

Лежа на матраце, Абиг из-под приопущенных век разглядывал камеру напротив. Старик так и сидел, раздавленный, на полу, ничего не видя и не слыша, отключившись от реальности. Картина, с одной стороны, нагоняла на Абига тоску, с другой — внушала надежду, что в решающий момент старик не поднимет шум. Да и камера рядом освободилась, значит, еще на одного свидетеля меньше...

До отбоя еще пять долгих часов. Абиг не знал, чем их занять. Развлекать себя воспоминаниями не хотелось. За годы, проведенные в одиночной камере, каждое из них замусолено и затерто до дыр. Он даже в духов перестал верить, как когда-то в юности. В силу исполняемых некогда служебных обязанностей, Абиг Бонгани столько раз видел, как обрываются весьма успешные и во всех отношениях приятные жизни, вступившие в противофазу с интересами людей, наделенных большей властью, что и к собственной смерти относился с деловой сдержанностью. Так что, будь что будет!

Лязгнул, открываясь, замок внешней двери тамбура, ведущего в восточное крыло. Дверь открылась, закрылась. Лязгнул, закрываясь, замок. Каждый заключенный прислушивался к происходящему. Прислушивался и Абиг Бонгани. Открылась и закрылась внешняя дверь. В коридоре раздались шаги охранников. Двое — значит, не на обход. Может, из-за драки?

Чем ближе шаги приближались к его камере, тем громче стучало сердце Абига. А вдруг, это очередной поворот судьбы?! Он был готов пообещать ежедневные приношения любому духу, всем духам вместе — если это так. Абиг помнил, что означают такие внеурочные визиты. Казалось, сердце вот-вот пробьет в ребрах брешь и выскочит наружу. Но когда дюжие мрачноликие охранники остановились перед его камерой, Абиг одним усилием воли сумел взять себя в руки. Он был невозмутим и равнодушен, ему не нужно было ничего от этих деревенских мужланов, с покачивающимися на боках резиновыми дубинками.

— Встать! — скомандовал тот, что был повыше ростом — наверняка из северных племен.

Абиг не спеша повиновался. Возможно всякое. Нельзя позволять себе надеяться без веских оснований.

— Лицом к стене!

Он отвернулся.

В замке его камеры нетерпеливо проворачивался ключ — это был хороший знак. Обычная драка не вызывает особого внимания. Хотя, возможна какая-нибудь неожиданная мелочь, которая ни за что не придет в голову. Директору тюрьмы понадобилось что-нибудь от бывшего начальника трех Б. Могут допросить и вернуть на место. Раньше времени нельзя поддаваться эмоциям. Абиг держался, но давалось это невероятным усилием — у него дрожали пальцы, в паху сделалось жарко, а на спине выступил холодный пот.

— Руки за спину!

Наручники лязгнули на запястьях, но не впились в плоть, до костей, и это тоже был хороший знак...

— На выход!

Мелькнул старик в камере напротив — все так же безжизненно сидящий на полу. Следующая камера проплыла мимо. Лица арестантов, их руки, обхватившие прутья решеток.

Абиг шел по коридору уверенной походкой, глядя прямо перед собой и сохраняя каменное выражение лица. Со стороны могло показаться, что это он ведет куда-то своих конвоиров. Сохранять невозмутимость при любых обстоятельствах — самый важный навык для серьезного заключенного. Абиг Бонгани в вопросах тюремного житья-бытья был настоящий гуру. Не каждый способен в день, когда решился на побег, скорей сулящий смерть, чем свободу, вот так, молча, без малейших эмоций на лице, последовать за внезапно вторгшимися охранниками, даже не попытавшись выяснить, куда его ведут — на свободу или на погибель.

— Эй, Абиг! — разнеслось по коридору. — Найди в Верхнем Утмане мою семью, скажи жене, если не придет на свидание в этом году, я ее прокляну! Я буду приходить к ней в страшных кошмарах, я нашлю на нее чесотку!

Кричал крестьянин из угловой камеры, который сидел за то, что ограбил и пустил под откос целый междугородний автобус — один из немногих, кто сидел тут за реальное уголовное преступление, а не за слова и намерения. Абиг не смог вспомнить его имени. Как бы то ни было, в Верхний Утман, рассадник СПИДа и малярии, он не собирался при любых обстоятельствах.

Тамбур, коридор, переход в административный корпус. За последние семь лет он бывал здесь четыре раза — первый, когда прибыл для отбывания срока, остальные — когда получал карцер за нарушение режима и нападение на других заключенных — было дело, на Ферме без этого не проживешь...

Хоть и получалось сохранять внешнюю невозмутимость, давалось это непросто. В горле пересохло, разбухшее сердце подступило к горлу.

— В баню! — скомандовал охранник, и Абиг толкнул плечом дверь в санитарный блок, куда раз в месяц, а то и реже, их выводили мыться, пристегнув наручниками друг к другу по десять человек.

— Стой!

С него сняли наручники.

— Иди!

Из душа текла теплая вода, рядом лежал новенький кусок мыла — целый кусок на одного. Это был хороший знак. Сброшенную на пол одежду прибрал доходяга из обслуги. На лавке ждала новая роба — чистая, и даже выглаженная. Еще один хороший знак. Вот теперь можно было начинать надеяться. Это, конечно, всего лишь кусок мыла и все та же арестантская форма — но его явно готовили к встрече с важной персоной. Очень важной! Как минимум выше начальника тюрьмы!

Он мылся тщательно, не торопясь, смывая грязную воду и намыливаясь снова. Казалось, он хочет смылить весь кусок.

— Заканчивай! — рявкнул стоявший на входе в душевые охранник. У него было вытянутое рябое лицо, и сам он явно не проводил столько времени под душем.

Абиг Бонгани натянул чистую, никем ни разу не надеванную одежду, дал охраннику застегнуть наручники на своих запястьях и в сопровождении мрачного молчаливого конвоя прошел в коридор административного корпуса.

Ожидания подтвердились: его вели к кабинету Амана Кермеса.

— Стой!

Кермес любил роскошь. Мебель в административном корпусе была из самых дорогих пород, ближе к кабинету на полу лежали ковры, в приемной работал кондиционер. Один из охранников вошел с докладом, второй оставался с Абигом. Помощник начальника, сидевший за конторкой в стиле ретро, выполненной из тикового дерева, смерил его любопытным взглядом. Абиг не удержался — решил проверить, в какой форме пребывает после семи лет заключения. Точнее, осталась ли у него харизма, позволяющая одним взглядом управлять людьми...

— Как я выгляжу? — спросил он ровным уверенным голосом.

Помощник вполне мог промолчать, презрительно отмахнуться, отвернуться, а то и накричать... Но нет — глянул, вроде оценивая, послушно кивнул:

— Нормально. Лучше, чем мог бы...

Вышедший из кабинета охранник снял с Абига наручники, причем сделал это почти нежно. Похоже, колесо фортуны собирается сделать благоприятный оборот... Массивная дверь открылась. Абиг, не дожидаясь приказа, шагнул через порог.

В кабинете, сверкавшем полированными поверхностями столешниц, шкафов и комодов, его ждал сюрприз. Напротив затянутого в форму Амана Кермеса, покручивая широкий пузатый бокал с виски, в хорошем европейском костюме из тончайшего полотна, сидел тот, кто семь лет назад сумел так удачно его слить, отправив последний раз на тюремную койку и заняв его должность. Бывший подчиненный — Абрафо Траоле, трагически им недооцененный, тихо и незаметно копивший на него компромат настоящий и сфабрикованный, терпеливо дожидавшийся момента, когда очередной круг революции позволит ему разыграть свои козыри наверняка. Фигура, конечно, немалая. Но Бонгани знал, как устроена шакалья натура Траоле — а Траоле знал, что Бонгани видит его насквозь. И было заметно, как он нервничает.

Абиг заговорил первым.

— Неожиданная, но такая приятная встреча!

Абрафо хмыкнул. Он старался выглядеть высокомерным, но получалось у него плохо.

— Тебе действительно приятно меня видеть, Абиг? — поинтересовался он, насмешливо скривив губу, но при этом едва не подавившись своим панибратским «ты». В последний раз, когда они виделись, на Абрафо вместо дорогого костюма была грубая форма с капитанскими погонами и все, что он мог ответить тому, кого называл сейчас по имени, было «так точно» и «никак нет».

— Значит, ты больше не считаешь, что твое племя фулари выше моего — донго?

— Конечно, считаю, Абрафо — это ведь чистая правда! И рад я не тебе, а самому факту: если пришел лично директор БББ — значит, я снова понадобился на самом верху. Наконец-то. Заждался!

«Чем бы ни закончился мой выход в большой свет, нужно показать этим высокопоставленным шестеркам, кто перед ними!» — решил Бонгани, осматриваясь. Заметив движение заключенного в сторону стула, начальник тюрьмы поспешил сделать жест, предлагая ему сесть — чтобы соблюсти хотя бы видимость иерархии и порядка.

Бонгани расположился за столом без показной уголовной развязности. Осанка военного человека, на лице спокойное ожидание: в чем дело, зачем вызывали? Разглядев поближе Абрафо Траоле, он понял — вот кто из присутствующих сейчас напуган больше него! Причиной тому могло быть одно: ему, Абигу Бонгани, снова предстоит вернуться в большую игру!

«Вовремя, — улыбнулся он мысленно. — Очень вовремя».

Вряд ли с Абрафо можно будет поквитаться в ближайшее время. Но если представится в будущем такой случай, Абиг ни за что его не упустит. Сейчас же следует по возможности успокоить этого шакала.

— Абрафо, — сказал он таким тоном, словно явился третьим на дружеские посиделки. — Я на тебя не в обиде. Ты просто воспользовался удобным случаем. Но сделал это мастерски. Идеально разыгранная партия. Прими мои комплименты.

В ответ Траоле бросил на Абига настороженный взгляд исподлобья и допил виски. Кубики льда стукнулись друг о друга, но Абигу приятно было вообразить, что это стучат зубы Абрафо.

— Господа, — подал голос начальник тюрьмы. — С вашего позволения, мне через полчаса нужно быть в прокуратуре с отчетом о причинах повышенной смертности. Это очень важно!

Похоже, забыв от волнения, где он находится, Абрафо оттолкнул от себя допитый стакан по столешнице — тем жестом, каким отправляют опустевшую посуду по стойке бармену с просьбой повторить.

— Президент Кинизела Бело распорядился реанимировать проект, который ты когда-то курировал. Я получил приказ лично от господина Афолаби!

Абиг кивнул. Ему все было уже понятно, даже без слов, которые еще не прозвучали, но обязательно должны прозвучать.

— Проект разведки новых алмазных месторождений под кодовым названием «Архангелы», — продолжил тот. — Возобновление проекта он поручил возглавить мне!

— Поздравляю, Абрафо! — дружески улыбаясь, сказал Абиг. — Это поможет тебе подняться еще выше!

На самом деле он знал, что это не так. Если бы Траоле мог сам справиться с порученной задачей, зачем бы он пришел к пожизненно осужденному?

Абрафо напрасно бросал выразительные взгляды на стакан, хозяин кабинета не спешил его наполнить — он тоже считал себя важной самодостаточной личностью. Пришлось самому встать, подойти к секретеру, за дверцей которого скрывался бар, плеснуть виски из полупустой бутылки.

— Но мне нужен помощник, — продолжил он, усаживаясь на место. — Дело в том, что никаких документов не осталось. То есть совсем никаких! Только ты, и твои воспоминания...

Абрафо Траоле залпом выпил содержимое стакана и посмотрел на бывшего начальника. Тот сидел с нейтральным лицом, как будто не понимал, чего от него хотят.

— Возьмешься? В случае успеха тебе обещано восстановление в правах и возвращение на службу. Вот президентский указ о помиловании.

Траоле полез в карман пиджака. На стол лег красивый гербовый конверт. Абиг остался неподвижен.

— Так что? — Абрафо наклонился вперед. Его черное лицо было покрыто крупными каплями пота, хотя в кондиционированном кабинете было не жарко. — Ты в деле?

Насладившись паузой, Абиг Бонгани неторопливо кивнул.

— Не вижу причин отказаться. Все лучше, чем в тюрьме...

— Но если провалишься, указ отменят. Или... Ну, сам понимаешь...

Бонгани дотянулся до конверта, не глядя, хотел сунуть во внутренний карман, но в тюремной робе вообще нет карманов, и он оставил важный документ в руке.

— Думаю, если закончится провалом, то сядем вместе, да, Абрафо? — усмехнулся он.

Траоле промолчал и только поежился.

— Вижу, ты меня понял, — кивнул Бонгани. — Что ж, давай приступим к подготовке! Мне не терпится сменить свою одежку на такой костюмчик, как у тебя!

Абрафо Траоле только поморщился от такой фамильярности. Значит, больше ничего поделать не мог.

* * *

Такой жизни он не знал даже когда находился на пике карьеры. Перед двухэтажным коттеджем с окнами в пол — стриженная лужайка. Из сауны выход в открытый бассейн, в спальне стеклянный потолок, который каждое утро моет резиновыми скребками специальный человек. Холодильник забит до отказа деликатесами из Европы: сырами, колбасами, хамонами, рыбой, и любым спиртным со всего мира. Если захочется чего-нибудь особенного, в любой момент можно спуститься в полуподвальный этаж, где располагается кухня и заказать приставленному к нему повару любое блюдо.

Врач обследовал его вдоль и поперек. Хронический бронхит, вегетососудистая дистония, скачки давления, остеохондроз и тому подобная мелочовка — ожидаемый букет для пятидесятилетнего человека, проведшего за решеткой девять лет, в том числе семь — безвылазно. Но ничего страшного. Новейшие лекарства плюс хорошее настроение — Бонгани и так чувствовал себя на все сто, едва покинув Ферму, а после забот доктора ощутил такой прилив сил, что просыпался рано утром и отправлялся на турник, как в ранней молодости. Физподготовка, рукопашный бой, огневая подготовка... Конечно, мышцы ослабли, и выстоять против троих без калечащих приемов он уже не мог, зато полигон показал, что наработанные рефлексы не умирают. К концу недели он стрелял так же быстро и точно, как раньше. Ну, или почти так же...

Массажистка и те пышущие здоровьем разноцветные девчонки, которых новый старый наниматель — правительство Борсханы — прислал в качестве дополнительного бонуса, довершили процесс выправления надломленного тюрьмой и невзгодами организма. На двенадцатый день, еще до завершения отведенного двухнедельного срока на восстановление, Абиг Бонгани приступил к работе.

Каждое утро на бронированном джипе с машиной сопровождения на «хвосте», он выезжал из загородного коттеджа, расположившегося в закрытом охраняемом поселке неподалеку от казарм «Черных леопардов», и отправлялся в штаб-квартиру БББ в центре Хараре. Под охраной, а может быть, под конвоем двойки «леопардов», его заводили через черный ход в просторную комнату, располагавшуюся на «начальственном» этаже, откуда его несколько раз забирали, чтобы отправить на Ферму. Совсем недалеко от его бывшего кабинета.

— Работай, Абиг, работай! — говорил он себе. — Вернись в свое кресло еще раз!

Он садился за стол, заваленный папками и кипами бумаг, включал компьютер, и начинал поиск следов Архангелов. Отыскать их оказалось непросто. Документы действительно были уничтожены подчистую. Каждая смена режима вызывала мотивированную панику в штате БББ и включала механизм плановой ликвидации всего того, чем занимались ранее. Были ликвидированы все приказы, отчеты, и карты, составлявшиеся по координатам, которые сообщали сами Архангелы во время сеансов связи, да и записи радиообменов сожгли в специальной печи, существовавшей именно для этих целей.

Оставалось надеяться на собственную память. Он внимательно, через лупу, разглядывал карту, вспоминая, где были сделаны отметки магнитных аномалий первой, американской, геофизической разведки. Выходило очень приблизительно. Он неуверенно водил пальцем по сетке координат. Где-то здесь, в горах, помнится, был заштрихованный треугольник, да узкий вытянутый овал вдоль русла Кванзы... Настолько приблизительно, что определить путь экспедиции было совершенно невозможно! По существу, все требовалось начинать с начала...

Он подхлестывал себя крепким кофе из кофемашины и повторял:

— Давай, Абиг, работай, вспоминай...

В памяти всплывали подробности. В радиоэфирах, которые он проводил лично, Архангелы запрашивали нормальную еду, батареи для рации, патроны. Однажды рассказали об угрозах — анаконда и туземцы... Даже запросили целый арсенал оружия и боеприпасов. Кстати, именно тогда они сообщили, что напали на след алмазов...

Но где это было? Здесь? Или здесь? Палец неуверенно упирался то в одну, то в другую точку — на карте они рядом, а на местности между ними десятки километров... Архангелы прошли по джунглям не менее четырехсот километров. Маршрут пролегал и в горах, и вдоль реки. Четко локализовать место, где найдены следы кимберлитовой трубки, не удастся. Остается заново начать поиск, продвигаясь по тому же маршруту. Это будет уже третья геологоразведка. Она потребует два года времени, больших финансовых и трудозатрат, а главное — не гарантирует положительных результатов: духи недр одному открывают месторождения алмазов, другому — нет... Значит, надо найти следы Архангелов, их вещи и документы — дневники экспедиции, карты с отметками, образцы сопутствующих алмазам пород... Точнее, надо найти растворившихся в джунглях много лет назад русского геолога и контролирующего его француза. Но где их искать?!

Перелопатив кучи бумаг, в конце концов, Бонгани понял: прямых подсказок найти невозможно. Значит, нужно обратиться к побочным документам, которые не имели грифа секретности и должны были храниться в обеспечивающих службах: бухгалтерии, складе горюче-смазочных материалов, продовольственной службе, отделах вооружения и технического снабжения... И он погрузился в журналы радиосвязи, накладные на продукты для экспедиции, журналы отпуска боеприпасов и батарей, передававшихся Архангелам. Конечно, точных координат и тут не найдешь... Журналы радиосвязи — это не аудиозаписи. Скупые цифры: время выхода в эфир, время окончания эфира. В накладных тоже немного полезного: «Отпущено патронов к. 11,43 — 70 штук, к. 7,554 — 100 штук...»

И все же на четвертый день поисков он нашел то, что искал. Самым серьезным документом оказалась карта вертолетчиков, с отметками координат, на которые сбрасывались посылки Архангелам. Таких точек было восемь — три в горах и пять вдоль реки... Горная георазведка результатов не дала, значит, надо отработать реку!

Бонгани снял трубку и соединился с Траоле.

* * *

Абрафо и на этот раз решил устроить встречу при свидетелях. На всякий случай, или для подстраховки... А может, его шакалья натура робела в присутствии бывшего боса, которому когда-то ничего не стоило стереть его в порошок, да от которого и сейчас многое зависело... Как бы то ни было, на дальнем конце длинного стеклянного стола сидел упитанный щекастый майор, которого нынешний руководитель БББ представил как своего первого помощника. Майор подался вперед, видимо, готовясь к рукопожатию. Но Абиг Бонгани, сделав вид, что не заметил этого, подошел прямо к начальнику. Сегодня тот был в расшитой золотом парадной форме и каплевидных очках «хамелеон» — явно подражал кому-то: может, большому начальнику, а может — герою голливудского фильма. Бонгани раскованно, как равный равному, протянул руку. Абрафо пожал ее с поспешностью, ненадлежащей человеку в полковничьих погонах и в его должности. Значит, в нем по-прежнему сидит капитан, помощник полковника Бонгани — ведь личность не изменишь аксессуарами...

«Стеклянная столешница — это как-то странно, похоже на банковский офис, — подумал Бонгани. — Никогда такого у нас не было. Уж не покушения ли он боится?»

— Присаживайся, Абиг, — с достоинством предложил Траоле. — Прошу говорить коротко и по делу — разговор записывается.

Бонгани опустился на обтянутый кожей стул. В его кабинете таких стульев не было.

— Я нашел карту с координатами сброса посылок. Надо облететь эти места, обследовать окрестности, поговорить со старейшинами племен. Экспедиция белых не могла оказаться вне поля зрения местных. Таким образом, мы узнаем судьбу Архангелов, а возможно, найдем их вещи и документы. Вряд ли они сиротливо валяются под каким-то кустом — их давно подобрали и они хранятся где-нибудь в шаманской хижине.

— А может быть, и нет, — сказал Траоле, снимая очки.

— А может быть, и нет, — согласился Бонгани.

Наступила длительная пауза. Абрафо испытующе смотрел в глаза бывшему босу и, сам того не замечая, нервно теребил пуговицу кителя. Абиг Бонгани думал, что никогда не узнает, какие мысли проносятся сейчас тяжелыми грозовыми тучами в голове этого опасного по должности, но слабого душой человека. На его месте он отказал бы, отослал выдернутого из предбанника преисподней опасного конкурента обратно. Но, судя по всему, позиции Траоле шатки, и для него самого исход поиска Архангелов — вопрос жизни и смерти. А значит, он будет цепляться за любую, самую призрачную возможность. Даже если не получит заверений в успешности предприятия, которых так откровенно ждет, и которых Бонгани не собирается давать.

— Я санкционирую эту экспедицию, — выдавил наконец Траоле упавшим голосом. — Если найдешь то, что ищем, получишь большой новый автомобиль — бонус лично от меня. Если попытаешься сбежать... Границы теперь охраняют новейшие истребители. Летчики обучались во Франции. Недавно один придурок отправил через северную границу квадрокоптер с кокаином... Его сбили в полукилометре от границы.

И посулы, и запугивания Бонгани выслушал с безразличным видом. Похоже, эту партию он выиграл. Вырвавшись из Хараре, в восточное крыло Фермы дядюшки Тома́ он не вернется при любых обстоятельствах.

\* \* \*

Транспортно-десантный вертолет «PUMA SA.330» приземлился на почти голой вершине холма в точке первой выброски посылки. Затомившиеся в раскаленном железном фюзеляже десять «леопардов» высыпали наружу.

Легкий вечерний ветерок колыхал траву и ветви пальм, в которых бойко и шумно суетилась какая-то невидимая живность. Он не мог рассеять спадающую жару, но приятно ласкал лицо и приносил свежесть реки и запах раскинувшихся вокруг джунглей. Откуда ни возьмись, в небе появились грифы-падальщики: они знали, что железная птица и вооруженные люди обязательно обеспечат их пищей...

— Куда теперь? — Пилот сплюнул зеленую струю разжеванного ката себе под ноги, привычно заправил в рот новую порцию листьев.

Это было против устава, но Абиг Бонгани не запрещал Векесу жевать улучшающий настроение и бодрящий стимулятор. В конце концов, это не спиртное, за употребление которого во время выполнения боевого задания полагался расстрел. К тому же существовала еще одна проблема: должность и звание ему не вернули, и хотя формально он командует экспедицией, для «Черных леопардов» он всего лишь вчерашний арестант, правда, с немалыми заслугами в прошлом. Давние заслуги требовалось убедительно подтвердить, и заново завоевать уважение элитных «спецов», но это не так-то просто сделать. Запретом ката авторитета не добьешься, скорее наоборот...

Расхаживая по высокой траве, вокруг печально опустившего лопасти вертолета, Бонгани напряженно размышлял. Было понятно с самого начала, что задача перед ним стоит довольно сложная. Как искать следы Архангелов, рыскавших по этим местам двадцать лет назад, когда буквально за неделю ненасытные джунгли поглощают любые следы? Даже находить по карте точки выгрузки посылок было той еще головоломкой. За прошедшие годы джунгли разрослись, русло реки изменилось до неузнаваемости — ее излучины в одних местах были выгнуты в обратную сторону, а в других исчезли вовсе. Похоже, что «Леопарды» поняли, в каком сложном положении оказался их номинальный командир.

— А я в детстве любил играть в «поймай лисицу», — лениво процедил сквозь зубы сержант Пич.

Его товарищи, расположившиеся в тени вертолета, отозвались сдержанными смешками. Эта игра была популярна среди африканских мальчиков: один из них уходил в джунгли, другие, спустя оговоренное время, отправлялись за ним в погоню. Но и кат, и этот рассказ, и эти смешки были не характерны для частей «Черных леопардов», которые славились, кроме всего прочего, строгой субординацией и железной дисциплиной. И если не зажать их в кулак, то ситуация может выйти из-под контроля...

Но Бонгани умел разговаривать с такими колючими парнями.

— В общем, так, — сказал он, разворачиваясь к «леопардам» и рассматривая их в упор. — Я много раз руководил операциями в джунглях, и вы это знаете!

— Нас тогда еще не было на свете, — с улыбкой перебил его крепыш Джеро. По ритуальным шрамам на лице можно было определить, что он из племени тутси.

— Я знаю, — Бонгани положил руку на торчащую из открытой кобуры рукоятку семнадцатизарядного «Глока». — В восемьдесят девятом году мы с парнями из французского Легиона, как раз разводили племена бхуту и тутси. Если бы не наше вмешательство, тутси были бы вырезаны полностью!

Джеро посерьезнел.

— Родители рассказывали мне об этом, господин полковник!

Это было признание в нем командира. «Леопарды» удивленно переглянулись.

— Почти во всех акциях у меня не было потерь! — продолжал Бонгани. — И знаете почему?

«Леопарды» молчали — то ли, не знали как ответить, то ли не могли понять, как себя вести.

— Потому, что все беспрекословно выполняли мои приказы! — неожиданно рявкнул во весь голос Бонгани. — А когда один клоун в критическую минуту отказался идти вперед, я его пристрелил! Вам ясно, к чему я клоню?

— Ясно, господин полковник! — кивнул Джеро.

— Ясно, — эхом повторил пилот.

— Хорошо. Мы устроим этнографический тур по ближайшим племенам. Наверняка в здешних лесах хоть что-нибудь, но известно о судьбе той экспедиции. Думаю, мы уж как-нибудь, но сумеем разговорить здешних... эээ... жителей.

— Дай попробовать, Векес! — Он протянул руку к пучку ката, торчавшему из литого кулака пилота, оторвал несколько листьев и сунул себе в рот. «Леопарды» рассматривали его оценивающим взглядом. Бонгани пожевал, сплюнул вязкую зеленую струю.

— Так себе, — сказал он.

Бойцы согласно кивнули. Кат и впрямь был не из лучших. Что ж, хоть одна, пусть и слабая, точка соприкосновения командира и подчиненных найдена.

Грифы спустились ниже, постепенно сужая круги вокруг вертолета и обвешанных оружием людей в зеленом камуфляже типа «джунгли» и темных очках-консервах, позволяющих прицельно стрелять, когда ослепительное солнце светит сбоку. Возможно, черные стекла на черных лицах создавали впечатление незрячих глаз, и тем ввели орлов в заблуждение, заставив забыть об осторожности. А такие ошибки всегда дорого обходятся...

Бонгани выдернул пистолет, быстро вскинул, подхватив второй рукой под рукоятку, и дважды выстрелил. Полетели перья, ближайший стервятник кувыркнулся вокруг своей оси и, слабо размахивая одним крылом, упал в густые заросли.

— Кто хочет повторить? — спросил Бонгани, пряча оружие.

— Так они уже разлетелись, — сказал Изок. — Даже из винтовки не достать...

Это была правда. Но та правда, которая выглядела, как оправдание. Бонгани продолжал в упор разглядывать «леопардов», а те теперь отводили глаза. И это был косвенный знак признания — в элитных частях Борсханы не принято встречаться взглядом с командиром.

— Тогда взлетаем! — приказал он.

Векес первым направился к вертолету, остальные двинулись за ним.

— Но когда я подрос, и у старшего брата появился «калаш», то мы перестали «ловить лисицу», — досказал свою историю Пич. — Самой любимой игрой стало сходить в соседнюю деревню, попросить взаймы несколько монет.

— Я вижу, ты крутой парень! — насмешливо сказал Бонгани. — Только у «леопардов» за грабежи расстреливают на месте! А если ты еще станешь рассказывать свои байки без моего разрешения, то будешь носить зубы в руке! Ты меня понял, сержант Пич?

— Понял, — после короткой паузы ответил сержант.

— Ты меня понял, сержант Пич?! — тоном выше повторил Бонгани.

— Понял, господин полковник, — поправился Пич.

\* \* \*

Этнографический тур, как назвал это Бонгани, начинался классикой контактов белых колонизаторов с туземцами по схеме: «бусы в обмен на золото». Разница была несущественна и сводилась к тому, что место белых заняли приобщенные к «белой» цивилизации черные, бусы сменили медикаменты и шоколадные батончики, а золото — информация. Выглядело это так: в районе точки выброса посылки с высоты находили деревню, подбирали место посадки и вступали в контакт. Аборигены не встречали железную птицу со священным трепетом — те времена давно прошли, но печать цивилизации, лежащая на людях, явившихся с неба и, в большей степени, разумеется, современные автоматы, болтающиеся у живота, обеспечивали «Леопардам» доброе отношение. Во всяком случае, съесть их нигде не пытались, даже проткнуть копьем не пробовали.

Впрочем, ничего полезного лесные люди им пока не сообщили. В племенах, рассыпавших деревни и стоянки вдоль берегов Кванзы, сохранились рассказы о двух дерзких белых, которые рыскали по джунглям в сопровождении черных слуг. За каждый разговор о делах двадцатилетней давности местные жители желали получить какое-нибудь вознаграждение. В джунглях — как в каком-нибудь Гарлеме: нужна информация — плати. Так уж все устроилось в этом гибридном мире, в котором несмышленых девочек до сих пор отдавали замуж за подношение в несколько коз, но у самых богатых аборигенов могли водиться и деньги в разной валюте, и радиоприемники, и мобильные телефоны. Только оружие запрещалось иметь под страхом смертной казни. И поскольку этот запрет строго и неуклонно проводился в жизнь, племена были вынуждены его соблюдать. А в остальном торг проводился по классической схеме: информация — товар. В обмен на информацию шли таблетки от головной боли и поноса, зеленка и бинты, мази от ожогов и гипсовые лангеты. Однако, качество получаемых взамен сведений оставляло желать лучшего.

— Они чего-то хотели от джунглей, — рассказал старейшина скотоводческого племени Имбузи. — Чего-то запретного. Джунгли в тот год волновались, звери срывались со своих мест, уходили. Многие племена желали погибели этим пришлым. Наш шаман взялся наслать на них бешеного слона. Наслал или нет, не знаю. Да и шамана уже нет, его самого слон затоптал. Хороший был шаман. Чем-то обидел духов...

Вот и все, что удалось узнать у скотоводов.

В племени рыболовов Самаки-Рофу нарвались на ушлого лодочника.

— Как же, видел этих белых, как вас сейчас вижу, — заверил лодочник и выразительно глянул на пилу, поблескивающую за распахнутой дверью вертолета, посреди десантного отсека.

Случалось, приходилось приземляться на крошечные проплешины в зарослях, прямиком в кусты или заросли лиан. Тогда на тросах спускали двух-трех «леопардов», которые расчищали место посадки. Но делать нечего — пила перекочевала к лодочнику. Бонгани не хотел прибегать к насилию — не столько по идеологическим, сколько по прагматическим соображениям: в джунглях вести о нехороших пришлых людях разносятся быстро, и реагируют на них однозначно.

— За вторым поворотом к вечернему солнцу, в том месте, где тогда была отмель, мы встретили этих белых, и с ними еще человек десять из разных племен, они тоже нездешние, — принялся вспоминать лодочник, сладострастно поглаживая зубья пилы расплющенными бревнами пальцами. — Они ковырялись в речном песке и наносили какие-то знаки на свои большие листы. Мы подарили им рыбу в знак вечной дружбы.

— Ты говорил с ними?

— А как же, говорил.

— О чем?

— Предупредил, что джунгли не любят, когда у них берут что-то без спроса.

— А они что?

— Ничего. Покивали головами. Вот так. Они не понимали языка самаки. Языка рофу тоже не понимали. Несмотря на нашу дружбу, они убили духа реки.

— Кого убили? — переспросил Бонгани. — Может быть, они убили водяного удава?!

— Водяного удава, — кивнул лодочник. — Духа реки!

— И что было дальше?

— Духи расправились с ними. Одному взбесившиеся обезьяны оторвали голову, другого утопили в реке. Их черных слуг съела стая летающих крокодилов.

— Это точно?! Ты сам с ними встречался?! Что-то ты очень молод, — нахмурился Бонгани. Полученная информация не совпадала с теми данными, которыми он располагал. Во всяком случае, экспедиция не могла целиком погибнуть в одном месте. Иначе, об этом до сих пор говорили бы все в джунглях.

— Это точно, мне отец рассказывал, — важно кивнул лодочник и ушел, унося пилу.

— Куда теперь, шеф? — это был любимый вопрос Векеса, пилота группы.

— Давай-ка к «крокодилам», или как их там, к юки-юки, — бросил Бонгани, и вертолет, оторвавшись от земли, взял курс туда, где, по сведениям БББ, раскинулась самая большая деревня этого племени.

— Сержант Пич, выдай всем максимальный боеком-плект, — скомандовал Бонгани, когда вертолет, вильнув, скорректировал маршрут, забрав ближе к реке, подальше от лесного массива — чтобы не распугивать зверье и не волновать без необходимости племена, которые и так не отличались гостеприимством и дружелюбием.

Пока бойцы рассовывали по кармашкам разгрузочных жилетов автоматные магазины и гранаты, Бонгани всматривался в бескрайний зеленый океан, разлившийся под брюхом вертолета. Искать в нем следы пропавших двадцать лет назад людей — все равно, что искать иголку в стоге сена! Но Бонгани не знал этой русской поговорки, зато помнил запах блока пожизненников на Ферме, а потому не впал в отчаяние.

С дисциплиной в группе проблем уже не было. Разве что кат, к которому вслед за Векесой пристрастились Готто и Изок, делал группу похожей на каких-нибудь повстанцев, которых очень часто называли бандитами. Окончательное название формулировалось в зависимости от того, достигли повстанцы своей цели, или нет. С одной стороны, это несколько раздражало полковника Бонгани, но с другой — очередная революция могла бы подарить ему шанс пробиться наверх. И Бонгани начинал присматриваться к этой идее.

Вся надежда теперь на людей-крокодилов — юки-юки, неукротимых любителей человечинки. Полчаса лету — и на распахнувшейся посреди лесного массива поляне показалась деревня. Довольно большая по нынешним, неблагоприятным для размножения, временам. Посредине — капище с темноликим деревянным идолом. С этими придется держаться построже — это не мирные козоводы или рыбаки...

— Если что, старайтесь всех подряд не косить, — крикнул Бонгани, перекрывая гул двигателя и свист лопастей. — Для острастки можно завалить парочку самых дерзких. Но, парни, бережней со старейшиной и прочими представителями местной власти!

Вертолет приземлился посередине деревни — аккурат между мужской и женской половинами. Соломенные крыши близлежащих домов заметно потрепало воздушной струей при посадке. Здоровенный идол — хмурый и зубастый, щерился в каком-нибудь метре от лопасти.

— Ух ты, чуть не задел, — усмехнулся Векеса. Но смешного тут было мало: если бы задел, то неизвестно, чем бы дело кончилось, несмотря на автоматы FAMAS, пятнадцатизарядные «Беретты-92», гранаты и даже главный сюрприз. Вряд ли они бы помогли запертой в вертолете десятке «леопардов» выстоять против сотни разъяренных людоедов. Но, к счастью, обошлось!

Двигатель смолк, прозрачный круг над ним постепенно превратился в лопасти, которые замедляли свое вращение и, наконец, остановились лопасти. Необработанные алмазы в глазницах идола, тускло поблескивали, не обещая ничего хорошего. Люди-крокодилы считали своим врагом любого, кто интересовался алмазами — для них добыча алмазов лишала зрения их предка, Великого Юку. А все чужаки искали алмазы. Поэтому все чужаки были врагами.

Со всех сторон к вертолету бросились полуголые туземцы, через несколько минут его окружила плотная толпа вооруженных копьями и луками мрачных, пестро раскрашенных мужчин с лоскутами выдубленной крокодильей кожи на бедрах.

«На раскачку времени нет, нужно выиграть с первого хода,» — подумал Бонгани. Оставив в вертолете автомат и показывая пустые руки, он спрыгнул на землю. Воины юка-юка отозвались угрожающим гудением сквозь сомкнутые губы. «Леопарды» сняли автоматы с предохранителей.

— Подай-ка наш основной аргумент, — приказал Бонгани.

Пич подтащил к двери тяжелый стальной баллон с подвесной системой и шлангом, который заканчивался металлическим брандспойтом.

Бонгани поморщился.

— Не «главный сюрприз», а «основной аргумент»!

Сержант, чертыхаясь, убрал ранец, а Джеро вытащил из-под лавки десантного отсека ящик виски «Белая лошадь» и передал полковнику. С улыбкой от уха до уха, Бонгани сделал вперед несколько шагов и поставил виски на вытоптанную землю, прямо под ноги аборигенам. Он неплохо владел здешним диалектом, и когда заговорил, его внимательно слушали, хотя гудеть не перестали.

— Это наша жертва Великому Юке, — торжественно объявил полковник. — Нам ничего не надо. Мы не ищем глаза

Юки. Расскажите о белых, которые были здесь двадцать зим назад. И мы улетим.

Он отошел назад и замер. Время потянулось с особенной, выматывающей медлительностью. Грозное мычание усилилось. Каждым сантиметром своего тела Бонгани почти реально ощущал острия десятков нацеленных в него стрел и копий. И даже кевларовый пулезащитный жилет особой уверенности не придавал.

Но нужно продолжать говорить — и говорить то, что может понравиться племени юки-юки.

— Эти белые нарушили не только законы джунглей, но и законы города. Мы должны их найти и наказать. Они где-то в джунглях. Помогите найти, я дам вам еще, — он указал на бутылки, заманчиво поблескивающие на солнце.

«Веселящая вода — универсальная валюта в товарно-денежных отношениях с племенами», — любил повторять бывший начальник Бонгани, полковник Афолаби. Бонгани не раз убеждался в справедливости этих слов.

Но пока обстановка только накалялась. Агрессивный гул усиливался и круг туземцев медленно, но неуклонно сужался. Оценив обстановку, Джеро и Готто, не дожидаясь приказа, спрыгнули на землю и стали справа и слева от своего командира, направив на туземцев короткие автоматы. Из люка высунулись еще три ствола. Но даже столь безотказная мера на этот раз не подействовала. Скорей наоборот — толпа ощетинилась в ответ: нацеленных на пришельцев стрел и копий стало больше. И гул готовности к смертельной битве стал громче.

Дело принимало скверный оборот. Наверное, те кто едят человечину, относятся к смерти с меньшей опаской, чем скотоводы и рыболовы. Похоже, что цель группы изменилась: теперь проблема не отыскать следы Архангелов, а убраться отсюда живыми и невредимыми!

— Пич! — Бонгани поднял руку. Это был сигнал «к бою!», и сержант тут же спрыгнул на землю. На этот раз в полной боевой готовности: стальной баллон был надет ему на спину, а брандспойт на конце резинового шланга направлен прямо в толпу каннибалов.

Юка-юка на миг потеряли свою невозмутимость и шарахнулись назад: очевидно, уже были знакомы с ранцевым огнеметом 3-bis. Но угрожающе гудеть они не перестали. До нападения оставались минуты, а может, секунды... Привыкший работать на опережение, полковник Бонгани уже готов был крикнуть «огонь!».

Но вдруг, словно подчиняясь чьей-то команде, угрожающий гул прервался, стрелы и копья втянулись в скопление полуголых тел или миролюбиво поднялись вверх.

— Отставить! — скомандовал Бонгани.

Автоматы и брандспойт огнемета тоже поднялись к небу, в котором уже кружили грифы-стервятники. И как они узнают, куда лететь?

Шеренга воинов расступилась, вперед выступил высокий старик с испещренным морщинами и изукрашенным разноцветными татуировками худым лицом, на шее — массивное ожерелье из огромных крокодильих зубов, которые, несомненно, принадлежали гигантским рептилиям.

— Кого вы ищете, чужие люди? — властно спросил он, бросив взгляд на ящик с «Белой лошадью» и внимательно осмотрев «Леопардов». Невозмутимое выражение лица не изменилось. Наверное, оно не меняется, и когда юка-юка разделывают свою очередную жертву...

«Старейшина племени или шаман, — догадался Бонгани. — Скорее первое: этот слишком спокоен, а шаманы любят внешние эффекты и истерики — он бы обязательно надел на голову крокодилью морду, и продемонстрировал бешеную ритуальную пляску...»

В знак почтения, по обычаю северных племен, Бонгани приложил руки к вискам и слегка склонил голову.

— Ищем двух белых, которые ходили по джунглям двадцать зим назад, — для верности он показал старейшине сначала десять, а затем еще десять пальцев.

— Зачем ищете?

— Они нарушили наши законы. И они охотятся за глазами Великого Юки.

Старейшина помолчал, коснулся ожерелья.

Бонгани решил, что наступившей паузой можно воспользоваться.

— Давай, — сделал он знак Джеро, стоявшему слева от него.

Второй ящик «Белой лошади», звякнув, стал рядом с первым на желтоватую площадку перед идолом. Юки взирал на происходящее так же невозмутимо, как старик с крокодильими зубами на шее.

— Их может не быть на этом свете, — безэмоционально заметил он.

— Что тебе известно? — спросил Бонгани, стараясь, чтобы нетерпение в голосе не перебивало почтительности.

— Они нарушали законы джунглей, — сказал старейшина и посмотрел на идола, будто ища его одобрения или запрета. Но идол молчал, что, очевидно, являлось знаком согласия. Или, по крайней мере, отсутствия возражений.

— Они осквернили наши святые места, убили много воинов юка-юка, — продолжил старейшина. — Они поссорились и с другими племенами, хотя нам нет до них дела. Они даже убили духа реки, а потом и воинов Самаки-Рофу... Они охотились за глазами Великого Юки...

Обступившие вертолет воины переступили с ноги на ногу и стали потрясать оружием. Очевидно, не могли выдержать рассказов о преступлениях белых.

— И, в конце концов, их постигла кара духов джунглей, — продолжил старейшина.

— Как выглядела эта кара? — быстро спросил Бонгани.

— Племя буру. Быки пришли издалека — лесной пожар согнал их с насиженных мест. Хвала Юке, мы не пустили пришельцев в угодья нашей охоты. Но совсем прогнать не смогли — они хорошие и дерзкие воины. Буру осели в трех днях ходьбы в сторону утреннего солнца, но нападать на нас перестали...

— Что стало с белыми?

Старейшина пожал плечами.

— Джунгли сказали, будто одного взяли в плен. Что с ним, мы не знаем. Быки ни с кем не дружат.

Это были первые реальные новости. Правда, скверные. Бонгани помрачнел. Он мало что знал про племя быков. По агрессивности они не уступали юку-юку. Могли сразу же сожрать пленника, здесь это запросто. Но в джунглях случается всякое. В любом случае, это единственная зацепка. Теперь следовало лететь к буру.

— Что еще знаешь? — на всякий случай спросил он старейшину.

В ответ тот покачал головой — ничего.

Юка-юка снова принялись угрожающе мычать, недвусмысленно приглашая пришельцев убираться обратно на своей шумной бескрылой птице. Бонгани вздохнул. Ну, что ж... Здесь действительно больше нечего делать. Тем более что эти парни любят человеческую кровь гораздо больше, чем виски!

— Тогда позвольте распрощаться, — бросил он по-французски и, не поворачиваясь спиной к все больше возбуждающейся толпе, попятился к вертолету, продолжая улыбаться и демонстрируя пустые руки.

«Леопарды» погрузились быстро, не дав племени опомниться. Снова взревел двигатель, закрутились лопасти, сливаясь в прозрачный круг, PUMA оторвалась от земли и принялась осторожно набирать высоту, медленно удаляясь от задранных вверх, раскрашенных разноцветными полосами и, мягко говоря, не очень доброжелательных лиц воинов юка-юка.

Огромный идол сопровождал вертолет тусклым алмазным взглядом, не сулящим ничего хорошего. И действительно, не успела PUMA подняться на пятьдесят метров, как по стальной обшивке в бессильной злобе застучали стрелы и копья. Но было уже поздно.

— Зря оставили людоедам столько выпивки! — недовольно проговорил Пич. — Может, лучше сбросить на них пару гранат? Или проутюжить из пушки и пулемета?

Но командир, а в том, что Бонгани действительно командир, уже никто не сомневался, не удостоил его ответом. Тем глупее всем показался заданный сержантом вопрос.

— На восток! — скомандовал полковник, усаживаясь в командирское кресло слева от пилота, еще до того, как тот задал свой традиционный вопрос: «Куда теперь?»

— Как скажешь, шеф, — Векеса улыбнулся и сунул в рот пучок ката.

Вертолет качнулся, и взял курс на восток.

\* \* \*

Племена не пользуются радиосвязью и мобильными телефонами, поэтому запеленговать «быков» было невозможно. PUMA, держась на небольшой высоте, шла на восток галсами, словно прочесывая густые джунгли частым гребнем. Обычно, лесные племена с воздуха обнаруживают издали по дыму очагов, но сейчас и дыма видно нигде не было. Векес и Бонгани из кабины наблюдали за горизонтом, Пич и Капунга смотрели в бинокли вниз — по правому и левому борту. Там расстилался бескрайний зеленый океан, который казался пустынным, хотя опытные бойцы знали, что впечатление обманчиво, и под растительным покровом течет своя, разнообразная, и зачастую, опасная жизнь.

Поиски невидимой деревни могли растянуться надолго, но духи джунглей благоволили Абигу Бонгани. Он заметил, что справа по курсу заросли стали реже, и направил вертолет туда. Вскоре внизу показались круглые остроконечные крыши, крытые высохшими пальмовыми ветвями. Вертолет завис, Бонгани оценивал обстановку, которая была, мягко говоря, необычной. Хижины располагались не хаотично, как всегда в лесных деревнях, а концентрическими кругами вокруг просторной круглой площади с идолом посередине. По окраинам, почти вплотную друг к другу, симметрично располагались загоны для скота, которые окружали деревню, как крепостная стена. В промежутках между загонами были возведены заостренные частоколы, в одном месте имелись ворота. Да-а-а, это не поселение лесных людей, а средневековая крепость!

— Садимся, командир? — спросил Векес.

— Нет, — напряженным тоном ответил Бонгани. — Сделай еще пару кругов!

PUMA облетела деревню вокруг, потом сузила радиус и, наконец, зависла над центральной площадью.

— Садимся, командир? — повторил Векес.

Бонгани напряженно думал.

— Что-то тут не так, — заглянул в кабину сержант Пич. — Я никогда не видел, чтобы деревню окружали стеной. И сторожевых вышек не видел. А тут они есть!

— А ты видел, чтобы ни одна живая душа не выходила посмотреть, кто это прилетел? — мрачно спросил Бонгани, глядя на пустую площадь и безлюдные улицы.

— Может, она брошена?

— Да нет... Вон, видишь, вроде как хижины по сторонам от идола? Туда набились человек по десять с луками наготове! Подползли незаметно в траве, и спрятались! Похоже, это специальное укрытие для засад... В тактике французского Легиона такие использовали. Вот тебе и «буру»!

Пич надвинул черный берет поглубже, так что он почти соприкоснулся с черными очками.

— А вы у этих... пулеметов или гранатометов не видели?

— Нет. Луки и копья, как обычно.

— Так давайте сядем и разберемся! Что они нам сделают? Спалим, если что — и улетим!

— Тоже верно!

Векес молча переглянулся с Бонгани, тот едва заметно кивнул. И вертолет пошел на посадку.

— Только аккуратней...

— Да тут у них просторно, хоть истребитель сажай...

PUMA опустилась на поляну, немного накренившись на левый бок — поверхность была неровной. Как только стих гул турбин и лопасти замерли неподвижно, Джеро приоткрыл люк. В отсек ворвался запах навоза, послышалось блеяние испуганных коз и мычание коров в загонах. Но жители никак себя не проявляли. «Леопарды» тоже не торопились выходить: Пич надел на себя огнемет, остальные, сжимая оружие, настороженно осматривали окружающую обстановку через бронестекла. Площадь по-прежнему была пустынной. Прямо перед вертолетом на высоком постаменте стояла искусно вырезанная из дерева фигура: мускулистый человеческий торс, ноги с копытами и бычья голова с рогами... Все, как у обычных идолов лесных племен, даже алмазы в глазницах, только стоял он на постаменте, как памятник президенту Кинизела Бело в Хараре или де Голлю в Париже. Ни в одном племени таких памятников не было...

— Что собираетесь делать, командир? — спросил Векес. — Может, уберемся отсюда подобру-поздорову?

Бонгани покачал головой.

— От чего нам бежать? Нам никто не угрожает, как у юка-юка. Наоборот, нас боятся: все попрятались. И цивилизованности здесь побольше, чем мы видели у Имбузи или Самаки-Рофу... Так что будем и мы цивилизованными. Я выйду без оружия и попытаюсь с ними договориться... А вы прикрывайте меня!

Держа руки на виду, как и на стоянке у юка-юка, Бонгани выпрыгнул наружу, сделал приветственный жест вежливости. Джеро передал ему последний ящик с виски, полковник отошел на несколько шагов, поставил подношение на землю и вернулся к вертолету.

— Это подарок для племени буру! — зычно объявил он. — Мы прибыли с добром. Выходите, не бойтесь!

Наступила томительная пауза. Потом на поляну стали выходить мужчины. Их лица, выкрашенные светлой охрой, очертаниями и впрямь чем-то напоминали бычьи морды, на лбу были вытатуированы рога, у некоторых на головах были надеты настоящие рога, очевидно, демонстрирующие их более высокое положение. К удивлению Бонгани, многие из «быков» были безоружны. Однако, из окон «засадных хижин» торчали духовые трубки и стрелы с готовых к стрельбе луков.

Еще больше удивило, что за мужчинами на площадь вышли женщины и дети. Они ошарашенно рассматривали пришельцев и их диковинную колесницу — иную реальность из металла и магии, но были настроены явно миролюбиво. Иначе все, кроме воинов, спрятались бы в укрытия. И еще удивительная вещь: среди молодых мужчин, детей и подростков выделялись люди с более светлой кожей... Мулаты! Но кто в диких джунглях мог разбавлять чистую африканскую кровь?

Площадь наполнилась улыбающимися аборигенами, многие показывали свои руки с растопыренными пальцами. Надо было делать встречный ход.

— Готто, Кофи, выходите без оружия! — скомандовал Бонгани, и двое «леопардов» стали рядом с ним, старательно изображая доброжелательные улыбки. Похоже, молчаливый диалог понемногу налаживался. И тут, под звуки блеяния, мычания, удивленных возгласов и оживленных разговоров — привычной суеты племен, в гости к которым незвано пожаловали могущественные незнакомцы с неба, вмешалась бодрая барабанная дробь, напоминающая воинский марш. Откуда-то появилась и медленно направилась к вертолету небольшая процессия, перед которой толпа почтительно расступалась — три полуголых аборигена, бьющие в тамтамы, во главе с высоким человеком, одетым в бычью шкуру, и маску из бычьей головы.

«Вот это наверняка шаман!» — решил Бонгани, и так же медленно двинулся навстречу. Делегации высоких договаривающихся сторон встретились почти у памятника, с которого, вроде бы, и сошел шаман в облике человеко-быка. Только вместо тусклых алмазов, в глазницах маски проглядывали человеческие глаза.

— Что вам нужно, пришельцы? — спросил человеко-бык на диалекте северных племен. — Что привело вас к нам?

— Поиски двух белых, которых вы захватили двадцать лет назад, — проговорил Бонгани, незаметно изучая своего собеседника. Точнее, его руки — единственную не скрытую обличьем быка часть тела. Они были загорелыми и довольно грязными, на пальце обязательный шаманский аксессуар — массивный золотой перстень смерти. Но это не были руки африканца! Это были загорелые и грязные кисти белого человека!!

Что за черт? Бонгани чувствовал себя участником какого-то спектакля, некоей фантасмагорической мистификации, хотя и не понимал — какова ее цель и чем она может закончиться...

— Архангелов, которых Всевышний бросил на произвол судьбы? — шаман заговорил по-французски. — Самуила и Рафаила?

Бонгани отшатнулся, как от удара! Ощущение того, что вокруг не реальный мир, а театральная постановка, усилилось. Настолько, что даже голова закружилась. Что происходит?! Может, это ловушка? Но какой в ней смысл?!

— Кто ты? — Бонгани тоже перешел на французский. Голос его звучал сипло, будто он неделю блуждал по джунглям без капли воды.

— А кем я могу быть, Абиг? Разве ответ не очевиден?

Человеко-бык сбросил бычью шкуру и голову, теперь Бонгани мог беспрепятственно рассмотреть его — бородача с длинными волосами, заплетенными в косу, загорелого, но выделяющегося своей светлой кожей среди остальных буру. Он был в грубо сшитой из тонкой кожи жилетке с большими накладными карманами, на бедрах — некогда камуфляжные, а теперь выцветшие почти до ровного зеленовато-бурого оттенка, шорты из обрезанных брюк. Но узнать его он не мог.

Пожалуй, француз, Рафаил. Русский был пониже и более худой. Да этот и двигался пошустрее. Впрочем, столько лет в джунглях переменят и облик, и повадки...

— Рафаил, скажи своим людям, что мы пришли с миром, — Бонгани наблюдал за «быками», опасаясь перемены в их настроении.

Но «буру» по-прежнему не проявляли видимой агрессии — с любопытством вертели головами, поглядывая то на Бонгани, и его бойцов, то на бородача в полуистлевших военных брюках. Готто подошел вплотную к ближайшей группе «быков», и они расступились. Похоже, тут никто не собирался ни оказывать сопротивления, ни вступать в традиционный торг.

— Мы можем поговорить в сторонке? — спросил Бонгани. — Я ищу вас вторую неделю!

— А я думал, что ты ищешь меня все двадцать лет! — с сарказмом ответил Рафаил. — Ну, давай поговорим...

Глядя в его обезумевшие глаза, Бонгани насторожился: уж не двинулся ли француз рассудком?

— Парни, займите пока остальных, — распорядился полковник. — Что у нас там осталось в подарочном мешке? Раздайте все!

Под прикрытием автоматов, торчащих из люка вертолета, Готто и Кофи принялись раздавать припасенные для налаживания контактов подарки. Запас веселой воды был израсходован, приходилось ограничиваться стандартным ассортиментом: медикаменты, сладости, набор столярных инструментов...

Опасения Бонгани оказались напрасны: Рафаил не сошел с ума — это был всего лишь шок. Они отошли в сторону, к одной из глинобитных хижин и остановились. Джеро и Изок, последовали за ними и, положив руки на висящие на шее автоматы, стали в нескольких шагах.

— Я уже отвык от всего этого, — француз сделал неопределенный жест в сторону вертолета и «Леопардов». — Какая муха цеце укусила вас в зад, чтобы вы вдруг вспомнили о преданных Архангелах?

Из окна хижины доносился детский голос: ребенок двух-трех лет явно пытался привлечь к себе чье-то внимание.

— Никто вас не предавал, — возразил Бонгани. — В Борсхане закрутилась такая карусель, что про вас просто забыли. Президенты и правительства менялись, как козыри в покере. Я, например, четырежды попадал в тюрьму. Последний раз — просидел семь лет и вышел совсем недавно, чтобы найти вас!

— Зачем?!

— На самом верху вспомнили про вашу экспедицию и потребовали отчета. А я, как ты помнишь, отвечал за результат...

Глядя, как «буру», радостно галдя, разбирают дары цивилизации, француз хмыкнул:

— Алмазы мы нашли. Где-то там, к юго-западу, — он мотнул головой. — Месторождение богатое, залегание не слишком глубокое...

— Ты помнишь это место?! — воскликнул Бонгани. — Можешь показать?!

Рафаил усмехнулся.

— Нет, конечно! Даже если пройду мимо, не узнаю. Джунгли неузнаваемо меняются за месяц, а прошло столько лет... Да и тогда я не запоминал — ведь все вокруг одинаковое... На карте отмечали координаты, но это совсем другое дело — координаты ведь не меняются!

— А где карта и остальные документы? — жадно спросил Бонгани.

— Моя копия сгорела. Пожары здесь случаются регулярно, а за столько лет я перестал придавать этой бумажке значения, и всегда спасал более ценные вещи... А подлинник и все материалы исследований остались у Самуила...

— А где Самуил?

— Откуда я знаю? Мы шли в Анголу, меня ранили и схватили у самой границы, а он ушел. И правильно сделал. Я на его месте поступил бы так же.

— Почему же тебя не съели?

— Они вообще редко ели людей, только в крайнем случае, когда наступал голод. Обычно ритуально казнили пленника перед всем племенем — приносили жертву Духу буру. Но мне повезло: Самуил ранил шамана, а у меня была аптечка, и я вылечил его антибиотиками. А потом старейшину укусила кобра и снова я спас его противозмеиной вакциной... В общем, живым я стал им полезней, чем мертвым...

Рафаил помолчал, пожал плечами.

— Так и прижился. В основном лечил, учил детей французскому и русскому... Это помогало отвлечься и не сойти с ума, потом постепенно привык... Правда, шаман обоснованно заподозрил во мне конкурента и хотел сделать «рукопожатие смерти», но я сломал ему шею и объявил, что такова воля Духа буру...

Он посмотрел на перстень смерти, ощетинившийся добрым десятком острых шипов. Довольно грубый, и золото не самой высокой пробы, но все в племенах знают, что это символ власти шамана, обладающий магической силой. Хотя к магии его сила не имела никакого отношения.

— Что там? — проницательно спросил Абиг Бонгани. — Яд пятнистой гадюки? Или кураре?

— Нет, — покачал головой Рафаил. — Слюна самки черного паука киу-ка... Впрочем, это детали. Главное, что Великий Дух буру пожелал, чтобы вместо него шаманом стал я. А потом старейшину растерзал леопард, и я объединил их посты... Научил племя тактике войны, перестроил деревню и превратил ее в крепость, устроил нечто вроде школы...

Рафаил замолк, внимательно рассматривая Бонгани.

— А что ты такой угрюмый?

Полковник действительно был озабочен. То, что он нашел одного из Архангелов — ровно ничего не значило. Слова остаются словами. Они не заменят документов экспедиции. И чтобы хоть как-то продемонстрировать положительный результат, ему надо было привезти Рафаила инициаторам поиска... Но тот, похоже, вовсе не рвется обратно в цивилизацию...

— А чему радоваться? Жизнь сломана бесконечными революциями, тюрьмой... Искал тебя по всем джунглям, нашел, но это ничего не прояснило... А ты, похоже, доволен своим положением?

— Пожалуй, — кивнул Рафаил. — Ведь я здесь и президент, и правительство, и полиция, и БББ... Мне поклоняются, у меня много жен из самых красивых девушек, которых я часто меняю... Мне несут лучший кусок, у меня спрашивают совета по всем жизненным вопросам... Окрестные племена боятся нападать на нас, скотоводство развивается успешно... Чего еще можно желать?

— Удивительно, — через силу улыбнулся Бонгани. — Но я рад за тебя. Может, выпьем за встречу?

На лице Рафаила промелькнула гримаса отвращения.

— Даже не знаю... Местное пиво в меня не лезет. Они ведь пережевывают сырье и сплевывают в чан. Все эти годы я не пил.

— Два ящика превосходной «Белой лошади» пришлось отдать юку-юку... Но у меня осталась бутылка. А?

— Давай выпьем, — кивнул Рафаил без особого энтузиазма, но с интересом.

«Буру» и «Черные леопарды» братались у памятника Великому Буру. Только так и не снявший огнемета Пич сидел в проеме вертолетного люка, свесив ноги наружу и поигрывая брандспойтом.

— В машину! — приказал Бонгани, проходя мимо Джеро. — Сейчас мы с другом выпьем на прощание и полетим обратно!

Через пару минут «леопарды» заняли свои места в вертолете. Бонгани и Рафаил сидели прямо на железном полу десантного отсека и потягивали виски из пластиковых стаканчиков.

— Хорошая выпивка! — улыбался Рафаил. — Организм помнит этот вкус.

— Значит, давай еще по одной! — Бонгани снова разлил.

За употребление спиртного во время боевой операции положен расстрел, но сейчас был особый случай. Определяет «особость» случая командир подразделения, поэтому полковник чувствовал себя совершенно спокойно.

— За что пьем? — спросил полковник.

Рафаил потягивал «Белую лошадь» осторожно, то и дело заглядывая в стакан — будто высматривал что-то опасное на пластиковом донышке.

— За Великого духа буру! — совершенно серьезно сказал он, и опрокинул стакан.

«Леопарды» переглянулись, но Бонгани так же серьезно кивнул и тоже выпил.

Из кабины выглянул Векес, он вопросительно уставился на командира. Тот едва заметно кивнул, и опять налил. Взревел двигатель, набирая подъемную силу, закрутились лопасти, PUMU потащило вверх. Пич захлопнул люк, отрезая изумленный крик остающейся внизу толпы буру.

— Что это значит?! — Рафаил вскочил, расплескав виски.

— Не волнуйся, мы высадим тебя у реки, — спокойно пояснил Бонгани. — Небольшая прогулка после выпивки тебе ведь не помешает? Мои люди проводят тебя до ворот...

Каждому было ясно, что это ложь. Татуировка Легиона на плече Рафаила сделала свое дело: его контролировали четверо вместо двоих. Пич, Готто, Джеро и Изок стояли полукругом, внимательно рассматривая пленника. Они сбросили рубашки, обнажив потные, бугрящиеся тренированными мышцами торсы. Их взгляды не соответствовали умиротворяющим словам командира: они словно в упор целились в обнаруженный после долгих поисков объект ликвидации. Рафаил мгновенно оценил обстановку, сел на место, наполнил свой стакан.

— За паскудность цивилизации, — объявил он и залпом выпил. — По крайней мере, мог предупредить...

Сказал он, вытирая мокрый подбородок тыльной стороной ладони.

— Это было бы нецивилизованно, — сказал Бонгани. — Началась бы бойня, и нам бы пришлось уничтожить все племя буру... Так что ты поднял правильный тост!

Вертолет взял курс на Хараре.

# Глава 3
## Зигзаги судьбы

*Ретроспекция. Борсхана — Тиходонск. 2012–2013 гг.*

> *Многие люди встречались с судьбой на тех дорогах, по которым пытались от нее скрыться...*

— У него жена была беременной, а с деньгами негусто, жили тяжело, — рассказывал Антуан. — А тут подвернулась эта экспедиция с возможностью хорошо заработать. Ну, он и поехал. Дочка родилась, когда он был уже здесь.

Какое-то время Абрафо Траоле молча кивал, позволяя французу выговориться, но тот, похоже, не собирался переходить к существенным деталям. Семейная жизнь Самуила, тяжелый характер его жены, — казалось, одичавший в джунглях Антуан сам истосковался по этой рутине.

Сидящему сбоку Бонгани пришлось то и дело направлять разговор в более конкретное русло.

— Он рассказывал еще о каких-нибудь родственниках?

— Да нет. Только про жену. Ну, и что дочка родилась. Хотел ее увидеть, подарки приготовил...

— Где его искать? — вмешался Траоле. — Ну, где он жил со своей семьей?

— В этом городе, как его... Ну, где живут такие вольные люди — с усами и саблями... Они еще скачут на конях... И про них написано много книг...

Траоле нахмурился и сурово посмотрел на Бонгани. Тот опустил глаза.

— Найдем мы его, найдем, — негромко сказал он. Но Абрафо не успокоился и продолжил допрос:

— А этот ваш Самуил из России уезжать не собирался? За лучшей жизнью? Или у нас остаться не хотел?

— Нет... Ничего такого. Наоборот — рвался домой. Поначалу делился планами, как потратит заработок... Но потом, когда стало ясно, что на деньги можно не рассчитывать, — Антуан задумчиво покачал головой. — Потом мы говорили только о работе. Нужно было довести дело до конца: найти это чертово месторождение, определить перспективность его разработки, взять подтверждающие пробы, все описать, привязать к местности... Работа затянула, как водоворот, спортивный азарт, будь он неладен. А ведь можно было плюнуть на все и унести ноги, как только нас бросили...

— Дезертиров везде расстреливают! — резко сказал Траоле. — Только во Франции можно совершить предательство и остаться в живых: у вас много демократии, а потому мало порядка... Вижу, после Легиона ты не сделал для себя никаких выводов!

— Ну, почему же, — мрачно проговорил Антуан. — Надо самому решать — кого убивать, а кого — нет. Что я и делал последние двадцать лет. И какого черта вы лишили меня высшей власти?

Траоле рассмеялся и самодовольно одернул расшитый золотом парадный мундир.

— Распоряжение жизнями нескольких сот нищих туземцев ты называешь высшей властью?

— Да, и это мое дело. Я не просился обратно. Абиг притащил меня насильно. Какое он имел право?

— Хоть на этот раз он выполнил приказ, — поморщился Траоле. — Ты преступник, нарушивший контракт. Не с Французским легионом, а с правительством Борсханы — это разные вещи. Совершенно разные! Тебя ждет трибунал!

— Я думаю, он это понимает и постарается искупить свои грехи, — сказал Бонгани.

— Каким образом?! — Траоле впился в него острым, прожигающим взглядом. Абиг не знал, что его бывший подчиненный научился так смотреть. — Как обманувший правительство преступник может искупить грехи?!

— У меня есть план, чтобы добраться до Самуила. И в нем решающая роль принадлежит Рафаилу.

Траоле задумался и долго сидел неподвижно, барабаня пальцами по столу. То ли думал, то ли изображал, что думает.

— Ладно, попробуем, — наконец сказал он. — Представишь план мне на утверждение!

* * *

Звание Бонгани вернули, хотя пока — на ступень ниже прежнего. Даже машину выдали — тот самый джип, на котором он ездил двадцать лет назад — с тентом от солнца на четырех металлических штырях, и с капитаном Траоле за рулем. Теперь подполковнику Бонгани самому приходилось водить эту рухлядь. Когда операция «Поиск Архангелов» успешно завершится, он вновь станет полковником, получит какой-нибудь «Мерседес» с кондиционером, и должность, более властную и определенную, чем «офицер по особым поручениям» при начальнике Бюро безопасности Борсханы. Во всяком случае, так обещал Траоле. Бонгани знал, что он врет. Даже если операция завершится благополучно — а это вовсе не факт, — бывший подчиненный не пустит бывшего начальника обратно во власть. Скорей всего, Траоле прикажет его ликвидировать. Таковы законы аппаратных игр, и не только в Борсхане.

Но пока Бонгани действовал в соответствии с договоренностями. Правда, не особенно рассчитывая на то, что и Траоле соблюдает все условия их соглашения. Поэтому он несколько раз проехал по одним и тем же улицам: вначале в одном направлении, потом в противоположном. Машин на улицах было мало, он быстро убедился в том, что слежки за ним не ведется. И только тогда направился к своей настоящей цели.

Полчаса езды — и он был на месте. В пригороде, где располагалась его бывшая загородная резиденция, заасфальтировали дорогу. Других перемен он не заметил. Вид заброшенного дома со сгоревшей крышей и разбитыми окнами отозвался в сердце Бонгани печалью. Но что поделаешь? Бессмысленные революционные традиции любой страны предписывали уничтожать имущество свергнутых хозяев жизни. И даже если колесо истории вдруг проворачивалось в обратную сторону, руины никогда не восстанавливались. Иначе коттедж разгромили бы четыре раза, и трижды восстановили, а сейчас бригада строителей спешно отстраивала бы его в четвертый раз, а садовники вырубали бы дикие заросли вокруг и заново разбивали цветущий сад. Но бессмысленность потому и бессмысленна, что поддерживает уничтожение, а не созидание!

— Знал бы ты, Абрафо, сколько радостных часов я провел здесь, отдыхая от службы, — проговорил Бонгани, спускаясь по крутым ступеням и подходя к железной двери подвала в углублении, под каменной аркой. — Какие вечеринки, какая еда, выпивка, какие девочки! Ты никогда этого не узнаешь, жалкий щенок...

Он осмотрел дверь и убедился, что никто не пытался ее взломать. Во всяком случае, серьезных попыток не предпринимали. Может, потому, что часто подвалы таких заброшенных вилл были заминированы. А ценностей в них, как правило, никто не держал.

— Ничего, мы еще покажем, кто чего стоит, — впервые за долгое время Бонгани позволил себе совершенно искренние нотки — и голос его звучал далеко не миролюбиво.

Он коснулся кнопки электронного замка, выводя его из спящего режима — загорелась красная диодная лампочка. Не обманула фирма: благодаря потайной электролинии и солнечной батарее на ближайшем дереве, аккумулятор остался в рабочем состоянии. Впрочем, он знал и способы отпереть замок при отключенном питании. Бонгани ввел код, красный цвет сменился зеленым, дверь ожила, внутри включились сложные механизмы, они тихо загудели, втягивая четыре стальных штыря, намертво соединяющих дверь со стальной рамой.

Бонгани с трудом вытянул на себя толстенный овальный люк. Из подвала зловеще повеяло затхлым духом склепа. Он включил свет, открыл один из трех вделанных в бетонные стены сейфов. Их содержимое могло наполнить запахами склепа многие богатые дома Хараре, Парижа, Лондона, Нью-Йорка...

Порывшись в содержимом стального хранилища, он извлек наружу тонкую папку. На ней почерком самого Бонгани было написано: «Поиск Архангелов». Почерк за прошедшие годы мало изменился.

* * *

Таким же почерком был написан рапорт на имя полковника Траоле, который долго читал его внимательно и напряженно, то и дело облизывая сохнущие губы. С аналитикой у него было плоховато, а утвердить важный план — значило принять на себя серьезную ответственность. Бонгани наблюдал за ним, сдерживая улыбку превосходства. Он был доволен собой. Заручился поддержкой на вершине пирамиды власти, продумал вполне реальную операцию, подобрал подходящего исполнителя...

Рафаил сидел напротив. Подстриженный, выбритый, прилично одетый, он преобразился, и приобрел вполне цивилизованный вид. Казалось, он даже рад возвращению в большой мир! Во всяком случае, участвовать в операции согласился, не задумываясь. Впрочем, если выбирать между суровым трибуналом БББ и не очень сложной акцией в России, то его решение вполне объяснимо...

— Теперь изложи все своими словами! — приказал Траоле, отложив наконец документ. Взгляд у него был не очень осмысленный.

Бонгани кивнул.

— Настоящее имя Самуила — Дмитрий Быстров, до экспедиции жил в России, в городе Тиходонске, сейчас должен жить там же. Во всяком случае, других вариантов у него нет... Там его мы и найдем...

— Кто это «мы»? — раздраженно спросил Траоле. — Ты с этим французом?

— Нет, — терпеливо объяснил Бонгани. — В условиях России чернокожие люди привлекают повышенное внимание, и не могут действовать свободно и неприметно. Поэтому, в Москву выедет один Рафаил. Там он вступит в контакт с нашими молодыми земляками, обучающимися в московских вузах и попутно торгующих наркотиками. Раньше у БББ имелись списки таких лиц, и они привлекались для выполнения некоторых деликатных заданий. Думаю, сейчас такая практика сохранилась...

— Разумеется, — кивнул Траоле.

— У наших земляков имеются связи среди местных отчаянных ребят, — продолжил Бонгани. — Их называют «крышей». То есть прикрытием от бандитов и полиции...

— Конечно, они ведь и сами бандиты, — еще раз кивнул Траоле.

— Через эту «крышу» Рафаилу должны предоставить двух-трех исполнителей, он проинструктирует их и направит к Быстрову. Они заберут у него карту и привезут Рафаилу.

— А если не привезут?

Бонгани развел руками.

— Тогда ниточка оборвется. И мы будем искать другие способы...

Траоле покладисто кивнул.

— Да. Только искать вы их будете в камерах Фермы...

— Как прикажет руководство, — смиренно ответил Бонгани. — Но я успел переговорить с Первым министром господином Афолаби. Он считает, что я уже достаточно сделал для того, чтобы не возвращаться на Ферму. И он лично взял под контроль эту операцию.

— Что?! — Траоле вскочил. — Как ты смел действовать через мою голову?!

— Мы с господином Афолаби долго работали, и он меня не забыл, — сказал Бонгани, стараясь, чтобы торжество в голосе не перекрывало нотки покорности.

Траоле бросил на него горящий ненавистью взгляд. Если бы взгляды могли испепелять, от подчиненного осталась бы только горстка пепла. Но Бонгани по-прежнему был целым и невредимым.

— От БББ требуется подготовить московский канал и финансировать поездку, — спокойно и уверенно сказал он. — Подготовку Рафаила я возьму на себя, она займет около полугода. Основная задача — привыкнуть к цивилизации от которой он был оторван столько лет, и освежить его русский язык. Да, может, и французский тоже... Так, Рафаил?

Тот усмехнулся, но ничего не сказал. Только когда они вышли из кабинета, он решился открыть рот.

— С французским у меня все в порядке.

— Ну и ладно. А когда вернешься, мы можем вернуть тебя в джунгли, к твоим любимым буру. Если, конечно, пожелаешь...

— Думаю, мое место уже занято. Представь себе, что ты захочешь вернуть себе кресло, которое сейчас занимает этот клоун, — он кивнул на бронзовую табличку рядом с дверью: «Полковник Абрафо Траоле». — Разве он обрадуется?

— Вряд ли... Скорей, отправит меня обратно в тюрьму.

— В джунглях все еще жестче — съедят, сожгут или скормят крокодилам... Да и что-то меня в лес уже не тянет... Если бы ты не выдернул меня оттуда так неожиданно, все было бы вообще в порядке...

— А в чем непорядок?

— Как-нибудь расскажу, — сказал Рафаил. И тихо добавил:

— Может быть.

\* \* \*

*Тиходонск, 2013 г.*

В плотных тенях под старой засыхающей яблоней терпеливо ждали трое. Двое сидели на корточках, положив локти на колени, третий стоял, внимательно рассматривая дачный домик за хлипким невысоким забором.

Беглого взгляда было достаточно, чтобы уловить в них то, что отличало от обычной для этого места и времени неблагонадежной публики, шатающейся по ночным улочкам дачного поселка с незатейливым названием «Фруктовый». Арестантская посадка, позволяющая экономить силы на этапе, черная одежда, не соответствующие сезону перчатки и трикотажные лыжные шапочки, уверенные, развязные манеры, присущие людям, не признающим чужого мнения, а главное, высвечиваемые неверным светом луны лица, наглядно подтверждающие учение Ломброзо о прирожденном типе преступника, — все это никак не могло принадлежать мелким ночным воришкам или местным забулдыгам, соображающим на троих. Они не разговаривали, только когда со стороны лесополосы раздался дуплет браконьера, добывающего зайцев из-под фар, один с усмешкой поднял палец, а второй одобрительно кивнул.

Наконец наблюдатель скатал вниз края трикотажной шапки, и его лицо закрыла черная ткань с узкой прорезью для глаз. В руке блеснул ПМ. Двое других тоже надели маски и приготовили оружие. У Ежа был потертый ТТ, а у Худого и вовсе — допотопный наган.

— Пушками не машите, он там один! И без лишнего базара, «тереть» я буду! Шмонаем только по документам, ни на какие цацки пасти не разевать — нам не за них башляют выше крыши!

— Да мы уже вкурили, Волчара, что ты по кругу ездишь? — хрипло проговорил его спутник. — Что ты так стремаешься? Первый раз на делюгу вышли?

— Глохни, Еж! Меня Адлан на это дело подписал, и спрос с меня будет! А я с вас спрошу! Запомните, хозяина не трогать! Я тебе спецом пятый раз в уши дую! А ты, Худой, понял?

— Ну, — Худой кивнул.

— Гну! Тогда пошли!

Они быстро перескочили через забор, прошли по узкой дорожке мимо яблонь и слив и, не касаясь ступеней, взобрались на крыльцо. Волчара монтировкой отжал дверь и все трое, с оружием и фонарями наготове, осторожно вошли в дохнувший жилым теплом дом. Лунный свет проникал в окно, слабо освещая аскетично обставленную комнату. Лучи фонарей рыскали по углам. Первый скрип половицы раздался в комнате, когда чужаки уже стояли полукругом у дивана, над спящим под легким одеялом человеком.

— Вставай, Самуил, — сказал Волчара негромко. — Вставай. Дело к тебе есть.

Он протянул руку к плечу, укрытому клетчатым пледом. Но дотронуться не успел: с неожиданной ловкостью хозяин перевернулся на спину и сел, сбрасывая с себя одеяло. В руках его был карабин! Такого от мирного садовода никто не ожидал...

— Твою мать! — налетчики шарахнулись в стороны.

Хозяин ловко вскинул карабин к плечу, и было видно, что он не собирается никого пугать.

— Стой, стой! — Волчара ударил по стволу за миг до того, как раздались два выстрела, резко разорвавшие тишину тесной сонной комнаты.

Пули полетели в сторону и смачно вошли в деревянные стены. Тут же пушечно грохнул мощный ТТ и тот, кого назвали Самуилом, опрокинулся на спину, уронив поверх одеяла руки с карабином. В виске чернело сквозное пулевое отверстие, из которого выбивались темные фонтанчики крови.

Почти сразу навскидку выстрелил Волчара — колени Ежа подкосились, и он тяжело опрокинулся на не очень чистый пол.

— Сука, сука, сука!! — Волчара вне себя сдернул маску, открывая стремительно белеющее, перекошенное злостью лицо. Без маски он выглядел более страшно. — Я тебе что говорил?! Отвечай, паскуда!

Отвечать Еж не мог: он лежал в позе мертвого человека, остывал и смотрел в потолок открывшимся во лбу и истекающим кровью третьим глазом. Но Волчара понимать этого не хотел и сильно ударил тело ногой в бок — раз, второй, третий...

— Ты что делаешь?! — вскинулся Худой. — Зачем ты его завалил?! Лох же первый начал!

— Заткнись, а то и тебя мочкану! — Волчара с остервенением ткнул подельнику «макар» под челюсть, так что тот приподнялся на носки. — Ищи бумаги, пробирки, карты!

Худой, скосив глаза, осторожно отвел пальцем еще горячий ствол.

— Я все понял, базара нет, ты пахан!

Скинув тело Самуила с кровати, Волчара вспорол диван, пошарил внутри, проверил под ним. Пусто. Заглянул в покосившийся платяной шкаф, старомодный комод, — ничего кроме одежды, посуды и гречки с рисом. Одежду тщательно пересмотрел, прощупал и бросил на пол, сверху высыпал крупы, кофе, муку. Худой тем временем откинул крышку подпола и спустился внутрь. Оттуда выбился электрический свет, зазвенели, разбиваясь, банки с консервами.

Они шмонали небольшой домик почти до рассвета. Каждая вещь была сорвана со своего места и тщательно осмотрена. Каждая плоскость обследована на предмет тайника. Не оставлен без внимания ни один квадратный сантиметр. Дачный домик, казалось, побывал во власти торнадо. Такая же судьба постигла сарайчик. Подсвечивая себе фонариками, налетчики осмотрели участок, втыкая в подозрительные места заостренный щуп. Все напрасно. Уходили они с пустыми руками.

Волчара оглядел напоследок комнату с двумя трупами: мужчина в растянутой майке, в нелепой позе скорчившийся возле дивана в обнимку с карабином «Сайга», и раскинувший руки почти во всю ширину помещения бугай в черной балаклаве, с пистолетом в окостеневающей руке.

«Накосячил, Колючий! — подумал Волчара. — Доволен теперь? Хотя... Этот Самуил вполне мог нас всех положить... Так что, может, мне ему надо было поляну накрыть...»

Он хотел было забрать «тэтэшник», но передумал: «мокрый» ствол еще никому не принес пользы...

Молчаливые и мрачные, они вышли с участка, быстро прошли к лесополосе, за которой сели в неприметную темно-синюю «семерку». Начинало светать, пахло утренней свежестью, в кронах деревьев робко распевались птицы.

Волчара сел за руль, завел двигатель и медленно двинулся по щебеночной дороге. Худой молчал, уткнувшись мрачным взглядом в портприз. В ладони он до боли сжимал вытертую сотнями рук рукоятку нагана.

— Ну, и что теперь будет? — наконец спросил он. — Адлан косяков не прощает, он может и сжечь заживо...

— Может, — кивнул Волчара. — Придется убеждать, что это не наш косяк. В натуре, ведь это Ежа косяк. Ты подтвердишь, что я вас предупреждал — не трогать хозяина... А он, по своей дури, не послушался и вальнул его...

— А я думал, ты и меня завалить хочешь, — Худой перевел дух и ослабил затекшую ладонь.

— С чего вдруг?! Мы же кореша!

— Так и Еж был корешем...

— Еж сам нарвался. А ты мне нужен, чтобы от предъявы Адлана отмазаться...

«Семерка» съехала со щебенки и запрыгала по глинистому проселку.

— Отлить не хочешь? — спросил Волчара, заезжая в лесополосу.

— Нет, — помотал головой тот. — Давай быстрей отрываться...

— Сейчас, сейчас...

Волчара вышел, обошел машину, и вдруг, выстрелил в голову расслабившегося было Худого. Тот, так и не успев ничего понять, ткнулся лбом в портприз, который успел так хорошо изучить. Эхо выстрела быстро растворилось в полевом просторе. С деревьев всполошено взлетели птицы. Волчара спокойно помочился, влажной салфеткой тщательно протер лицо и руки, достал из багажника комплект чистой летней одежды, переоделся, а испачканные черные рубаху и штаны оставил в машине. Осмотревшись, и не заметив ничего подозрительного, он двинулся по меже засеянного рожью поля, дошел до следующей лесополосы, откуда открывался вид на железнодорожную станцию. Через нее на Москву идут не меньше пяти поездов, ближайший через два часа. И Волчара неспешно направился к станции.

*  *  *

*Москва, 2013 г.*

На всякий случай, вышел он в Рязани. Ночное небо, усыпанное крупными летними звездами, начинало выцветать, когда он попуткой добрался до Москвы, пересел в такси и доехал до Сокольников, где заказчик назначил встречу. Солнце взошло, но было довольно прохладно. У входа в парк стояла «Газель» и «Нива» из них выгружали продукты в расположенные рядом киоски. Подъехал грузовичок с рекламой детского питания на борту, водитель заспорил о чем-то с шаурмистом. Не заметив ничего необычного, Волчара быстрым шагом направился в парк.

В боковой аллее, возле третьей лавки его уже дожидался высокий худощавый мужчина лет пятидесяти, с загорелым лицом, в легкой светло-серой куртке. Они пожали друг другу руки. На пальце заказчика блестел массивный золотой перстень, необычной формы — то ли с зубчатой короной, то ли с ощетившимся дикобразом... На эту цацку Волчара обратил внимание еще при первой встрече — мол, ценная гайка!

— Ну, что? — нетерпеливо спросил человек в куртке.

— Ни документов, ни карт, никаких пробирок там не было. Ошманали все — голяк! Там их нет, зуб даю!

— А где Самуил?

— Вы не предупредили, что он спит с винтом... Он нас не перехлопал за малым...

— И где он?

— Еж его завалил.

— Это плохо.

— Нашей вины в том нет. Он, как глаза открыл, два раза шмальнул! Тут расклад простой: или мы, или он...

— Понимаю, — заказчик был совершенно спокоен, будто они обсуждали сегодняшнюю погоду.

— Вы там скажите, кому надо, чтобы мне не предъявляли. Я и так своих пацанов грохнул...

— Вот как...

Повисла тяжелая, напряженная пауза. Заказчик молчал, и это молчание давило на Волчару сильней, чем ругань и угрозы. Так ведут себя люди, за которыми не один труп, и не два... Он почувствовал, как пересыхает в горле.

— Вы говорили, что заплатите при любом исходе...

— Раз говорил, заплачу, — с неожиданной легкостью отозвался заказчик. Он говорил с каким-то акцентом. Прибалт, что ли? Хотя, какая разница — главное, получить бабло, и унести ноги...

Заказчик сунул руку во внутренний карман, и вынул тугие пачки долларов, перетянутых банковской контролькой.

— Можешь пересчитать, но...

Волчара взял деньги, заказчик, поощряюще улыбаясь, похлопал его по тыльной стороне ладони, вроде как одобряя: «Мол, ничего, как могли, так сработали, бери — заслужил!» Только зачем он перстень повернул короной вовнутрь? Острые грани слегка поцарапали кожу. Ну, да ерунда...

Волчара так и не понял, что произошло. Издав короткий, захлебывающийся звук, он в тот же миг рухнул на скамейку, будто прилег отдохнуть после трудов праведных. Его глаза неподвижно уставились на бегуна, бодрой трусцой пробежавшего по пустой главной аллее.

— Но в этом нет никакого смысла, — закончил фразу Рафаил, пряча доллары обратно в карман куртки, и двинулся в дальний, не обустроенный угол парка, где и днем-то всегда было безлюдно. Сюда сваливали обрезанные ветки, и спиленные деревья, старые скамейки, строительный и бытовой мусор. Мобильный телефон он выбросил в урну, а перстень — в заваленный мусором люк, присмотренный накануне. Рядом имелось еще одно, специально приготовленное местечко —

неглубокая, около полуметра яма, с бутылкой бензина на неровном дне. Она могла понадобиться, а могла — и нет. Но она понадобилась...

Он достал паспорт Борсханы, чиркнул зажигалкой. Плотные страницы горели плохо, и он плеснул бензина — теперь даже картонная черная обложка с замысловатым золотым гербом, весело вспыхнула, почернела и свернулась, превращаясь в жирный пепел. Это горела третья страница его жизни. Первая вообще не в счет — молодой, глупый студент, любивший красное вино, женщин, выкидной нож «Корсиканец» и не любивший тех, кто становился у него на пути... Вторая — Легион, где он прошел хорошую школу жизни, но когда в Борсхане начались кровопролитные бои за независимость, которую каждая из многочисленных противостоящих сил понимала по-своему, но одинаково легко ставила на карту его собственную жизнь, он подумал — а зачем такая школа? Тут внезапно и открылась третья страница! По линии безопасности Борсханы он получил паспорт, и в Москву приехал по этой линии, и здесь его опекали сотрудники БББ под видом дипломатов, да и сейчас они ждут его отчета... Но отрицательный результат по Самуилу опускал шлагбаум на дороге, по которой он шел с БББ. Потому что дальше она вела в ужасную тюрьму, которую местные зовут Фермой, или прямиком на тот свет... К счастью, у него сохранился изрядно потертый французский паспорт.

Черная книжица догорала, остро завоняло паленой химией. Вспомнились бесконечные пожары в джунглях. Это тоже страницы жизни, но он их не считал. Многолетнее пребывание в треклятом бычьем племени, где самым сложным устройством была плетеная ловушка на птиц, вырвала много страниц из его жизни, и они остались чистыми... Цивилизация, в которую он вернулся из африканской черной дыры, вначале напугала. В Легионе, а потом в БББ, Рафаил прошел хорошую подготовку — никакое, самое сложное оружие, никакие «жучки», замаскированные камеры слежения, хитроумные дистанционные взрыватели, никогда не представляли для него сложности. И вдруг он оказался совсем в другом мире! Как будто угодил в эпицентр масштабной спецоперации, которая проводится всеми против всех, и в которой он один не участвует. Люди вокруг, от мала до велика, казалось, работали на разведки и контрразведки всех стран мира! Мобильники с фото и видеокамерами, планшеты, ноутбуки, крошечные микрофоны, приемники, вставленные в уши, причем все это включается и работает без проводов — на пике его оперативной карьеры даже самые мощные разведки не обладали таким оборудованием! А сейчас эта никакая не спецтехника с грифом «секретно», а предметы обыденного бытового пользования, которые первое время вгоняли его в ступор... Но он способный и быстро обучился новым техническим премудростям, заполнив, хотя и не полностью, пропущенные чистые страницы своей жизни. Так считать или нет те двадцать лет, которые он провел в первобытном племени глухих борсханских джунглей? Что они ему дали, кроме власти шамана — иллюзорной в цивилизованном мире, но неограниченной и беспредельной в глухом тропическом лесу? Да, пожалуй, ничего! Кроме доброго килограмма спрятанных в надежном месте алмазов, которые этот говнюк Бонгани помешал забрать с собой...

Подняв специально оставленный кусок фанеры, Рафаил засыпал землей дымящуюся ямку, забросил фанерку в кусты и направился к главной аллее. Через несколько минут он, никем не замеченный, вышел из парка и растворился в начинающем просыпаться многомиллионном городе. А в полдень, гражданин Франции Антуан Вильре вылетел на родину прямым рейсом Москва—Париж. И мало кто мог связать эти два события между собой.

Кроме, разумеется, осведомленных в «деле Архангелов» лиц.

Антуан еще находился в воздухе, смотрел крутой боевик по внутренней трансляции и обедал жареной уткой с красным вином, когда резидентура Борсханского посольства в Москве отправила шифротелеграмму на родину: «Рафаил после встречи в Сокольниках не вернулся, и на связь не вышел, его контакт обнаружен в парке мертвым. Похоже, что поиск Самуила положительных результатов не дал, и Рафаил скрылся. Резидент БББ Экватор».

Получив телеграмму, Траоле пришел в ярость и отдал команду немедленно арестовать провалившего важную операцию Бонгани. Но он недооценил бывшего начальника, и события развернулись совершенно иным образом: через час в штаб-квартиру Бюро безопасности Борсханы прибыла группа личной охраны первого министра господина Джелани Афолаби, во главе с Абигом Бонгани, имевшим при себе два распоряжения: об отстранении от должности директора полковника Траоле, и назначении на освободившееся место полковника Бонгани.

— Ты официальное лицо, Абрафо, и именно ты несешь ответственность за невыполнение указаний руководства страны, а не я! — пояснил новый директор. — Вот с этого момента, ответственность за все несу я! Ну, а ты...

Он сделал знак старшему охраны, с Траоле сорвали погоны и расшитые золотом шевроны, надели наручники и вывели из кабинета, к которому он уже успел привыкнуть. Еще через час разжалованного привезли в самую страшную тюрьму Борсханы, которую знающие люди называли Фермой дядюшки Тома́. Его встретил начальник учреждения Аман Кермес, но не для того, чтобы налить порцию виски, а чтобы лично проследить, как его переоденут в арестантскую робу и доставят в восточный блок для пожизненников.

Находящегося в прострации, шокированного стрессом Абрафо втолкнули в свободную камеру. Как только затворилась решетка и охранники двинулись по гулкому бетонному коридору к выходу, он молча сполз на пол, уронил руки между колен и сидел так неподвижно, с полуоткрытым ртом. Обреченность сочилась из его надломленной фигуры.

— Эй ты, чучело! — послышалось из камеры рядом. — Кто такой, за что попал в нашу компанию?

Это был Гвембеш, который любил поиздеваться над новенькими. За эту привычку ему пришлось заплатить выбитыми зубами и несколькими сломанными ребрами — только несколько дней, как он вернулся из лазарета. Но любовь к издевательствам не пропала. Тем более что того, кто мог заступиться за оглушенного горем новичка, здесь больше не было.

Тем временем сытый и в меру выпивший, Антуан Вильре приземлился в аэропорту имени Шарля де Голля, благополучно миновал пограничный контроль и вышел в Париж — город, в котором не был уже очень много лет.

* * *

*Ницца, наши дни*

Ее французский отпуск медленно, но верно, шел к концу. Вторая половина его заметно отличалась от первой, изобиловавшей новыми впечатлениями и экстремальными приключениями. Чудесное спасение утопающих, нахлынувшая известность, Бал цветов, похищение, прогулки на дирижабле, катание на яхте — все это сменилось размеренной жизнью на Лазурном Берегу, ровным романом с Жаком, грезами в глубоком кожаном кресле доктора Вольфсберга, путешествиями по закоулкам забытого, но заново открываемого прошлого... Сеансы психотерапевта дарили ей все больше красочных воспоминаний о детстве, об отце. Отправляясь на пляж после сеанса, она ждала Жака. С закрытыми глазами слушая, как волны шелестят галькой, она бережно перебирала в памяти, вернувшиеся из небытия отцовские рассказы и сказки. Некоторые истории раскручивались в цветных насыщенных снах. Страшные и мрачные, они позволяли лучше понять отца, которые наяву пережил все эти ужасы...

Она вспомнила, как на отца напал разъяренный павиан, он рвал его когтями, кусал и неизвестно, чем бы дело кончилось, если бы напарник-француз не убил обезьяну ножом... Или, как в метре от сидящего у реки отца из кустов поднялась голова анаконды — огромная, размером с собачью, они смотрели друг на друга и желтые глаза рептилии с вертикальными зрачками гипнотизировали отца, лишали воли и возможности действовать, но он, все же успел схватить винтовку и выстрелил несколько раз, после чего чудовище исчезло, он даже не знает, попал или нет, потому что убежал в другую сторону. Или, как на них нападали туземцы, а они отстреливались, в напарника попала стрела, а в отца воткнулся обломок стрелы, по счастью без наконечника... Или... Или... Или... А ведь он, конечно, рассказывал девочке не все, о самом ужасном и противном, конечно, умолчал...

Ужас! А ведь ему тогда было немногим больше лет, чем ей сейчас... Какую же надо было иметь смелость и силу воли, чтобы пройти через все это!

Кира не знала, как благодарить доктора, подарившего ей новый облик отца, но тот, похоже, не принял бы никакой благодарности и даже не понял бы ее порыва... Не предусматривалось в Вольфсберге подобной функции — пробуждать в человеке радость и благодарность...

Среди страшных историй имелось только одно светлое пятно. «Когда ты вырастешь, дочка, — рефреном повторял отец, завершая свои рассказы. — Ты обязательно станешь богатой! Ради этого я старался, ради этого выжил...»

До сих пор Кира не задумывалась над этими словами. Но теперь мучительно размышляла над ними. Временами казалось, что пророчество отца начинает сбываться. Но стоило начать размышлять, и к Кире возвращался природный скепсис. Все, что с ней приключилось этим летом, а возможно, еще приключится — цепь случайных совпадений, за которыми ничего не стоит. После сказочного отпуска она вернется к своей убогой жизни, к скучной бухгалтерской работе за грошовую зарплату, разогретым сосискам и болтовне стареющих кумушек, в одну из которых и сама со временем превратится... А однажды она задремала на пляже и во сне всплыла светлая отцова фраза, только с мрачным окончанием: «... и из-за этого погиб!»

Она проснулась в ужасе — а ведь действительно, когда на кону такие ставки, то убийство в садовом товариществе «Фруктовый» может иметь совсем другую подоплеку! Кира начинала снова анализировать все странности случайных совпадений: странные проговорки руководителя корпорации «Алмазы Борсханы» Афолаби, странность исчезновения из прекрасного спектакля Андрея и его немедленной замены Жаком, странную осведомленность Жака, странное внезапное появление офицера французской военной разведки Фуке...

Но с другой стороны, отца убили через двадцать лет после возвращения из Африки, а интерес к ней спецслужб Борсханы и Франции проявлен через пять лет после смерти отца. Вряд ли разведки любой страны, даже африканской, так долго раскачиваются...

На этом ее мысли прервали губы Жака, мягко прижавшиеся к ее губам, и все подозрения отошли на второй план, а потом и вовсе растворились в беззаботной атмосфере Лазурного Берега. Но неприятный осадок в душе остался, и она пыталась развеять его своей придуманной мантрой: разведки не ждут так долго!

Но кто их знает, эти разведки! Они не всегда управляют обстоятельствами: иногда обстоятельства управляют ими...

* * *

### *Ретроспекция. Париж, 2016 г.*

Париж есть Париж! За годы его отсутствия город порядком изменился. Россыпи огней, рекламы мировых фирм, обилие машин, а главное — толпы чернокожих праздношатающихся молодчиков, как будто он каким-то чудом вновь оказался в Африке...

Еще в самолете, снявший шкуру Рафаила Антуан Вильре понимал, что летит на родину, которой больше не существует. Потому что только для натур экзальтированных или инфантильных она сводится к улицам, запахам, воспоминаниям... — что там еще в этом детски наивном списке? Для любого легионера, а бывших легионеров не бывает, родина — это Легион! Такой девиз невозможно забыть: он выколот на теле каждого, объединяя пожизненный орден неудачников, бросивших вызов судьбе... Их мотает по всему миру, и для них понятие родины не совпадает с понятием добропорядочного обывателя. Комфортная языковая среда, домашний уют, радости привычной кухни, хорошие соседи, накатанная жизненная колея, устоявшийся род занятий — все это мелочи! Родина — это прежде всего люди, на которых можно положиться. Которые вступятся за тебя в драке, поддержат огнем, помогут залечь на дно, если нужно, помогут устроиться на работу, дадут на первое время взаймы... Люди, за которыми кроются жизненные возможности. Так вот, у него не осталось таких людей.

Впрочем, когда у тебя есть деньги, они и не нужны. Прилетев с двадцатью тысячами долларов в кармане, Антуан снял небольшую квартиру во втором округе, неподалеку от Лувра, купил свой излюбленный пружинный нож «Корсиканец» со стилетным клинком и устанавливающимся одновременно с раскрытием ограничителем. Такой компании Антуану вполне хватало, хотя первое время хотелось еще обзавестись привычным Кольтом 1911. Но обращаться за лицензией в полицию он не хотел, а рисковать ношением без надобности «черного» ствола, было просто глупо.

На удивление, он довольно быстро привык к Парижу. Даже размеренная жизнь среднестатистического обывателя-рантье вполне устраивала: подъем на рассвете, утренняя пробежка, завтрак в ближайшем кафе, прогулки вдоль Сены, игра в шары в парке, рюмочка-другая, пропущенная в ресторанчике перед обедом, ранний отход ко сну... Когда-то давно, он бы сошел с ума от скуки и монотонности такой жизни, но после стольких лет, проведенных в племени буру, она играла для него яркими красками хорошо ограненного бриллианта. Про алмазы, спрятанные в джунглях, он, с одной стороны, не забывал, а с другой — воспоминания о них были спрятаны в глубине души так же, как драгоценные камни в черной и вязкой земле Борсханы. Лежат — ну и пусть себе лежат...

Все равно достать их, мягко говоря, не очень легко. Скорей наоборот — очень трудно! Его самого власти Борсханы не ждут, а если и ждут, то не для того, чтобы наградить орденом «За государственные заслуги». Да и племя буру обзавелось новым шаманом, а старого вряд ли признает, не говоря о том, чтобы закрыть глаза на похищение собственности джунглей... Надо организовывать вооруженную экспедицию с отчаянными, привыкшими рисковать, людьми... А где их взять? В кафе или за игрой в шары с ними не познакомишься, к тому же новые знакомые ненадежны, нужны такие, которым можно доверять... И больше всего подходят для такой акции товарищи по Легиону. Но где их искать? Иностранцы, заработавшие гражданство, как правило, меняют фамилию, да и французы, смывавшие службой в Легионе темные пятна прошлого, тоже. Многие убиты или искалечены... Конечно, Антуан не ограничивался прогулками и игрой в шары — он стрелял в армейских и полицейских тирах, снимал девушек без предрассудков на бульваре Пигаль, изредка напивался в кабаках Клиши, и в этих местах пару раз встречал бывших сослуживцев. Но некоторые не хотели разговаривать с дезертиром, а некоторые сразу лезли в драку. Вот и приходилось откладывать экспедицию до лучших времен...

Но, в силу непознанных природных закономерностей, худшие времена наступают раньше лучших, причем без всяких усилий. Деньги подошли к концу, надо было менять второй округ на двадцатый с перспективой пополнить армию клошаров, ночующих на вентиляционных решетках метро. Или ехать в Борсхану. Но с кем?!

И тут Антуан вспомнил про Симона Дюфура, вместе с которым они ввязались в ту заварушку с арабом, потом вместе скрылись в Легионе, и бок о бок служили почти пять лет. С Симоном они всегда находили общий язык, никогда не ссорились и доверяли друг другу. Вряд ли он изменил имя и адрес, живет, небось, по старинке — посиживает в баре, постреливает в тире, может еще волочиться за женщинами...

Отыскать Дюфура — точнее, его жилье — не составило труда. Он жил в криминальном районе неподалеку от Северного вокзала, все в том же доме с облупившимся фасадом, из которого однажды ушел искать лучшей доли, выбрав между тюремным сроком за поножовщину в баре, и войной в далекой стране то, что показалось им обоим более привлекательным.

Лестница на второй этаж была довольно крутая, с покосившимися ступенями. Памятуя о резких манерах некоторых бывших сослуживцев, Антуан решил остаться внизу, и остановился под распахнутым окном.

— Эй, Симон! Симон Дюфур! Надеюсь, тебя и сейчас так зовут! Симон! Выходи! Обними старого приятеля, сукин сын! Я специально приехал, чтобы с тобой повидаться!

Никто не ответил на его призыв.

— Эй, Симон!

Наконец на балконе показалась пожилая чернокожая женщина — худощавая, прячущая взгляд за вяло приспущенными веками.

— Нету дома, — проскрипела она.

— А когда будет?

— Мне почем знать.

— А телефон мобильный у него есть?

— Есть, вроде.

— Дайте мне номер, пожалуйста.

— Ха! А у меня он откуда!

И она развернулась, собравшись вернуться в свою квартирку.

— Поищи его в «Колодце», за углом. И напомни, что он бабке Лулу должен полтора евро!

— Обязательно напомню!

«Колодец» располагался на втором этаже кирпичного здания и напомнил Антуану приснопамятную «Саванну» в Хараре. Не архитектурой и запахами, а обилием чернокожих. Их здесь было большинство — десятка полтора против пяти-семи белых явно маргинального вида. Даже за стойкой стоял высоченный, толстый африканец со шрамами на лице.

— Я ищу Симона Дюфур. Вы знаете Симона? Он здесь бывает?

На его расспросы все реагировали сдержанно. Одни пожимали плечами, другие вообще отмалчивались, не облегчая себе задачу жестами. Бармен молча дунул в бокал, и принялся протирать его вафельным полотенцем — настолько серым, что вряд ли можно было ожидать стерильности, или хотя бы чистоты после такой обработки. Антуан почему-то вспомнил, как в племени буру изготавливали пиво и поморщился.

— Надеюсь, я его дождусь, — подытожил легионер свои улетевшие в никуда вопросы, и влез на свободный стул перед баром. — Плесни мне «Зеленой феи», дружище!

Черный гигант налил в широкий толстый стакан семидесятиградусную зеленую жидкость, положил поперек испещренную дырочками ложечку, а на нее — кусочек сахара. Облил сахар абсентом и поджег, коричневая карамель закапала в стакан.

— Готово! — бармен подвинул стакан Антуану, и тот в два глотка выпил обжигающий, пахнущий травами напиток. Приготовившись к долгому ожиданию, он отвернулся к телевизору, на котором беззвучно мелькали картинки новостной программы: полицейские разгоняют митинг, в магазине разгружают куриные тушки, на светском приеме дамы блещут бриллиантами. Сидеть и тупо ждать, без уверенности дождаться — это страшно раздражало Антуана, настроение испортилось. Но делать нечего, идти-то больше не к кому. Почему-то вспомнилось, как Дюфур загремел на гауптвахту за то, что отказался отстирывать форму лейтенанта, на которую случайно выплеснул бокал пива. Да, парень он непредсказуемый, и характерец у него еще тот... Как бы тоже дело не закончилось дракой...

Сзади послышались шаги по скрипучим ступеням.

— Вот он, — сказал бармен в пространство и Антуан, обернувшись, увидел приближающегося Дюфура. Стало ясно, что толку от него не будет: старый товарищ стал действительно старым, к тому же заметно прихрамывал на левую ногу.

Он остановился в двух шагах — ни руки не протянешь, ни в объятия не заключишь.

— Привет, Симон.

— Привет, — без всяких эмоций ответил тот, как будто они только вчера виделись в этом самом баре.

— Что с ногой?

— Собака укусила.

— Ты всегда любил шутки.

Дюфур молча взгромоздился на высокий стул. Бармен не спрашивая, плеснул ему дешевого виски, бросил в стакан один кубик льда. Дюфур пригубил.

— Что тебе надо? Ты же не случайно сюда забрел?

— Нужна твоя помощь — работа и жилье. На какое-то время. А я в долгу не останусь.

Симон усмехнулся.

— Ты пришел по адресу. Конечно, можешь занять мою кровать. И даже Марианну забирай, если она окажется достаточно пьяна, чтобы не заметить подмены. А насчет работы... Управляющим банком «Парижский кредит» пойдешь? На двести тысяч в месяц?

Рафаил сразу уловил нехорошие саркастические нотки в его голосе, но не сразу решил, как на них реагировать. Бармен пристально рассматривал собеседников и криво улыбался. Возможно, так получалось из-за шрамов. Это были не ритуальные надрезы и не знак принадлежности к определенному племени. Похоже на след от ранения в лицо... Другие африканцы тоже о чем-то перешептывались и бросали на белых не очень доброжелательные взгляды. Точнее, недоброжелательность была адресована Антуану — Симон здесь свой. Какой-никакой, но сосед, а не заезжий чужак.

Рафаилу не нравилось в «Колодце». Вялотекущая мышиная возня раздражала его сама по себе — да и ничем хорошим она не закончится, это ясно как божий день. В третьесортных барах за свою жизнь Антуан побывал немало, так что разбирался в вопросе...

Абсент сделал свое дело — хмель ударил в голову. Он повысил голос.

— Брось насмешки, Симон! У меня в Борсхане кое-что спрятано. Нужно подобрать людей, чтобы забрать это. Ты получишь свою долю!

Дюфур допил виски, погонял во рту кубик льда и выплюнул обратно в стакан.

— Ты бросил пулеметную точку, когда надо было прикрывать нас с фланга. Половина взвода легла у Острой скалы. Так что, я знаю твои обещания.

Дюфур слез со стула.

— По хорошему, мне бы морду тебе начистить!

Он шлепнул его по плечу.

— Но я стал стар и ленив. Очень ленив. Так ленив, что даже руку не буду мыть, которой тебя касался.

С этими словами Дюфур отправился к выходу, подволакивая левую ногу.

— Отдай бабке Лулу полтора евро! — крикнул вслед Антуан. И повернулся к бармену.

— Повтори мне «Фею», дружище!

Но гигант смотрел на него с новым выражением, и это выражение не предвещало ничего хорошего.

— Ты был в Борсхане? И что ты там спрятал? Джунгли неприкосновенны, но они не могут себя защитить! А вы, белые свиньи, грабите наши края, и забираете самое дорогое, что у нас есть — глаза Великого Юки!

— Где-то я уже это слышал! — надменно сказал Антуан, глядя на гиганта снизу вверх, но с таким превосходством, будто смотрел сверху вниз. — В Хараре. В гнусной харчевне «Саванна». Эту чушь нес некий Нгвама — такой же любитель Юки, как ты...

Гигант взревел, выставив в обличающем жесте толстый черный палец.

— Так это ты распорол мне лицо бутылкой?! Я сразу увидел, что твоя рожа мне знакома! Но теперь ты никуда не уйдешь, — перескочить стойку с такой тушей он не мог и бросился к дверце.

Надо было быстро смываться. Антуан, не проявляя поспешности, направился к двери. Он не заметил, как дремавший на стуле белый, с длинными волосами вокруг испитого морщинистого лица, вытянул в проход длинную ногу, подлавливая его шаг. Антуан споткнулся и непременно растянулся бы посреди этого гнусного кабака, но в последний момент успел ухватиться за край стола, и с трудом удержал равновесие.

— Ой! — поднимаясь, произнес длинноволосый, и заступил ему дорогу, демонстрируя нависающее над брючным ремнем пивное брюшко. — Вы сделали мне больно, мсье...

Судя по всему, он играл здесь роль провокатора, начинающего драки. Сзади уже спешил бармен, успевший вооружиться бейсбольной битой. Слева, гадко улыбаясь, приближался какой-то смуглый полукровка с пустой бутылкой в руке.

Обстановка накалялась. В такую минуту человеку нужна поддержка друзей, желательно проверенных Легионом. Как, например, Симон, с которым они много лет назад разрулили подобную ситуацию в полном арабами баре, да и потом много раз выходили победителями из самых крутых переделок. Но Симон ушел. К тому же он уже не считал себя его другом. Как и все остальные завсегдатаи «Колодца», которые с кривыми ухмылками следили за развитием событий. И ни в одном взгляде Антуан не встречал сочувствия: собравшиеся здесь явно объединялись не по цвету кожи, и не по роду занятий, а по дурным привычкам и криминальным наклонностям.

Хорошо, что один друг у него все же был. Причем верный, надежный и безотказный. Антуан быстро сунул руку в карман и тут же вынул ее обратно, но уже с зажатым в кулаке «Корсиканцем» — прекрасным ускорителем любой драки. Четко щелкнула пружина, выбрасывая узкий стилетный клинок, не предназначенный для того, чтобы резать колбасу или намазывать масло на бутерброд. В твердой руке бывшего легионера было зажато опасное оружие, призванное наносить колющие, плохо заживающие раны. Ухмылки на лицах зрителей исчезли, хотя у главных фигур развивающегося действа не хватило ума, чтобы немедленно изменить свои планы. Может, они просто не успели въехать в ситуацию. Длинноволосый расставил руки, будто играл в прятки и хотел поймать Антуана, бармен замахнулся битой, смуглый продолжал угрожающе крутить бутылку.

В Легионе, как и в любом серьезном воинском подразделении, учат правильно выбирать порядок уничтожения целей. Первой поражается самая опасная, а при равной опасности — та, что находится ближе. Антуан действовал, как учили, причем максимально быстро. Он бросился на бармена, который явно не ожидал, что станет первым и пропустил момент, когда надо было нанести гасящий бейсбольный удар — противник мгновенно приблизился вплотную и оказался в «мертвом пространстве», гигант хотел оттолкнуть его, но не успел: клинок «Корсиканца» вошел между ребер. Бита с грохотом упала на щелястый дощатый пол, Нгвама схватился за рану и вмиг утратил боевой пыл, благодаря чему вышел из числа целей, подлежащих поражению. Бармен, согнувшись, и зажимая бок, медленно направился к родной стойке, а Антуан уже оказался возле длинноволосого. Выпад в пивное брюшко — и тот, повизгивая, повалился на пол, путь к двери был свободен.

Но уходить можно только тогда, когда за твоей спиной не осталось угрозы. Несколько пританцовывающих, меняющих направление шагов — и вот Антуан уже возле смуглого. Но тот, не желая разделить печальную участь сотоварищей, бросил бутылку на пол и пустился наутек к задней двери. Антуан за ним не погнался. Вместо этого внимательно оглядел посетителей «Колодца» — все отводили глаза и делали вид, что ничего не произошло. Нет, преследовать его никто не будет.

Оба подрезанных противника оказались хлипкими. Вид крови, заливающей одежду, вогнал их в панику. Волосатый требовал вызвать «скорую» и принести бинтов. Нгвама, сидя на полу, то рылся в аптечке, где бинт почему-то не находился, то жал на кнопки телефона, то кричал что-то на фульбе.

— Да здравствует Легион! — рявкнул Антуан. Почему этот лозунг именно сейчас пришел в голову, он не знал. С бóльшим основанием он мог крикнуть «Да здравствует племя буру!» — там он провел гораздо больше лет, чем в Легионе. Впрочем, легионеры говорят: «Как вышло, так и вышло!»

— Скажите спасибо, что я не стал вас убивать! — напоследок сказал он. — Попугал только...

Это отчасти было правдой. Потому что десятисантиметровый стилет не вонзался в тела противников до самого ограничителя: выдвинутая на середину клинка фаланга большого пальца вдвое уменьшала глубину раны, снижая вероятность смертельного исхода. Этому Антуан тоже научился у инструкторов Легиона. Хотя даже вдвое укороченный раневой канал все равно более способствует смерти, чем его отсутствие... Но, как вышло, так и вышло...

Антуан осмотрелся еще раз, вытер клинок о подошву, сложил нож.

— Жаль, — вздохнул он. — Жаль...

Потом спустился по лестнице, и быстро двинулся прочь от опасного места. Сзади, из открытых окон бара, раздались крики. Он шел, стараясь не смотреть в лица прохожих, спешащих туда, откуда он только что вышел. Наклонившись, будто завязать шнурок, незаметно сбросил «Корсиканца» в решетку водостока и оглянулся назад. Возле «Колодца» собралась возбужденная толпа, некоторые размахивали руками и показывали в его сторону.

Надо было убегать. Хотя это привлекает внимание. Лучше идти спокойно — ушел же он таким манером в Москве. Но тихий парк в Москве — не заселенный мигрантами район Парижа. За спиной разгорался оглушительный ор. Как будто не двоих отморозков слегка подрезали, а разбомбили целый квартал мирно спавших людей.

Антуан побежал.

Он ушел бы, наверное, если бы не эти полицейские на мотоциклах, вылетевшие неведомо откуда на верхнюю улицу, и с грохотом спустившиеся прямиком по лестнице. Оторваться от них было невозможно. Остановившись в ожидании, Рафаил прикинул, сумеет ли свалить одного, чтобы отобрать у него байк? Сумел бы в молодости, но сейчас нет... Старый стал? Да нет, лень, черт возьми, просто лень...

Затянутые в черную кожу и безликие, из-за шлемов, фигуры сбили с ног, навалились сверху, надели противно щелкнувшие наручники...

\* \* \*

В участке его опросили, сфотографировали анфас и профиль, раздев до трусов, описали особые приметы. Татуировка Легиона пошла на пользу: отношение полицейских изменилось в лучшую сторону. Ему сразу вернули одежду, перестали отпускать саркастические замечания, пересадили с деревянной лавки задержанных в кресло для обычных посетителей, освободили от наручников одну руку и предложили сигарету.

В голосе дежурного инспектора даже появились нотки сочувствия.

— Ну, что мсье Вильре, может, у вас все-таки найдутся свидетели защиты?

Антуан отрицательно покачал головой.

— А как же ваш приятель Дюфур, с которым вы разговаривали до инцидента?

— Не думаю, что он добавит что-нибудь в мою пользу. Скорее наоборот.

— Но почему? Вы же его искали в этом притоне?!

— Старая ссора между сослуживцами Иностранного легиона, — он пожал плечами, — увязнете в бумагах, а результат нулевой.

— Да уж, знаем мы ваших...

— Не сомневаюсь, — усмехнулся Антуан.

— Может, кофе желаешь? Здесь он еще неплох. А в тюрьме — полное дерьмо. Тебе придется пить его лет пять. Может, семь.

— Да, давайте, — согласился Антуан. — Мне без сахара.

Инспектор поднялся, набрал в кофемашине два картонных стаканчика, подал один задержанному, он пригубил горячий, черный, как кожа Нгвамы, напиток. И ощутил под ложечкой сосущую пустоту. Так бывало не раз — какая-нибудь мелочь, внешний толчок, неожиданно наталкивали Антуана на важную, нередко спасительную мысль. Вот и сейчас... Кофе горчил, но был, в общем-то, сносным. Однако, тут в самую душу проникло отчетливое понимание, что это лучший кофе на долгие годы вперед, что после беседы в полицейском участке его никуда не отпустят — впереди тюрьма! И все его существо принялось сопротивляться такому финалу. Нужно попытаться изменить дальнейшую траекторию своего движения из этой промежуточной точки, где он прикован одной рукой к трубе отопления. Но как это сделать? Он отпил еще кофе. И спасительная мысль пришла. Вот только была ли она действительно спасительной? Неизвестно. Но других все равно не было.

— Допивай, Вильре! — по-свойски сказал инспектор. — Сейчас отправим тебя в камеру предварительного задержания, отдохнешь, а завтра тобой займется дознаватель...

— Знаете что, офицер, я бы хотел встретиться с представителем французской разведки. У меня есть информация государственной важности! — как можно уверенней сказал Антуан, отставляя пустой стаканчик. — Я много лет провел в Африке, и мне есть что сказать моим бывшим боссам...

В помещении повисла тишина — такие заявления звучали здесь нечасто. И вполне может быть, что этот легионер говорит правду. Протоколист переглянулся со стоящим у двери конвоиром. Инспектор поставил стаканчик с кофе на специальную подставку в виде смешной бульдожьей морды.

— Уверен? — только и спросил он.

— Да. Думаю, им будет интересно. А мне этот интерес может пойти на пользу. Да и вам тоже. — Он подмигнул инспектору.

Тот немного подумал.

— Этот притон в «Колодце» давно сидит у меня в печенках, — наконец сказал он. — А проклятая толерантность связывает по рукам и ногам. Я очень рад, что ты показал этим наглецам — у толерантности есть пределы!

— Приглашайте, буду повторять такие уроки, — еще раз усмехнулся Антуан.

— Ты мне нравишься, думаю, что ты не привык зря болтать языком. Сейчас я позвоню. Лучше пусть наши шпионы зря растрясут свои жиры, чем меня обвинят в укрывательстве важной для государства информации!

Инспектор вышел, а Антуан прислонился к стене и задремал. Но ненадолго.

Меньше чем через час в кабинет вошел коренастый, лысоватый мужчина лет пятидесяти. Костюм не глаженный, да и сидит мешковато, узел галстука, судя по засаленным складкам, завязан раз и навсегда, стоптанная обувь — он явно не был озабочен своим внешним видом и тем впечатлением, которое производит на окружающих. Но взгляд был остер и холоден, как скальпель.

— Вы просили о встрече? — Он будто распорол телесную оболочку Антуана Вильре, и заглянул в самое нутро.

— Да, — коротко ответил тот.

— Господа, прошу предоставить нам отдельную комнату для беседы, — обратился незнакомец к полицейским. Думаю, не нужно уточнять, что там не должно быть прослушивающей аппаратуры и средств видеосъемки.

Им отвели комнату для общих собраний, кондиционер в ней скрипел и пощелкивал почти с такой же остервенелостью, с какой скрипели и пощелкивали ночные борсханские джунгли. Прикованный уже за другую руку Рафаил даже ощутил что-то вроде укуса ностальгии — там никто не посмел бы так с ним обращаться — наоборот, он мог приказать изжарить этого надменного индюка на костре. В самом первобытно-прямом, а не цивилизованно-переносном смысле.

— Меня зовут Фуке, майор Пьер Фуке, военная разведка. Вы должны о нас знать...

— DRM, — Антуан поежился. — Приходилось слышать.

На его глазах коллега майора такими же стоптанными туфлями раздавил мошонку рядовому Шварцу, продавшему взрывчатку сторонникам свергнутого режима.

— Итак, Антуан Вильре. Совершил уголовное преступление, укрылся в Иностранном легионе, дезертировал, работал на Бюро Безопасности Борсханы, пропал в джунглях двадцать лет назад. Срок давности за старое ножевое ранение истек, иски за дезертирство Легион никогда не подает и, если считает нужным, решает эти вопросы самостоятельно. А вернувшийся ниоткуда Вильре снова порезал двоих и теперь ему не отвертеться от тюрьмы, — Фуке взял со стола пульт и выключил чрезмерно шумный кондиционер. Потом немного подумал и опять включил. Наверное, чтобы затруднить запись, если она все же ведется.

— Ну, давай, рассказывай, что ты хочешь предложить нам, — сказал он и прошелся вдоль стола — два шага туда, два обратно. — Не надо начинать с сотворения мира. Только ту информацию, которая представляет государственный интерес.

Для майора Фуке сидящий перед ним потрепанный жизнью человек казался букашкой в поле зрения микроскопа. Он был так же понятен и скучен, как доклад новичка-капрала о несанкционированной стрельбе по гражданским: «Я хотел, как лучше, но что-то пошло не так...» Этот парень, скорей всего, надумал выскочить из лап полиции, придумав какую-нибудь несусветную чушь. Поэтому надо выслушать его для проформы, и коротко отписаться о результатах вызова в участок.

Для букашки Антуана Вильре, майор Фуке был заглядывающим в микроскоп энтомологом, хорошо изучившим его снаружи и могущим в любой момент произвести вивисекцию, чтобы рассмотреть изнутри. Он вздохнул, и принялся рассказывать, избегая смотреть на обувь разведчика.

— Я выполнял задание БББ: сопровождал русского геолога в поисках алмазного месторождения. Кодовое название операции «Поиск Архангелов». На нас напали эти чертовы дикари, они схватили меня и все эти годы я провел в племени буру...

— Короче! Мемуары будешь писать в тюрьме!

Рафаил нервно повел шеей.

— В общем, на территории племени у меня спрятаны алмазы... Полкило, может, больше. Я готов разделить их, — он выдержал паузу, решая, стоит ли предлагать мзду лично Фуке, но решил, что не стоит. — Готов разделись их с государством. Оно и так немало потеряло на независимости Борсханы...

— Это патриотично, — Фуке подошел вплотную к стеклянной стене кабинета, с обратной стороны которой висели жалюзи. — Но мелко...

— Вовсе нет, — возразил Рафаил. — Алмазы крупные, прекрасного качества. А операция будет несложной. Я покажу точное место.

— Мелко для DRM, — уточнил Фуке, и зевнул. — У нас другой масштаб. Мы занимаемся государственными делами. Вот если бы вы нашли алмазное месторождение...

— Так мы нашли его! — радостно вскинулся Рафаил. — Нашли в последний момент. Уже никакого снабжения не было, никакого прикрытия, дикари нападали каждый день... Мы еле успели составить карту и попытались уйти через Анголу. На самой границе меня ранили, и захватили в плен...

— Это меняет дело! — Фуке вернулся к столу, впился в допрашиваемого пронизывающим взглядом. — Где карта?

— Все материалы остались у русского. У него был позывной «Самуил».

— И что стало с ним?

— Да что... Ушел в Анголу, как и собирались.

— А дальше? — Фуке облокотился на столешницу двумя руками, нависая над задержанным. Весь его вид выдавал крайнюю заинтересованность. — Вам известно, что было дальше?

Рафаил помолчал, размышляя, потом тяжело вздохнул, как будто решался броситься на огневую точку.

— Его убили. БББ направляло людей за картой. Но они ничего не нашли!

— Ты ездил к напарнику, — проницательно сказал майор. — И ты его убил.

— Нет. То есть да... Я остался в Москве. А несколько бандитов отправились в Тиходонск, Самуил схватился за ружье и его застрелили. Ниточка оборвалась...

Фуке криво улыбнулся.

— Что ты знаешь про ниточки жизни! Распутывать их — моя профессия. У Самуила остались родственники?

— Да, маленькая дочь. Хотя... Это она тогда была маленькой, сейчас ей под тридцать!

Фуке выпрямился, побарабанил пальцами по столу, собрал руки на груди.

— Слушай меня внимательно, Вильре, — ровным голосом сказал он. — Посылать экспедицию в другое государство за горсткой алмазов — это чушь собачья. Ни зарытые камни, ни ты сам, не представляете никакого интереса ни для DRM, ни для Франции...

Рафаил опустил голову. Его надежды таяли, как дым ритуального костра в стойбище буру. Пять лет! А может, и больше...

— Но алмазное месторождение — совсем другое дело! Это уже государственный масштаб!

Рафаил снова взбодрился и с надеждой посмотрел на страшного в своей обыденности человека. Сейчас он был хозяином его судьбы.

— А ниточки мы распутаем! Ты поедешь со мной и расскажешь все, что знаешь. Если ты нам поможешь — я тебя отпущу. Тебе нравится такой вариант?

Рафаил закивал головой так, что она чуть не оторвалась.

— Да, да, конечно!

Майор подошел к двери и выглянул в коридор.

— Инспектор! — требовательно приказал он. — Подготовьте все материалы по Вильре. Я его забираю!

* * *

*«Начальнику африканского направления DRM*
*полковнику Жоржу Кассе*

*Господин полковник!*

*Настоящим довожу до Вашего сведения, что при допросе Антуана Вильре, задержанного полицией Двадцатого округа — о коем допросе он попросил лично — мне стало известно следующее. В 1990–1992 годах в северных районах Борсханы был проведен геологический поиск, выявивший богатое месторождение алмазов. В экспедиции принимали участие российский геолог Дмитрий Быстров и вышеозначенный агент Бюро Безопасности Борсханы Антуан Вильре, в прошлом капрал Иностранного легиона. Карты, пробы, и другие документы, по словам Вильре, увез с собой Быстров, который вернулся по месту жительства в Россию, в город Тиходонск. Выполняя задание БББ, Антуан Вильре выезжал в Россию, где пытался завладеть вышеупомянутой документацией, но попытка успехом не увенчалась, а сам Быстров случайно был убит. Единственной оставшейся в живых связью Быстрова, является его дочь Кира, которая может являться носителем устной информации о борсханском месторождении, а возможно, и обладателем искомых документов. Кроме того, наследница Быстрова может быть использована нами в юридических претензиях на алмазное месторождение по праву первооткрывателя. К сожалению, наш гражданин Антуан Вильре, как обеспечивающий персонал, не имеющий специальности геолога, таким правом не пользуется.*

*Предлагаю, используя возможности резидентуры нашего консульства в Тиходонске, начать оперативную разработку Киры Быстровой с целью расположения ее к Французской Республике, приобретения карты вышеозначенного месторождения, а также привлечения Быстровой к нашей будущей работе по приобретению части прав на него. Продолжая терминологический ряд, использованный БББ предлагаю присвоить операции наименование «Копи архангелов».*

*PS. Прошу простить пристрастие к библейской тематике: судя по всему, католическая школа — это неизлечимо.*

*Начальник 2 отделения 4 отдела DRM*
*майор Фуке».*

# Глава 4
## Сказки длинными не бывают

### *Ницца, наши дни*

*Никакого везения нет.*
*Есть умение правильно планировать*
*достижение поставленной цели.*
*И не всегда проявляет его сам «везунчик».*

Желто-красное пламя вспыхивало и опадало в такт напряженному ритму барабанов, слегка рассеивая непроглядный мрак африканской ночи. В мутных сумерках извивались в ритуальном танце голые, расписанные белыми красками, аборигены. Их ноздри раздувались от острых возбуждающих запахов кипящего на одном из костров в закопченном котле варева, намазанные пальмовым маслом тела лоснились, оскаленные зубы и вытаращенные глаза блестели. За всем происходящим наблюдал с высоты громадный деревянный идол с головой то ли крокодила, то ли быка, огромные алмазы в его глазницах пылали огнем, хотя, возможно, это в них отражалось пламя костров.

Обнаженная Кира была привязана к столбу и так же блестела от масла, как аборигены, неумолимо сужающие вокруг нее круги. Она знала, что ей предстоит, и не могла отвести взгляда от четырех вкопанных в землю шестов с привязанными ремнями — именно между ними растянут в черной борсханской ночи ее обреченное на поругание белое тело. Но почему-то это ее не волновало, более страшным выглядел другой котел — с кипящей водой, в котором ее должны потом сварить, разрубив на куски, как молодую телочку...

Барабанная дробь учащалась, возбуждающее варево подействовало на африканцев, и это теперь было видно с первого взгляда. А иссохший, похожий на скелета шаман, и его подручные, поигрывали огромными ножами, в ожидании второй части сегодняшнего праздника. И Кира тоже была его центральной фигурой, что ее совершенно не устраивало. Хотя веревки, изготовленные из лиан, размочалились и ослабли — это внушало надежду...

Она продолжила расширять петлю, рванулась — раз, другой, третий... Веревки соскользнули, ей удалось освободить руки и оторваться от проклятого столба. Она бросилась на танцующих людоедов, оттолкнула низенького, с вывернутых губ которого стекала слюна и, прорвав кольцо, бросилась в расступающиеся перед ней джунгли. Это был полубег — полуполет: она отрывалась от земли, пролетала несколько метров, снова опускалась, отталкивалась от мягкой почвы и вновь взлетала, некоторое время парила, совершая огромный прыжок, приземлялась и опять отталкивалась и летела...

Если ее и преследовали, то безуспешно — беспорядочный топот и угрожающие крики остались далеко позади. Но все же опасность приближалась — ее выдавал треск падающих деревьев, будто громадный буйвол мчался следом, не разбирая дороги. Но она знала, что это не буйвол...

На всякий случай оглянулась — действительно, за ней гнался огромный деревянный идол с горящими огнем алмазными глазами! Его не могли задержать ни деревья, ни кустарники, ни переплетение лиан — он сносил все на своем пути, оставляя сзади широкую просеку. Тяжелый, сотрясающий землю топот приближался, длинные руки хватали воздух все ближе и ближе, ясно было, что убежать от него не удастся...

На счастье, впереди показалась сложенная из бревен изба, она заскочила в гостеприимно приоткрытую дверь, захлопнула ее за собой, задвинула крепкий засов и облегченно перевела дух. Но рано — в дверь заколотили, так что толстые доски прогибались, а засов был готов выскочить из направляющих скоб...

Кира проснулась в холодном поту, сердце отчаянно билось. А в дверь номера действительно колотили, — хотя и не так громко, как во сне. Кто это мог быть?! Может, Жак, который плавал в море по утрам, забыл свой ключ? Нет, он знает, что она спит, и не стал бы поднимать такой шум. Если, конечно, не случилось что-то экстраординарное... Скорее, это полиция... Или люди майора Фуке. Или африканцы! Они должны быть недовольны ее поведением: не отвечает на телефонные звонки, уклоняется от встреч, завидев кого-то из них, тут же берет Жака под руку и ведет в людное место...

Набросив халат, она подошла к двери и выглянула в глазок. За дверью стоял тот, кого она не ожидала увидеть, и о котором даже не подумала. Может, сон еще продолжается? Как загипнотизированная, она повернула ручку.

На пороге стоял Андрей. Суточная небритость. На плече дорожная сумка с багажным ярлыком, между ручек, уложена ветровка.

— Ой, — она была растерянна и не пыталась этого скрыть. — Это ты!

— Привет, дорогая. Конечно я, кто же еще?

«Деревянный идол с алмазными глазами, — вот кто!» — подумала она.

Он наклонился, поцеловал ее в губы, и Кира ответила — сдержанно, без эмоций, механически.

Андрей не мог этого не заметить, однако виду не подал.

— Наконец-то удалось вырваться. — Он шагнул вперед, она механически посторонилась, пропуская, словно еще находилась во сне, где действия далеко не всегда отличаются логичностью.

Происходило что-то странное. Она совсем забыла про Андрея. Даже не проверяла телефон, который часто отключала, закруженная захватывающим водоворотом событий. И что теперь делать? Приехал старый любовник, а с минуты на минуту вернется новый... Да какие «старый»-«новый»? И Андрея, и Жака она знает одинаково недолго — всего по несколько дней... И как ей сейчас себя вести?

Разувшись в прихожей, там же оставив вещи, Андрей прошел в комнату, плюхнулся в кресло, вытянул ноги.

— Такое впечатление, что меня нарочно выдернули в Москву! — в голосе возбуждение и усталость. Подбородок кажется массивней обычного, уголки рта опущены. — Уже все было обговорено и договор подписан, как вдруг наши французские партнеры выдвигают какие-то дополнительные условия, требуют дополнительных гарантий! Странная история! Иди, садись ко мне...

Он похлопал по ручке кресла и она собралась было присесть, как раньше, но в последний момент хватило ума передумать. Села в кресло напротив.

— Сейчас надо в который раз беседовать с матерью насчет денег... Ты, кстати, с ней не встречалась?

Кира молча покачала головой.

— Ты не звонила. Не отвечала на мои звонки, — проведя рукой по лицу, так, словно вытирал брызги обиды, Андрей попытался улыбнуться, но улыбка вышла вялая и неестественная.

Так и не придумав, что ответить, Кира только поправила задравшуюся полу халата, вздохнула еле слышно.

— Или ты влюбилась в олигарха с дирижаблем? Дирижабль — это очень круто. Ни у кого из московских богачей его нет... Яхты есть, самолеты и вертолеты есть, а вот дирижабля...

— В дирижабль и влюбилась, — пошутила Кира, и тут же подумала, что вышло не очень удачно.

Они помолчали.

Он погладил подлокотник кресла, на который она не села, как обычно, посмотрел в окно.

— Тут у вас, как водится, прекрасная погода.

Казалось, он ищет и не находит верной интонации. Ощущение неловкости усиливалось.

— Собственно, что мы сидим, — одним движением, обогнув журнальный столик, он перемахнул к Кире и, наклонившись, уткнулся губами в шею. Горячие руки раздвинули полы халата, поползли по бедрам...

— О, да ты без трусиков!

Рефлекторно включился девичий рефлекс — Кира сдвинула, схлопнула ноги, поймала его запястья, остановила, вытолкнула из запретной зоны.

— Нет, Андрей, — забормотала она, пытаясь подняться. — Нет... Слушай, я... Не надо, пожалуйста...

— А это что?! — Он распрямился, глядя на кроссовки Жака, стоящие под стулом.

— А ты что, сам не видишь? — неожиданно разозлилась она.

— Вижу... Честно говоря, не ожидал от тебя такой прыти! На несколько дней нельзя оставить... Ладно, дело житейское: я уехал, но теперь вернулся. Иди сюда!

Он наклонился, сгреб ее в охапку, бросил на постель, навалился всем телом, распахнул халат... Кира уперлась руками ему в грудь, напряглась.

— Я же сказала — нет!

— Это похоже на изнасилование! — раздался сзади мужской голос. — Во Французской Республике — серьезное преступление!

Андрей вскочил на ноги, они с Жаком оказались лицом к лицу.

— Мне кажется, Кира, или вы действительно не желаете видеть здесь этого мсье? — спросил Жак по-русски.

Спешно поправляя халат, Кира мотала головой сразу во всех направлениях, не зная, как выбраться из этой гадкой, дурацкой ситуации. Двое мужчин, с которыми она успела переспать, сошлись в ее гостиничном номере и все, что приходит на ум, — немедленно провалиться сквозь землю и тихо раствориться в пустоте...

Но у соперников, как обычно, нашелся другой, более традиционный и прагматичный план.

— Уходи, товарищ! — Жак с издевкой произнес последнее слово, подчеркивая, что на самом деле никакие они не товарищи. — Здесь тебе не рады...

— Сам уходи! — огрызнулся Андрей. — Место занято! Убирайся на свой дирижабль!

— Считаю до трех...

— Я тебе счас до десяти сосчитаю! — Пригнув голову, Андрей сделал два шага вперед и мощным, зачерпывающим движением справа налево, выкинул правую руку. Кира невольно зажмурилась, представив, как кулак Андрея врезается в лицо Жака, и тот беспомощно падает навзничь. Но этого не случилось — не раздалось смачного звука удара, тяжелое тело не рухнуло на пол — только послышалась какая-то короткая возня и приглушенный вскрик...

Она открыла глаза.

Жак стоял за спиной Андрея, заломив его правую руку до самых лопаток, а локтевым сгибом сжимал ему горло. Тот дергался, пыхтел, но вырваться, или хотя бы ослабить хватку, был не в состоянии.

— Но-но, — негромко произнес Жак. Голос был спокоен, он даже не запыхался.

— Спокойно, могу руку сломать...

И усилил нажим — Андрей застонал.

— Ладно, все! Отпускай! — прохрипел он.

— Сейчас, только провожу. — Жак подвел незадачливого соперника к приоткрытой двери, распахнул ее коленом и вытолкнул Андрея в коридор. Еще мгновение — и его вещи улетели следом. Дверь захлопнулась.

Жак закрыл дверь, подошел к Кире.

— Есть такой фильм: «Победитель получает все!» Мне нравится такое название. А тебе?

Кира стояла обомлевшая, в бесполезном жесте самозащиты вцепившись крест-накрест в полы халата под горлом. Но это ей не помогло, тем более она не возражала, чтобы Жак воспользовался своим правом победителя...

Потом они, расслабленные, лежали в постели. Неловкость прошла и Кира успокоилась. В конце концов, у Наташки было множество подобных ситуаций — и ничего, не умерла!

— Как ты, — проговорила она. — Как ты ловко с ним. Раз — и все...

— Это меня дедушка научил. Он был морпех в отставке. Я, когда учился в школе, ездил к нему на каникулы.

— Да уж, — она сокрушенно покачала головой. — Нехорошо все вышло. Я, наверное сама виновата...

— Слушай, — перебил ее Жак. — Пока ты не успела погрузиться в самокопание, а вы, русские, в этом большие специалисты... Поехали в Монако. Устрою тебе экскурсию. Хочешь, в казино заглянем.

— В Монако?! Конечно, хочу!

\* \* \*

Машина, на которой Жак приехал за Кирой, вполне соответствовала моменту: двухместный красный «Порше» с красным салоном и откидным верхом.

— Напрокат взял! — пояснил он на ее удивленный взгляд, распахивая дверцу. — Просим пассажиров занять места и предъявить улыбки. Без вашего хорошего настроения путешествие не состоится.

Уговаривать Киру не пришлось. Она уже вся сияла. Жизнь вновь повернулась к ней своей самой приятной — праздничной стороной. И доктор Вольфсберг, и Андрей были благополучно отодвинуты на задний план, и отосланы «до востребования» на адрес той будущей Киры, которая по каким-то неведомым пока что причинам сорвется с гребня этой упругой волны веселья и развлечений и опустится на пыльную твердь обыденности, пребывание на которой, видимо, невозможно без размышлений разной степени тяжести и разгадывания ребусов разного уровня сложности. А пока что — Монако!

Примерно через полчаса, болтая о том о сем, они выбрались из города. Жак придавил педаль газа и машина, с легкостью набрав скорость, понеслась по красивому горному серпантину, петляющему над морем. Кира не скрывала своего восторженного состояния.

— Как будто кино смотрю! — Она откинула голову на подголовник и наслаждалась симфонией красочных картин, разворачивающихся перед ней: маленькими живописными городками внизу, лазурным морем, уютными бухточками с белыми корабликами, парящими в голубом, безоблачном небе орлами, длинными, хорошо освещенными тоннелями, пробитыми в высоченных скалах...

Как истинный французский кавалер, Жак развлекал ее рассказами.

— В Монако нужно быть начеку. Там особая атмосфера. Привычное, хорошо знакомое, становится не похожим на себя, кажется подделкой. Зато подделку легко принять за оригинал. В 1931 году в Монте-Карло проходил конкурс двойников Чарли Чаплина. Сам Чаплин, тайно участвовал в этом конкурсе и занял третье место.

Кира слушала его фоном, как слушала бы негромкую музыку по радио. Несколько раз Жак прерывался, поправлял салонное зеркало, всматривался во что-то позади стремительно мчащегося «Порше».

— Кстати, многие ошибочно полагают, что Монте-Карло — это столица Монако, — проговорил он сосредоточенней, чем несколько минут назад.

— А это всего лишь район княжества, в котором расположены казино, — перебила Кира.

— О! Мне попалась весьма продвинутая спутница. Браво!

Кира не стала сообщать, что специально изучала путеводитель по Лазурному Берегу — зачем снижать градус впечатлений кавалера?

Выехав из очередного тоннеля, Жак сбросил скорость и позвонил по телефону. Он произнес несколько фраз на французском, но каком-то непонятном: что-то про черноту, хвосты, зонтик... Впрочем, Кира не вникала в его слова: машина пересекла границу княжества Монако.

В легкой дымке открылись склоны гор, облепленные пестрыми строениями. Спускаясь к морю, город плавным крещендо набирал силу и звучание, и теплый воздух дрожал от этого великолепия. Серая глыба Океанографического музея, конусообразные шпили цирка шапито, купола самого знаменитого казино в мире, тюрьма, в которой отбывают наказание то ли два, то ли четыре человека... И марина... По сравнению со стоящими здесь судами — трех- и четырехпалубными, с вертолетными площадками и притороченными к бортам глиссерами, обычные яхты казались скромными шлюпками.

Жак оказался знатоком Монако и прекрасным рассказчиком, а осмотр достопримечательностей на «Порше» — менее приятен, чем стремительный бег по серпантину. Оставив машину недалеко от здания оперы, они отправились по городу пешком.

— То ли у князей Монако вкус — это главный родовой признак, то ли княжеству везло с работавшими здесь архитекторами, — рассказывал Жак. — То ли здешние ландшафты так устроены, что любое здание хочется построить так, чтобы оно впитало как можно больше света, чтобы камень источал ощущение воздушности... Главные архитектурные достопримечательности — это всегда большие окна, изящные барельефы, просторные арки и пролеты. Здесь нет преступности, зато есть сотни видеокамер, которые просматривают весь город...

На Киру произвела отрицательное впечатление плотность застройки, отсутствие газонов и площадей, рационализм, не оставляющий свободным ни одного квадратного метра. В этом городе было невозможно уединиться. Пожалуй, она не хотела бы здесь жить. Правда, никто и не приглашал. Но как заезжий турист она любовалась зданием оперы, под зеленым куполом которой в стрельчатых окнах отражалась лазурь неба, и думала о том, что эта прогулка — самая замечательная экскурсия в ее жизни. С Жаком было интересно. Мало того, с ним было уютно, а этим Кира, мягко говоря, не была избалована.

Ближе к вечеру они очутились на площади казино. В огромном округлом зеркале, установленном на постаменте посреди площади, отражалось казино Карла Третьего на фоне розоватого закатного неба.

«Самое главное казино, — у Киры даже голова закружилась. — Если не мира, то Европы — точно...»

— Сыграем? — улыбнулся Жак.

— Конечно!

Миновав величественного портье в старомодной форме — черные брюки и черный френч с красным отложным воротом и красными клапанами карманов — в фуражке с красной тульей, Кира и Жак вошли в храм азарта. В большом зале, за золотистыми столиками с резными ножками, непохожие, но одинаково элегантные гости заведения вальяжно потягивали разноцветные напитки.

— Я волнуюсь, — призналась Кира, сжимая локоть своего спутника и разглядывая скульптуру Фортуны. — Словно оказалась по ту сторону экрана. Я же никогда в таких местах не бывала. Только в кино видела. И потом, в этом есть что-то такое... запретное и притягательное.

— А, все понятно! Приличная русская девушка в европейском вертепе. Гейропа, да?

— Вот именно. Причем приличной русской девушке не терпится поскорее погрузиться в водоворот азарта!

— Запомни, казино не проигрывает, — сказал Жак.

— Знаю. Я проиграю двести евро и брошу. Если выиграю две тысячи — тоже брошу!

— Приятно, что ты точно знаешь, чего хочешь!

Кира удивилась — это был комплимент! Она никогда не знала, чего хочет. И ее постоянно за это упрекали. Неужели она изменилась?

В кассе она поменяла двести евро на четыре фишки.

— Карты, или рулетка? — спросил Жак.

— Рулетка.

Зелень сукна, сосредоточенные, охваченные лихорадкой азарта лица игроков. Она подошла к столу. Жак встал за спиной. И вот звучит хорошо знакомая по фильмам фраза:

— Делайте ваши ставки, господа!

И тут же, под действием спущенной голосом крупье пружины где-то глубоко в ее мозгу, Кира сняла со своей коротенькой стопки верхнюю фишку и положила ее наугад, на удачу.

— Ставки сделаны. Ставок больше нет.

Завертелся барабан, шарик подскочил и с характерным пощелкиванием покатился по его конусовидной внутренности. Сердце повторяло каждый щелчок. Шарик залетал в ячейку, выскакивал из нее и залетал в другую. Наконец, он нашел подходящее место и успокоился.

— Двадцать, красное!

Только теперь Кира взглянула на свою фишку. Она перекрывала «двадцатку» на красном поле. Лопаточка крупье уже подвигала к Кире шесть фишек.

— Я правильно поняла? — спросила она на всякий случай.

— Да. Ты выиграла триста евро, — кивнул Жак.

Так просто и легко? Кире казалось, что стук ее сердца слышат все, собравшиеся за рулеточным столом.

— Делайте ваши ставки, господа!

Снова, не глядя, Кира поставила — на этот раз весь выигрыш, на то же поле.

— Ставки сделаны. Ставок больше нет.

Неожиданно вспомнился отец, его африканские рассказы. Кровожадные туземцы, реки и леса, кишащие хищными тварями, невидимые, но не менее опасные бактерии. А за всем этим — не отпускающие от себя, заманивающие все глубже в джунгли алмазы. Азарт! Наверняка в той экспедиции отец испытывал именно это пьянящее, порабощающее чувство. Именно оно вело его по борсханскому первобытью. Игра с Фортуной на зеленом сукне джунглей закончилась для отца полным проигрышем. Интересно, как сложится ее игра. Если все ее удачи подарок судьбы, то она будет выигрывать вопреки теории вероятностей. Если же нет...

Шарик прощелкал по ячейкам, нашел свою и замер.

— Двадцать, красное!

— Так-так! А тебе везет!

Горка фишек перед Кирой заметно подросла.

Попрощавшись с игроками, крупье вышел из-за стола. Напарник занял его место.

«Врешь, не отвертишься, — проговорила про себя Кира. — Можете меняться, это ничего не изменит».

Так и было.

— Четыре, черное!

Заступивший на смену крупье принес ей третий выигрыш, горка фишек прилично увеличилась. Кира ловила взгляды окружающих — в них мелькало и любопытство к новичку, и плохо скрываемая зависть, во многих она считывала ирреальное, но от того лишь еще более глубокое желание каким-нибудь чудесным образом отнять у нее удачу, очутиться на ее месте. На миг ей вдруг почудилось, что перед ней стоят загримированные африканские туземцы — те самые, которые верят, что можно завладеть чьей-то удачей, чьим-то умом и умениями, сожрав его под ритуальный бой барабана...

Пять выигрышей подряд. Кира дышала ровно, но внутренний тремор нарастал.

Она заметила, как пожилая дама в бриллиантовом колье протянула крупье стопку фишек и кивнула в ее сторону — судя по всему, сделала ставку на везучего игрока.

Заметив это, Кира напряглась.

— Делайте ваши ставки, господа!

Она поставила на одиннадцать, черное. Выпало зеро.

Первый проигрыш.

— Не все коту масленица, — пробурчала Кира и поставила на тридцать четыре, красное.

Шарик улегся в выемку с единичкой.

Дама в колье, сверкнув идеально белыми вставными зубами, адресовала Кире реплику на итальянском. В голосе слышалось дружелюбие, старушенция, похоже, старалась ее приободрить. Но Кира лишь напряглась.

Еще один проигрыш. Еще... Все, удача отвернулась!

Она решительно мотнула головой и отошла от стола, предоставив Жаку собрать оставшиеся фишки. За ее спиной послышался вздох сожаления. Зрители рассчитывали на затяжное состязание с судьбой, но лидер в гонке за удачей сошел с дистанции после короткой, хоть и блистательной разминки. Для Киры же та легкость, с какой она простилась с ареной азарта, принесла едва ли не меньшее удовольствие, чем серия выигрышей.

— Пойдем за другой стол? — догнав ее, предложил Жак.

— Да. За гастрономический, в ресторан. Я проголодалась.

На лице Жака проступило искреннее удивление.

— Это все? Ты выиграла три тысячи евро за несколько минут... А осталось только девятьсот...

— Ничего удивительного, — она пожала плечами. — Я просто хотела кое в чем убедиться.

— В чем же?

— Ты же сказал: «Казино не проигрывает...»

— И что?

Кира промолчала. Судьба не открывает постоянный кредит. Но зачем говорить об этом Жаку?

* * *

На обратном пути она откинулась на сиденье и позволила прохладному ветру играть волосами. Эмоции переполняли душу через край. Ужин прошел замечательно. Вечерняя трасса была почти пустынной. Жак держал скорость, достаточную для того, чтобы пассажирка могла насладиться мощью и стремительностью авто, но при этом избегал явного риска. Притормаживал на поворотах, уступал отчаянным лихачам, на форсаже проносящимся мимо. Мысли Киры были заняты исключительно спутником. Даже в его манере вождения она находила особенное очарование. Влюбилась? Да. В человека, внезапно очень удачно заменившего Андрея, похожего на него, знающего гораздо больше, чем должен, носящего с собой пистолет, владеющего рукопашным боем... Ну, и пусть! Все прекрасно. Оставалось лишь позволить себе принять у жизни то, что в своей внезапной щедрости она решила подарить. Пусть подарки избыточны, пусть даже достаются ей по ошибке — в конце концов, пока никто не предъявляет счетов!

— Пожалуйста, сядь ровнее, — сказал Жак, заметно снижая скорость.

— Полицейские? — спросила Кира первое, что пришло ей в голову.

— Не совсем.

Наглухо затонированный микроавтобус, какое-то время ехавший перед ними, ускорился, принял вправо — и вдруг встал, развернувшись поперек полосы. Время, как и полагается в подобных ситуациях, растянулось и потекло медленней обычного. Жак с плавностью и спокойствием гонщика, умеющего даже самые нервные маневры выполнять четко, как в тысячный раз на тренажере, прижал «Порше» к правой обочине. Машина прошла юзом и остановилась в облаке поднятой резким торможением пыли.

— Что это?

Кира рефлекторно вцепилась в ручку двери. Она знала — ничего хорошего этот внезапно остановившийся микроавтобус не предвещает.

— Жак, что это?!

— Все нормально, не волнуйся! — Он сунул руку под сиденье.

Из распахнувшейся дверцы микроавтобуса выскочили пятеро мужчин в одинаковых темных костюмах, с пугающей стремительностью они бросились к «Порше». Сквозь клоки оседающей пыли Кира разглядела рослых крепко сложенных африканцев. Она ждала, что Жак развернет машину через разделительную — у них быстрая машина, они уйдут от нападающих. Но Жак сидел неподвижно и явно чего-то ждал. В опущенной руке он держал пистолет — тот самый, который Кира видела у него в сумочке.

Сзади послышался визг тормозов, рядом с «Порше» остановился другой микроавтобус с такой же глухой тонировкой, оттуда высыпала группа таких же крепких, только белых мужчин, которые с ходу врезались в нападающих. Кира с радостью отметила, что их было раза в полтора больше. Черные и белые фигуры перемешались, но происходящее мало напоминало шахматы — скорее регби или американский футбол с элементами рукопашного боя — удары, толчки, отскоки, приемы на корпус... Почерк команд был разный и только знающий человек мог определить, что сошлись сават и лаамб[1], но цель у этих единоборств, в принципе, одна — вывести противников из строя, причем любой ценой.

Схватка была жестокой. Африканцы, хоть и оказались в меньшинстве, не были настроены на капитуляцию. Один из них издал пронзительный гортанный вопль, который тут же был подхвачен остальными. Удары сыпались градом с обеих сторон, одни улетали в пустоту, не находя цели, другие врезались в умело поставленный блок, третьи сворачивали скулы и с хрустом прогибали ребра. В первые секунды плохие парни потеснили хороших: ни один из черных не был повержен — более того, на земле оказались двое белых, со всей очевидностью отнесенных Кирой к разряду хороших парней. Рубка продолжалась, и все-таки численный перевес сыграл решающую роль. Один за другим трое нападавших оказались выведены из строя: первый уворачивался от ударов, поддерживая безжизненно повисшую руку, второй отступал, отчаянно

---

[1] Сават — французский рукопашный бой, лаамб — африканский.

хромая и зажимая разбитую бровь, из которой обильно текла кровь, заливающая глаза, третьего, пребывавшего в глубоком нокауте, оттаскивал водитель. Двое африканцев пробились к «Порше», но Жак навел пистолет, и они отступили.

Раздалась резкая команда на непонятном для Киры языке — и чернокожие бойцы вернулись в свой транспорт. Затонированный микроавтобус, скрипя шинами, рванул с места и помчался прочь, быстро набирая скорость. Следом, с такой же пробуксовкой, ринулся транспорт с хорошими парнями, у которых, как заметил Кира, не обошлось без раненых: те двое, которые оказались сбитыми на землю в первые секунды схватки, так и не пришли до конца в себя — забраться в машину им помогали товарищи. На месте столкновения остались несколько пятен крови, пара выбитых зубов, оторванный рукав пиджака и черный, начищенный до блеска мужской полуботинок.

Когда гул форсированных двигателей стих, Кира повернулась к Жаку.

— Это были «Черные леопарды». Один раз они меня спасли, а сейчас хотели убить... Или похитить...

— Какие еще «Леопарды»? — изобразил удивление Жак. — Обычные бандиты. У нас много этнических банд...

— А пистолет тебе достался от дедушки-морпеха? — ядовито спросила Кира.

— Нет. Я купил его для самозащиты. У меня есть разрешение. Вот видишь — пригодился!

— Вижу, — кивнула Кира.

— Ты успокоилась? Я отвезу тебя в отель, и обещаю не превышать скорость.

Кира кивнула. Жак включил поворотник, и отъехал от обочины. Он был очень аккуратен.

— Эти уроды больше не появятся.

— Надеюсь, — проговорила Кира пересохшими губами.

«Порше» плавно покатил по трассе.

— Если нет возражений, я останусь с тобой, — сказал Жак, проводив ее до номера.

Нет, возражений у нее не было.

Утром Кира просмотрела свежие газеты, но не нашла упоминаний об инциденте на трассе Монако — Ницца. Посидела немного перед телевизором, листая каналы, задерживаясь на новостных программах — но и там ничего, ни слова.

Это было странно. А может — и нет...

\* \* \*

На залитой лунным светом поляне, окруженной необычайно стройными пальмами, появился отец — живой, молодой, красивый. Он шел неспешной, легкой походкой, повторяя какую-то веселую шутку. Кира понимала, что слышала от него эту прибаутку десятки раз, но разобрать слова во сне не могла. На плече отца покачивалась в такт шагам лопата. Обычная штыковая лопата с перекладиной на конце длинной ручки, девочкой Кира часто видела у него такую. Посреди поляны отец остановился и обернулся. Кира знала, что он обернулся к ней — она ясно разглядела насмешливые искорки в прищуренных глазах, морщины на загорелом лице. Отец подмигнул ей.

— Бояться не надо. Это дикие суеверия, — сказал он и принялся копать.

Земля была мягкая и податливая. Отец бодро раскидывал влажный чернозем по сторонам от быстро разраставшейся продолговатой ямы. Он ушел в нее почти по колено. И вдруг отпрянул, выскочил на возвышающийся неровный край, перехватив лопату наперевес, как винтовку со штыком.

Поверхность под его ногами шевелилась — то провалилась глубоко вниз, то вздыбилась крутым горбом. Горб округлился и вдруг лопнул, словно выбирающаяся из лисьей норы собака, тряхнув всем телом — от хвоста до кончика морды, сбросила с себя комья земли. Но это была не собака! Показавшееся из-под комьев существо выглядело на первый взгляд, как человек — две руки, две ноги. Но при более внимательном рассмотрении — это оказался скелет, с лохмотьями плоти на костях, а в том, как он двигался — на четвереньках, перебирая перекрестно руками и ногами, вообще не было ничего человеческого. В выражении туго обтянутого кожей окаменелого черепа угадывалась смертельная угроза: черные глазные впадины, провал вместо носа, зловещий оскал острых зубов...

— Зомби! — закричал отец. — Беги, Кира!

Он попятился, замахнулся лопатой, ударил — кусок костяной руки отлетел в сторону, но зомби вскочил во весь рост и бросился на него, вытянув кости рук, причем обе были невредимы... Отец рубил лопатой, с хрустом ломались кости и летели в стороны куски гнилой плоти, но тут же восстанавливались, и монстр продолжал неумолимое наступление...

— Беги, доча, беги!

Кира снова проснулась в холодном поту. Цветные сны стали совершенно реальными, к тому же превратились в кошмары. Хотя удивляться не приходится — вся жизнь, да и смерть отца, были сплошным кошмаром!

Об этом она и рассказала Фуке накануне отъезда. Встреча проходила в парке с раскидистыми дубами, за столиком кафе перед красивейшим прудом с белыми лебедями — словно цветной сон в продолжение сеансов Карла Вольфсберга.

— Как вы отдохнули? — спросил майор таким тоном, каким двоюродный бездетный дядюшка мог бы интересоваться впечатлениями любимой племянницы. — Надеюсь, инцидент на дороге не слишком испортил настроение?

«Откуда французская разведка знает о происшествии, оставшимся тайной даже для досужих газетчиков?» — подумала Кира, не особенно, впрочем, удивляясь — у нее имелся ответ на этот вопрос. Но внешне она никак не выразила своих мыслей.

— Замечательно, мсье Фуке. Хотя, конечно, он не стал украшением моего отпуска ...

— Удивлены моей осведомленностью? — улыбнулся майор, словно прочел ее мысли. — Я же обещал, что вы будете в безопасности! Мои подчиненные не спускали с вас глаз!

— Спасибо. А как вообще Афолаби и его люди узнали, что я нахожусь во Франции? Да и вообще обо мне? Кстати, как об этом узнала и французская разведка? И почему столько лет спустя?

Фуке пожал плечами и сделал неопределенный круговой жест кистью, будто охватил все вокруг. Истолковать этот жест можно было по-разному: мол, информация рассеяна в воздухе, или такова наша работа, или сами понимаете — говорить об этом нельзя...

Киру это не удивило: она понимала, что собеседника больше интересует информация, связанная с борсханской экспедицией.

— А как вы чувствуете себя после сеансов доктора Вольфсберга? — подтвердил он ее соображения следующим вопросом.

— Как будто разворошили спокойный улей с пчелами. Улей — это мой мозг, а пчелы — мои мысли.

— У вас образное мышление!

— Наверное. Я вспомнила многие рассказы отца, больше того, они стали мне сниться, причем в цвете... Зачастую, это кошмары! Но про карту я ничего не вспомнила...

Фуке кивнул.

— Ничего, через некоторое время все ваши воспоминания восстановятся, и вы сможете отыскать в них то, что надо. По крайней мере, так уверяет доктор Вольфсберг. А я ему верю.

Кира молчала. Пьер Фуке смотрел, как по зеленоватой глади пруда с грациозной ленцой скользят лебеди, и задумчиво покачивал чашкой с остатками кофе на донышке, будто собирался вывернуть содержимое в блюдце и погадать на кофейной гуще.

— Вы ведь поделитесь со мной, когда это произойдет? — наконец нарушил молчание он.

— Конечно, — кивнула Кира.

— Помните, мы с вами партнеры, мое предложение о французском гражданстве остается в силе. К тому же, по праву первооткрывателя, вы, как наследница геолога Быстрова, получаете долю в разведанном им месторождении. Это, без всякого преувеличения, королевское вознаграждение. Но, учитывая борсханскую специфику, вам не удастся реализовать этот актив без мощной юридической и, гм... силовой поддержки.

— Я это понимаю. Но с моим отцом работал напарник, француз... Какова его судьба? Ведь он тоже пользуется правом первооткрывателя... Как я понимаю, они подружились — однажды он заколол напавшую на отца обезьяну...

Фуке криво улыбнулся.

— Бойтесь благородных помыслов — они идут от сердца, минуя разум, а потому чаще ошибочны и приносят только неприятности. Это преступник, дезертир из Иностранного легиона, тайный сотрудник контрразведки Борсханы по прозвищу Рафаил. В силу юридических тонкостей он не пользуется правом первооткрывателя. И вообще, вам лучше вычеркнуть его из памяти!

— Но почему?

Майор помолчал, барабаня пальцами по столу и, очевидно, что-то взвешивая на весах целесообразности.

— Отвечаю на ваш вопрос: и DRM, и БББ узнали о вас от Рафаила.

— Вот как?! Но экспедиция закончилась в начале девяностых!

— Да. Только он из нее не вернулся — пропал в джунглях. Нашли его лишь через двадцать лет. Тогда-то он и заговорил. Иначе, ни о месторождении, ни о карте, ни о вас никто бы ничего не узнал, — в сердцах сказал Фуке.

А про себя подумал: «Для вас с отцом так было бы гораздо лучше...»

Кира задумалась.

— Я бы хотела с ним поговорить. Это возможно?

Фуке покачал головой.

— В 2016 году, в Париже, Рафаил в пьяной драке порезал толстого Нгваму жреца из Борсханы, которого знал раньше. Я вытащил его из полиции и держал под контролем, но через полтора года он исчез. До нас дошла информация, что вскоре, через этого Нгваму, его нашли сотрудники БББ, у которых были к нему претензии. Очевидно, он рассказал все про вас, а потом скрылся и от своих бывших работодателей. Так что его местонахождение неизвестно.

— Жаль. Я хотела расспросить его об отце.

Фуке дипломатично промолчал и, выдержав вежливую паузу, перешел к процедуре прощания.

На следующий день Жак отвез ее в аэропорт. И по дороге, неожиданно, предложил выйти за него замуж. Киру накрыла теплая волна романтизма, на глазах выступили слезы, даже голос задрожал.

— Жак, мне с тобой очень хорошо. Но все, что со мной происходит... Весь этот отпуск... Это так необычно... Так далеко от привычной жизни. Мне нужно прийти в себя. Пожалуйста, дай мне время. Пусть жизнь вернется в обычное русло...

— Что ж, я готов ждать, пока реальность станет более привычной, — с невозмутимым видом вздохнул Жак. — Хотя, как доказали ученые Сорбонны, это с ней случается далеко не всегда.

К стойке регистрации Кира подошла растроганная и зареванная. Но к моменту посадки уже взяла себя в руки. Домой она хотела вернуться другой. Пусть такой же небогатой и незаметной, как была, но внутри — совершенно другой. Цельной, самодостаточной, твердой, как алмаз!

И когда «Боинг» взлетел над Лазурным Берегом, она была уверена, что ей это удастся.

* * *

*Тиходонск. Наши дни*

Работа в бухгалтерии «Картонки» стояла вот уже второй день. Вначале все рассматривали и обсуждали привезенные сувениры: пробники духов, мешочки с лавандой для отпугивания моли, красочные цветные открытки. Наташка даже получила автоматический зонтик тройной сложки, что вызвало удивление не только у товарок, но и у нее самой. Потом дело дошло до толстой стопки французских газет и глянцевых журналов. Доказательств красивого отдыха было больше, чем достаточно. Нинванна и Татьяна Витальевна, вооружившись допотопным бумажным словарем, переводили статьи о Кире, и ахая, рассматривали ее фотографии.

— Вы только поглядите, какое платье! И корона! А вокруг такие солидные тузы! Сразу видно — богачи голубых кровей...

Алена, как ни старалась оставаться в стороне, демонстрируя имидж девушки высокоинтеллектуальной, не падкой на всеобщий ажиотаж, но периодически не выдерживала, бросала свои платежки и находила в интернете описание все новых и новых похождений Королевы Бала цветов. Потом липла к остальным, внося свой вклад в таинства художественного перевода.

— Да не так эту фразу нужно читать! Это значит «затмила кинозвезд и признанных фавориток бала»...

— О, как! — всплеснула мясистыми ручками Нинванна. — Наша Кира, а? Затмила, слышь ты, фавориток!

Подперев подбородок и загнав брови на лоб, Татьяна Витальевна сокрушенно покачивала головой.

— Вот так та-ак... Вот так съездила Кирочка... Прямо голая снимается... Это и есть ихняя толерантность?

Сама Кира сидела за своим столом и задумчиво смотрела в окно, на въезжающие в ворота «Газели», на полутрезвых грузчиков, беззлобно переругивающихся перед входом в складской корпус. Дворняжка Турбо догрызала говяжий мосол, давным-давно лишившийся остатков мяса. Охранник ругался с водителем — тот, в который раз, приезжает с накладной старого образца...

— У вас там что, одни идиоты работают? Они не могут новый бланк распечатать? Сто раз говорено!

— А я при чем? Я что, крайний? Я говорил!

Как же эта унылая напряженная реальность не совпадала с той, что осталась там, на Лазурном Берегу...

— Кира, да иди же к нам! Расскажи, чего ты в ванне при всех купаешься? Или в гостинице воду отключили?

Как ни хотелось Кире остаться в стороне от коллективного поглощения ее волшебного французского отпуска, но выглядеть зазнайкой хотелось еще меньше.

— Да не купаюсь я, а принимаю ванну с шампанским! Традиция такая для Королевы бала.

И, оторвавшись от печальной картинки за окном, она подсела к Нинванне с Татьяной Витальевной, и принялась пересказывать содержание статей о спасении мальчика, о Бале цветов, о похищении...

Сослуживицы прикладывали ладони к раскрасневшимся щекам, удивленно вздыхали, цокали языками.

— Что, прямо как там написано — похитили, газом усыпили, увезли в ночи?

— Да. Так.

— Обалдеть. Просто обалдеть! Как в кино! А это шампанское — его потом выпили?

Вошла Наташка. С необычной скромностью, стараясь не шуметь, прошла к шкафу, переобулась в кабинетные балетки.

— Все изучаете приключения нашей красотки? Слышь, королева, а чего ж тебе лабутены не подарили?

— Да дарили, — отмахнулась Кира. — Только одна бандерша их растоптала. Пришлось выкинуть.

— Ничего себе! Кучеряво живешь, однако!

Наташка постаралась, чтобы ее голос звучал весело и беззаботно. Но скрыть сарказм не удалось. Нинванна даже смерила ее строгим взглядом. Для натуры, скроенной по столь незатейливым лекалам, по каким была скроена Наташка, пережить смещение с трона Самой Интересной и Сногсшибательной было довольно болезненно. Даже ее известие о том, что новый ухажер почти олигарх — не владелец фабрик, заводов и пароходов, конечно, но какой-никакой автомойки на Первой Кольцевой, не сумело перебить козырей Киры. Как же — Королева бала, похищенная и спасенная, не сходящая со страниц совсем не желтой, а играющей яркими красками зарубежной прессы...

Наташка дала себе слово перетерпеть звездный час Киры. Рано или поздно газетенки будут зачитаны до дыр — тем более что сама Кира не особенно-то подливает масла в огонь. Все больше отмалчивается, скромничает. Несколько дней, и все вернется на круги своя, бухгалтерия начнет забывать триллер «Кира в Ницце» как увлекательный, но закончившийся сериал. А ее сериалы никогда не кончаются, — так успокаивала себя Наташка, стараясь держать язык за зубами. Давалось ей это тяжело.

И, как назло, подойдя к столу, заваленному французской прессой, она увидела фотографию, на которой Кира танцует вальс с Андреем.

— О! Четенький какой чувак! — не удержалась Наташка. — Так на тебя смотрит! Было что?

Застигнутая врасплох, Кира пожала плечами.

— Ну? А чего не зафрахтовала-то? — с искренним удивлением поинтересовалась Наташка. Дальше ее уже понесло. — Поматросил, что ли? Там таких, конечно, пруд пруди...

На следующей фотографии, которую открыла Татьяна Витальевна в журнале «Glamour», Кира прогуливалась по Монте-Карло в сопровождении Жака.

— Ого! — радостно воскликнула Наташка. — А ты, подруга, как я погляжу, успела там покувыркаться...

Наткнувшись на взгляд Алены, Наташка предпочла скомкать фразу.

Атмосфера была явно испорчена.

— Ты вот что, Кира, — предложила Нинванна. — Можешь сегодня раньше уйти. Вот прям сейчас и иди. Отдыхай, приходи в себя...

И на удивленный взгляд добавила:

— Я ж понимаю, какой это шок, чтобы оттуда, из всего того — и обратно во все вот это. — Она обвела пухлой рукой кабинет бухгалтерии, многозначительно задержавшись на Наташке.

Распорядиться неожиданно свалившимися на нее свободными часами оказалось задачкой непростой. В Ницце она отправилась бы на пляж. Или попросила бы Жака свозить ее куда-нибудь на его красивой скоростной машине. Но чем занять себя в Тиходонске? Да так, чтобы не затосковать и не впасть в депрессию?

«Надо встретиться с Дианой! — пришла спасительная мысль. — Она же стояла у истоков моей поездки! Расскажу все, спрошу ее мнения...»

Какой-то неприятный червячок шевелился в душе, но Кира, не обращая на него внимания, набрала номер. Мобильник Дианы был отключен, она позвонила в справочное, и вскоре соединилась с дежурным французского консульства.

— Я бы хотела услышать Диану, мсье.

— Какую Диану? Сорель? — переспросил приятный мужской голос.

— Кажется... Но точно не знаю, — растерялась Кира.

— Диана у нас была одна, — любезно пояснил дежурный. — Но и ее отозвали в Париж...

— Спаси..., — голос сел и она, не закончив слова, отключилась.

Червячок сомнений в душе хохотал. Он знал, что так и будет. Да и она подозревала нечто подобное. Диана недолго пробыла в Тиходонске, отправляя ее на десять дней в Ниццу, не собиралась никуда уезжать, но тем не менее уехала... Еще одно странное совпадение. Сколько их может быть?! Это только Коляшка знает!

«Вот он мне и нужен!»

Главным преимуществом Колиной работы, был относительно свободный график. Нет лекций — можно развернуться, и свинтить на все четыре стороны. С Коляшкой ей всегда было уютно, ему она могла доверить все и быть уверенной, что он правильно поймет любой ее поступок, любой мотив. А это сейчас было важно. Кире нужен был кто-то, кто сыграет роль промежуточного отсека, барокамеры, которая поможет безболезненно перейти из яркого праздника жизни в обыденную рутину повседневности.

Они встретились там же, где ели мороженое перед ее отъездом — в кафе «Морозко» перед гигантским офисным центром «Звезда Тиходонска».

— Бонжур, мон шер! — приветствовал ее Коляшка.

Волосы все так же собраны в засаленный хвост, растянутая футболка с изображением какой-то рок-группы под тертой джинсовой курткой.

— Привет, привет! Это тебе! — На стол легли очки с синеватыми стеклами в массивной роговой оправе.

— Ничего себе! — Коляшка нацепил обновку на нос. — Дай зеркальце!

Кира протянула пудреницу.

— Вот это да! Теперь придется покупать костюм под галстук! Они требуют респектабельного вида! Сколько ж ты отвалила за такое чудо?

Это была самая эмоциональная реакция Коляшки из тех, которые замечала Кира за все годы их знакомства.

— Не важно. Я там выиграла кое-что в Монте-Карло...

— Круто! — Коля слегка приподнял брови, очевидно, привыкая к новому имиджу.

Было прохладней, чем в прошлый раз, почти все столики заняты, суматошно хлопая крыльями, над ними кружились голуби. Они взяли десяток пончиков с заварным кремом, кофе и маленькую бутылочку швепса.

— А в Ницце я была Королевой Бала цветов.

— Еще круче!

— А потом меня похитили. Но ненадолго. Хотели вообще-то продать в арабский гарем, но «Черные леопарды» меня вовремя спасли...

Кира говорила, Коля слушал, ел пончики и запивал обжигающим кофе. Он так увлекся, что уничтожил подчистую все содержимое тарелки.

— Ой, прости. Ты так интересно рассказывала... Я как-то не заметил...

Кире, однако, еда не лезла в рот. Пересказав свои французские приключения, она впервые увидела их отстраненно, со стороны. И все, случившееся с ней, вдруг предстало в довольно странном свете. Будто она, сама того не ведая, снялась в фильме по сценарию неведомого ей, но жестко контролировавшего каждую сцену, режиссера. И периодически мелькавшие у нее подозрения очень органично вписывались в такое представление!

Коля в задумчивости складывал из салфетки затейливую фигурку оригами. Стекла новых очков отблескивали синим оттенком, и выглядел он непривычно солидно и значительно.

— В казино произошло все так, как и должно быть, — задумчиво произнес он. — Вначале удача, потом разочарование. И это полностью вписывается в теорию вероятностей.

Кира кивнула. Она тоже пришла к такому выводу.

— Что касается всего остального...

Коляшка снял очки и снова приобрел простецкий вид ботана.

— Не буду утомлять тебя формулами и расчетами. Просто представь себе, что мимо Земли пролетает астероид, с ним столкнулся один из спутников и отколол кусок, направив его в атмосферу. В плотных слоях обломок разрушился и сгорел, крохотная частица пронзила одного из тех голубей, потом влетела в нашу бутылку, — он приподнял пустую бутылку и показал узкое горлышко. — Выбила дно, пронизала стол и ушла в землю, где перебила силовой кабель, оставив город без электричества... Ты поняла, что я имею в виду?

— Да.

— Так вот, это в десять раз меньше противоречит теории вероятности, чем то, о чем ты рассказала. А может, в двадцать, не знаю!

— А представь себе, что сейчас на нас действительно упадет мертвый голубь, разобьется бутылка, везде погаснет свет... Что ты тогда скажешь со своими учеными выкладками?

Коляшка снова надел очки.

— Тогда я скажу, что теория вероятности тут не причем — это кем-то подстроено!

Фраза прозвучала очень убедительно. Может, из-за эффекта респектабельных очков, а может, из-за безупречной логики и твердой уверенности в правильности выводов.

— Но кем? — по инерции спросила Кира.

Он пожал плечами.

— Не знаю. Инопланетянами, шпионами, колдунами... Это находится за пределами моей специальности.

Коля помолчал и добавил:

— Может, давай, по сто пятьдесят коньячку, по такому-то случаю?

— По какому?

— Не будь занудой! По случаю твоего благополучного возвращения живой и невредимой. У тебя есть деньги?

Кира усмехнулась.

— А давай выпьем! Денег я наскребу!

\* \* \*

Был ли тому причиной коньяк, выпитый с другом Колей, в ознаменование счастливого избавления от опасностей Лазурного Берега (а ста пятьюдесятью граммами дело, естественно не ограничилось), или сказалось общее нервное напряжение — но сон, который приснился ей в ту ночь, был особенно драматичен, и насыщен хищной африканской абракадаброй.

Собственно, это было продолжение одного из ранее виденных снов. В зловеще шелестящих джунглях отец дрался с вылезающим из могилы зомби — рубил его острой лопатой так, что обрубки разлетались во все стороны, но тут же снова соединялись воедино, и невредимый монстр вновь норовил схватить его за горло... Это не могло продолжаться вечно, как и не могло завершиться победой отца, но у нее в руках неизвестно каким образом оказался пистолет Жака — небольшой, но с широким дулом, причем заряженный серебряными пулями... Она целится и стреляет — раз, другой, третий... Серебряные пули действуют — зомби разлетается на куски, но они уже не соединяются вместе, и страшный монстр превращается в кучу костей и кусков разложившегося мяса...

Она дернулась и проснулась. За окном было ранее субботнее утро. Она лежала в постели одна, хотя помнила, что изрядно напившийся Коляшка трогал ее за коленки и просился «в гости»... Но, к счастью, коварного буйабеса они вчера не ели, поэтому талантливый математик, несмотря на свои способности, получил отлуп и был отправлен на такси восвояси — даже новые очки не помогли.

Солнце, хоть и не так празднично, как в Ницце, но дружелюбно и ласково светило в окно сквозь тюлевую занавеску лимонного оттенка. Примерно так же светило оно много лет назад, когда отец, в этой же комнате, рассказывал ей еще одну странность далекой и страшной Африки, связанную, как ни странно, с сегодняшним сном:

— У туземцев сейфов нет. Если они хотят надежно спрятать какую-то вещь, то обходятся очень просто. Никогда не догадаешься, как...

— Как, папа? — девочка Кира напрягала фантазию, пытаясь представить, где можно спрятать что-то в джунглях, среди деревьев и хлипких хижин. Но в голову ничего правдоподобного не приходило.

— Расскажи, куда они прячут?

— Зарывают, в могилу своего родственника. Это так же надежно, как для нас положить в банк.

— Почему?!

— Табу. Они верят, что если посторонний нарушит покой мертвых, те превратятся в зомби, и в первую очередь сожрут нарушителя...

— А что они могут прятать? Разве у них есть ценности?

— Есть. Ребро съеденного крокодилом брата, камень-талисман погибшего в бою отца, стрела, спасшая жизнь на охоте, да мало ли что еще. Могут спрятать алмазы, но это тоже табу: глаза Великого Юки присваивать нельзя — за это суровая кара...

Разговор этот прозвучал в ушах Киры с такой отчетливостью, будто она и впрямь сидела рядом с отцом, слушая его пугающие и одновременно такие притягательные рассказы. Или будто мозговой компьютер включил соответствующий сновидению звуковой ряд. Доктор Вольфсберг был прав: воспоминания не исчезают, просто теряются в закоулках памяти, и если их привести в систему, оказываются на нужных полках, как книги в библиотеке!

Она не стала завтракать — быстро оделась, вытащила из кладовки старый портфель с инструментами, и вызвала такси.

\* \* \*

Давненько она здесь не была. В последний раз в родительскую субботу около полугода назад. Корила себя, называла плохой дочкой — но заставить приезжать чаще не могла. Слишком тяжелое настроение увозила всегда отсюда.

Памятники стояли рядом, но портреты на невысоких мраморных плитах смотрели в разные стороны.

— Здравствуй, мама. Здравствуй, папа.

Она здоровалась с родителями по отдельности, полагая, что и на том свете мать пребывает с отцом в вечных контрах. Молча постояла перед оградкой, и чем дольше стояла, тем отчетливей чувствовала себя дурой. Все-таки, сны одно, а явь — совсем другое.

— Надеюсь, я правильно тебя поняла, — наконец сказала она, глядя на суровое, а может, просто усталое лицо отца. Если дочь рассчитывала на какой-то знак, то напрасно — подтверждения она не получила.

Достав молоток, Кира обошла памятник матери, постукивая рукоятью по периметру фундамента. Ничего подозрительного. Обошла еще раз, повторяя процедуру, только теперь стучала металлическим бойком. На этот раз в торце головной части проявился более звонкий звук — за мраморной крошкой была пустота! Она обстучала ее, определяя размеры: примерно двадцать на десять сантиметров, почти на уровне земли...

Пропустила мимо толстую женщину с ведром, веником и совком, подождала, пока та свернет в другую аллею и скро-

ется из глаз. Воровато осмотрелась по сторонам и, чувствуя
себя преступницей, с силой ударила в середину обнаружен-
ной пустоты. Раздался треск и молоток провалился в звездо-
образное отверстие, за которым чернела зловещая пустота.

«Ничего, своих мертвые не трогают», — подумала она, на-
правляя в черноту луч фонаря. Среди густой паутины лежал
сверток. Значит, она все поняла правильно. Несколькими
ударами расширила отверстие, и вытащила находку на свет
божий. Отец был тем еще педантом. Три слоя пластиковой
обертки, чередующейся с кусками холстины, и все это сшито
и склеено по краям, чтобы изолировать от влаги.

Кира нашла в портфеле ножницы для металла, вскрыла
один шов, следом другой и, наконец, добралась до содержи-
мого: изрядно потрепанная, плотно исписанная отцовым почерком общая тетрадь; отдельно завернуты в тонкий пластик
карта с чернильными крестиками, квадратиками, треуголь-
никами, значение которых расшифровывалось на обороте,
грубые схемы, похожие на детские рисунки с поясняющими
надписями. Еще — несколько металлических пробирок с не-
понятными пометками на ярлычках и какими-то камешками
внутри...

Без сомнения, это именно то, что так хотели заполучить
господин Афолаби, и мсье Фуке! То, из-за чего, возможно,
убили отца... То, благодаря чему Кира должна была разбога-
теть... Но она совершенно не представляла, какая польза может быть ей от этих вещей. Так африканец из племени юка-
юка не мог бы понять, какой толк от платиновой карты «Аме-
рикэн Экспресс» с миллионом долларов на счете...

Но если абориген так бы и остался в неведении, то Кира
знала, что по любому вопросу можно обратиться за разъяс-
нениями к осведомленным людям. Важно только правильно
определить их уровень компетентности...

\* \* \*

К работе Кира так и не приступила. Внезапно ее направили
в Москву на трехмесячные курсы повышения квалификации.
Поскольку с «Картонки», отродясь, никого ни на какие курсы
не отправляли, в коллективе словно бомба взорвалась. Тем

более что распоряжение объявил не кто-нибудь, а хозяин — Николай Всеволодович, явившись самолично в запущенную комнату бухгалтерии. Он сказал так же, что авиабилеты в оба конца будут ей оплачены, зарплата с премиями сохранится. А осмотревшись, добавил, что здесь надо будет сделать хороший ремонт!

Три месяца бухгалтерши ломали голову — что же все это значит? Но, ни к какому выводу так и не пришли. Все с нетерпением ждали возвращения Киры, однако, она так и не появилась. Потом поползли слухи, которые исходили от Наташки и которым не поверили в силу их очевидной невероятности.

Но однажды дверь в бухгалтерию распахнулась столь стремительно, что, если бы возле нее кто-нибудь стоял, уехал бы на «Скорой» с сотрясением мозга.

— Обалдеть! — выкрикнула, задыхаясь от перевозбуждения, Алена. — Слышали? Вы слышали?

Судя по оловянным взглядам сотрудниц, бессмысленно уткнувшихся кто в бумаги, кто в монитор, они уже слышали. Алена чуть не расплакалась — не уносить же в себе то, с чем бежала на третий этаж без лифта. И тут такая удача — в кабинет вошла Татьяна Витальевна. Ездила в банк, припозднилась.

— Наташка не врала! Представляете?!

— О чем ты, Алена?

Краем глаза Алена заметила, что у нее уже наметилась конкурентка: не кто иной, как Нинванна собралась выдать главбуху сногсшибательную новость. Но пока Нинванна сделает вдох, пока сделает выдох...

— Быстрова уехала во Францию! — выпалила Алена. — И уже не в отпуск! Какой там! Чтобы выйти замуж! Говорят, жених сам за ней приехал и увез! Так-то!

Гул возбужденных женских голосов наполнил так и не отремонтированную бухгалтерию, и выплеснулся во внутренний дворик, где охранник привычно ругался с водителем, неверно оформившим накладную.

— Вот тебе и тихоня...

— Просто повезло!

— Таких везений не бывает — их слишком много!

— Да, целая цепь счастливых случайностей!

Одна Наташка, в шоке забившись в дальний угол, молча переживала свершившееся. Конечно, во Францию ее никто не увезет. Но, но, но! Кира теперь далеко, а здесь, в кабинетах бывшей картонажной фабрики, рано или поздно все вернется на круги своя. Жизнь пойдет своим чередом — и ее история с новым Виталиком, у которого мойка на пять машин, и дом через забор с бывшей женой фабриканта Холодова, непременно займет первую строчку здешнего хит-парада. А это тоже совсем немало. Особенно, если ни с чем не сравнивать...

# Часть 4
# ОПЕРАТИВНАЯ РЕАЛЬНОСТЬ
# (ВМЕСТО ЭПИЛОГА)

*Тайное всегда становится явным.*
*Но не всегда для всех.*

Документ № 123/1.

Начальнику УФСБ по Тиходонскому краю
генерал-майору Богатыреву В.И.

## РАПОРТ

12 сентября 2013 года, около 03 часов, в садоводческом товариществе «Фруктовый», был убит Быстров Д.Е. Домик, в котором совершено убийство и прилегающий участок подвергнуты тщательному обыску, характерному для поиска определенных, тщательно спрятанных предметов. В сферу нашего внимания этот факт попал в связи с тем, что Быстров Дмитрий Евгеньевич, геолог по специальности, в период с 1990 по 1992 год находился в командировке в африканской республике Борсхана, возглавляя экспедицию по поиску алмазных месторождений.

Три исполнителя убийства — лица из профессиональной преступной среды (прозвища Волчара, Еж, Худой), проживающие и постоянно действующие на разных территориях (Москва, Сочи, Курск), но имеющие широкие межрегиональные связи, вооруженные огнестрельным оружием, были ликвидированы в ходе и на месте нападения (Еж), сразу после его окончания, в лесополосе неподалеку от «Фруктового» (Худой), и через сутки, в Москве (Волчара), причем причина смерти последнего не установлена, имеется подозрение на отравление неизвестным ядом. Изложенное выше свидетельствует о тщательной подготовке преступления и продуманном заметании следов, что исключает официально разрабатываемую полицией и Следственным Комитетом версию о спонтанном разбойном нападении, и позволило предположить, что Быстров привез из загранкомандировки алмазы, которые и являлись целью специально сформированной преступной группы.

Проверяя наличие алмазов у единственной связи Быстрова, мы, действуя под документами прикрытия полиции, провели обыск квартиры, в которой проживала дочь погибшего — Быстрова К.Д. Однако, положительных результатов получено не было. Кроме того, Быстрова К.Д. выяснила, что руководивший спецмероприятием сотрудник под псевдонимом «майор Буров» в правоохранительных органах края не работает. С целью легендирования спецмероприятия был задействован реальный сотрудник УР края подполковник Ванеев В.К., который убедил Быстрову К.Д., что «обыск» у нее совершен мошенниками, использовавшими фальшивые документы. По словам Ванеева, Быстрова в это объяснение поверила.

Полагал бы материалы проверки неподтвердившейся версии о незаконно привезенных Быстровым Д.Е. алмазах списать в архив.

Начальник оперативного отдела
майор Петров Г.А.
19.10.2013 г.

\* \* \*

Документ № 896/2.

Начальнику УФСБ по Тиходонскому краю
генерал-лейтенанту Богатыреву В.И.

РАПОРТ

20.09.2018 года в Управление обратилась гр. Быстрова К.Д., фигурантка проверочного материала № 123/1 от 19.10.2013 г., которая принесла принадлежащие ее отцу Быстрову Д.Е., материалы геологической разведки алмазного месторождения в республике Борсхана в 1990—1992 гг.

Как пояснила заявительница, во время ее пребывания летом 2018 г. на отдыхе в г. Ницца Французской республики, к ней были сделаны вербовочные подходы со стороны представителей Бюро безопасности Борсханы и военной разведки Франции (DRM) с целью завладения вышеназванными материалами, местонахождение которых ей на тот момент известно не было. С целью активизации воспоминаний, по инициативе DRM и с ее согласия, ей были проведены сеансы гипнотического воздействия, в результате которого ей и удалось обнаружить спрятанные отцом материалы.

Быстрова К.Д. высказала уверенность в том, что ее предварительную разработку вела агент DRM Диана Сорель, работавшая в Тиходонске под прикрытием сотрудника французского консульства. Аналогичное предположение она высказала о Жаке Бойер, контактировавшим с ней в Ницце. Майором этой же службы явился и разрабатывающий ее Пьер Фуке, не скрывающий своей принадлежности к DRM. Выводы фигуранта о работе в разведке Франции Сорель и Бойер подтвердились. Она высказала также предположение о связи с DRM российской эмигрантки Элеоноры Войтовой, что укрепило подозрения, имеющиеся в отношении последней, но нуждается в дальнейшей проверке.

Быстрова К.Д. также дала информацию о контактах с руководителем Международной корпорации «Алмазы Борсханы» Джелани Афолаби, являющимся вторым, а может быть, и первым человеком в Правительстве Борсханы, Директором БББ Абигом Бонгани и одним из командиров «Черных леопардов» Мадиба Окпара.

Таким образом, Быстрова К.Д. проявила несомненные оперативные и аналитические способности, проявила твердые морально-волевые качества и обзавелась полезными связями в руководящих кругах и спецслужбах Франции и Борсханы. В связи с чем Служба внешней разведки России предлагает принять ее на трехмесячные курсы первоначальной подготовки для последующего направления во Францию по имеющемуся у нее каналу: принятие предложения о замужестве от Жака Бойера. Предполагается использование Быстровой в оперативных играх вокруг алмазного месторождения и иных разведывательных целях. Предварительное согласие Быстровой получено. Она прошла психофизиологическое тестирование, подтвердившее ее пригодность для оперативной разведывательной работы.

Полагал бы согласиться с предложением СВР и направить в адрес Службы архивный материал 123/1 от 2013 года.

Начальник оперативного отдела Петров Г.А.
подполковник
15.10.2018 г.

\* \* \*

Документ № 0003.
Москва, Центр.

Легализация прошла успешно. Изменение координат на карте подозрений не вызвало. Продолжаю действовать по легенде.

Золушка.
17.04. 2019 г.

*Ростов-на-Дону, 2019*

# Оглавление

Литературно-художественное издание
әдеби-көркем басылым

ШПИОНЫ И ВСЕ ОСТАЛЬНЫЕ

**Корецкий Данил Аркадьевич**
**ЛАБУТЕНЫ ДЛЯ ЗОЛУШКИ**

**Редакционно-издательская группа «Жанровая литература»**
Зав. группой *М. Сергеева*
Ответственный редактор *Н. Ткачева*
Технический редактор *О. Серкина*
Компьютерная верстка *Е. Коптевой*
Корректор *Е. Савинова*

Общероссийский классификатор продукции
ОК-034-2014 (КПЕС 2008): 58.11.1 — книги, брошюры печатные

Произведено в Российской Федерации. Изготовлено в 2019 г.

Изготовитель: ООО «Издательство АСТ»
129085, г. Москва, Звёздный бульвар, дом 21, строение 1, комната 705, пом. I, 7 этаж.
Наш электронный адрес: www.ast.ru
E-mail: zhanry@ast.ru
https://vk.com/janry_ast
https://www.facebook.com/Janry.AST/

«Баспа Аста» деген ООО
129085, г. Мәскеу, Жулдызды гүлзар, д. 21, 1 құрылым, 705 бөлме, пом. 1, 7-қабат
Біздің электрондық мекенжайымыз : www.ast.ru   E-mail: zhanry @ast.ru

Интернет-магазин: www.book24.kz
Интернет-дукен: www.book24.kz
Импортер в Республику Казахстан и Представитель по приему претензий
в Республике Казахстан — ТОО РДЦ Алматы, г. Алматы.
Қазақстан Республикасына импорттаушы және Қазақстан Республикасында
наразылықтарды қабылдау бойынша өкіл «РДЦ-Алматы» ЖШС, Алматы
қ.,Домбровский көш., 3«а», Б литері офис 1. Тел.: 8(727) 2 51 59 90,91
факс: 8 (727) 251 59 92 ішкі 107;
E-mail: RDC-Almaty@eksmo.kz , www.book24.kz Тауар белгісі: «АСТ»
Өндірілген жылы: 2019
Өнімнің жарамдылық; мерзімі шектелмеген.

Подписано в печать 20.05.2019. Формат 84x108 1/32.
Гарнитура «Newton». Печать офсетная. Усл. печ. л. 20,16.
Тираж 12 500 экз. Заказ № 6556.

Отпечатано в ООО «Тульская типография».
300026, г, Тула, пр. Ленина, 109.

ISBN 978-5-17-111780-1

16+